D0343806

afgeschreven

Zoete tranen

MADELEINE WICKHAM

ZOETE
TRANEN

the house of books

Oorspronkelijke titel
The Gatecrasher
Uitgave
Black Swan, published by Transworld Publishers, Londen

Vertaling
Annemarie Verbeek
Omslagontwerp
marliesvisser.nl
Omslagillustratie
© Peter Frank/Solus-Veer/Corbis en Studio Marlies Visser
Opmaak binnenwerk
ZetSpiegel, Best

ISBN 978 90 443 2383 2
D/2009/8899/71
NUR 302

www.thehouseofbooks.com

Voor Freddy

1

Fleur Daxeny trok haar neus op. Ze beet op haar lip, hield haar hoofd schuin en staarde enkele ogenblikken zwijgend naar haar spiegelbeeld. Toen liet ze een tinkelend lachje horen.

'Ik weet het nog steeds niet,' riep ze uit. 'Ze zijn allemaal zo fantastisch.'

De verkoopster van *Take Hat!* wisselde vermoeide blikken met de nerveuze jonge kapper die op een verguld krukje in de hoek zat. De kapper was een halfuur geleden in Fleurs suite aangekomen en wachtte sindsdien tot hij eindelijk kon beginnen. De hoedenverkoopster begon zich ondertussen af te vragen of ze haar tijd compleet aan het verdoen was.

'Ik vind deze met die voile leuk,' zei Fleur ineens en ze pakte een piepklein hoedje van zwart satijn met een flinterdun netje. 'Wat is hij elegant, hè?'

'Heel elegant,' zei de verkoopster. Ze haastte zich juist op tijd naar voren om een zwarte hoge zijden hoed op te vangen die Fleur nonchalant op de grond liet vallen.

'Heel elegant,' echode de kapper in de hoek. Hij wierp een steelse blik op zijn horloge. Hij werd geacht over veertig minuten terug te zijn in de salon. Trevor zou niet blij zijn. Misschien moest hij even bellen om de situatie uit te leggen. Misschien...

'Goed!' zei Fleur. 'Ik ben eruit.' Ze duwde de voile omhoog en keek stralend de kamer rond. 'Vandaag draag ik deze.'

'Een heel verstandige keuze, mevrouw,' zei de verkoopster opgelucht. 'Het is een schattig hoedje.'

'Schattig,' fluisterde de kapper.

'Dus als u even die andere vijf in dozen stopt voor me...' Fleur glimlachte geheimzinnig en trok het donkere zijden gaas weer over haar gezicht. De vrouw van *Take Hat!* gaapte haar vol ongeloof aan.

'Koopt u ze allemaal?'

'Ja natuurlijk. Ik kan domweg niet kiezen. Ze zijn allemaal té perfect.' Fleur wendde zich tot de kapper. 'En nu jij, schat. Kun jij iets bijzonders voor mijn haar bedenken dat bij dit hoedje past?' De jongeman keek met grote ogen naar haar en voelde een donkerroze blos vanuit zijn hals omhoog kruipen.

'O. Ja. Dat denk ik wel. Ik bedoel...' Maar Fleur had zich alweer van hem afgekeerd.

'Als u dit allemaal op mijn hotelrekening wilt zetten,' zei ze tegen de verkoopster. 'Dat is toch geen probleem, hè?'

'O nee, absoluut niet,' zei de verkoopster gretig. 'Als hotelgast hebt u zelfs recht op een korting van vijftien procent op al onze prijzen.'

'O, nou ja,' zei Fleur. Ze geeuwde een beetje. 'Als het allemaal maar op de hotelrekening kan.'

'Ik ga het meteen voor u regelen.'

'Goed,' zei Fleur. Terwijl de verkoopster zich de kamer uit haastte, draaide zij zich om en wierp de jonge kapper een verleidelijke glimlach toe. 'Geheel de jouwe.'

Haar stem was laag en melodieus en opvallend accentloos. De kapper meende er nu ook een vaag spottende ondertoon in te bespeuren, en hij bloosde licht terwijl hij naar de stoel toeliep waar Fleur zat. Hij ging achter haar staan, nam de uiteinden van haar haar in een hand en liet ze in een zware, roodgouden beweging vallen.

'Uw haar is in heel goede conditie,' zei hij verlegen.

'Ja, mooi, hè?' zei Fleur zelfvoldaan. 'Ik heb altijd mooi haar gehad. En natuurlijk ook een mooie huid.' Ze hield haar hoofd schuin, duwde haar hotelbadjas enigszins opzij en wreef teder met haar wang over de blanke romige huid van haar schouder.

'Hoe oud zou je zeggen dat ik ben?' voegde ze er abrupt aan toe.
'Ik weet niet... ik zou niet...' hakkelde de jongeman.
'Ik ben veertig,' zei ze loom. Ze deed haar ogen dicht. 'Veertig,' herhaalde ze alsof ze aan het mediteren was. 'Dat zet je toch aan het denken, hè?'
'U ziet er niet...' begon de jongeman op onbeholpen beleefde toon. Fleur deed één katachtig groen oog open.
'Zie ik er niet uit als veertig? Hoe oud zie ik er dan uit?'
De kapper keek haar ongemakkelijk aan. Hij deed zijn mond open om iets te zeggen en toen weer dicht. Eerlijk gezegd, dacht hij ineens, leek deze ongelooflijke vrouw van geen enkele leeftijd. Ze leek leeftijdsloos, klasseloos, ondefinieerbaar. Toen hij haar aankeek, ging er een rilling door hem heen – onverhoeds getroffen door de overtuiging dat dit moment op de een of andere manier van betekenis was. Met licht trillende handen pakte hij haar haar beet en liet het als gladde vlammen door zijn handen glijden.
'U ziet er zo oud uit als u eruitziet,' fluisterde hij schor. 'Getallen hebben daar niets mee te maken.'
'Lief,' zei Fleur onverschillig. 'Enfin, schat, zou je een glaasje champagne voor me willen bestellen voor je aan mijn haar begint?'
De kapper liet zijn vingers enigszins teleurgesteld zakken en liep gehoorzaam naar de telefoon. Terwijl hij een nummer intoetste, ging de deur open en kwam de vrouw van *Take Hat!* weer naar binnen met een stapel hoedendozen. 'Zo,' riep ze ademloos uit. 'Als u hier even zou willen tekenen...'
'Een glas champagne, graag,' zei de kapper. 'Kamer 301.'
'Ik vroeg me af,' begon de verkoopster voorzichtig tegen Fleur. 'Weet u heel zeker dat u de zes hoeden allemaal in het zwart wilt hebben? We hebben dit seizoen echt schitterende kleuren.' Ze tikte peinzend tegen haar tanden. 'We hebben een prachtige smaragdgroene die werkelijk adembenemend bij uw haar zou staan...'
'Zwart,' zei Fleur op besliste toon. 'Ik ben alleen maar geïnteresseerd in zwart.'

Een uur later bekeek Fleur zichzelf in de spiegel, glimlachte en knikte. Ze droeg een eenvoudig zwart mantelpakje dat volledig op maat gemaakt was. Haar benen glinsterden in doorschijnende zwarte kousen, haar voeten vielen niet op in discrete zwarte schoenen. Haar haar was in een voorbeeldige chignon gedraaid waar het zwarte hoedje perfect op leunde.

De enige zweem van vrolijkheid aan haar voorkomen was een glimp van zalmroze zijde onder haar jasje. Fleur had als regel dat je altijd iets van kleur aan moest hebben, hoe ingetogen het ensemble of de gelegenheid ook was. In een menigte troosteloze zwarte pakken trok een vleugje zalmroze het oog onbewust naar haar. Mensen zouden haar opmerken zonder precies te weten waarom. En dat was precies zoals ze het wilde.

Terwijl ze naar haar spiegelbeeld bleef kijken, trok Fleur de gazen voile over haar gezicht. De zelfvoldane uitdrukking verdween en maakte plaats voor een ernstig, ondoorgrondelijk verdriet. Ze bleef enkele ogenblikken stilletjes naar zichzelf staan staren. Ze pakte haar zwarte Osprey-tas en hield hem plechtig langs haar zij. Ze knikte een paar maal langzaam en zag hoe de voile wazige, geheimzinnige schaduwen over haar bleke gezicht wierp.

Toen ging plotseling de telefoon, en ze kwam met een schok weer op aarde.

'Hallo?'

'Fleur? Waar zat je toch? Ik probeer je alsmaar te bellen.' Het zware Griekse accent was onmiskenbaar. Er verscheen een rimpel van ergernis in Fleurs voorhoofd.

'Sakis! Schat, ik heb een beetje haast...'

'Waar ga je heen?'

'Gewoon. Winkelen.'

'Waarom moet je winkelen? Ik heb in Parijs kleren voor je gekocht.'

'Dat weet ik, lieveling. Maar ik wilde je verrassen met iets nieuws voor vanavond.' Haar stem kabbelde overtuigend liefdevol door de telefoon. 'Iets elegants, sexy...' Terwijl ze sprak, kreeg ze een ingeving. 'En weet je, Sakis,' voegde ze er behoedzaam aan toe, 'ik vroeg me af of het geen goed idee zou zijn om contant te betalen, zodat ik een beetje kan onderhandelen. Ik kan toch geld opnemen van het hotel, hè? Op jouw rekening?'

'Tot op zekere hoogte. Tot tienduizend pond, geloof ik.'

'Zó veel heb ik bij lange na niet nodig!' Haar stem klaterde van plezier. 'Ik wil maar één jurkje of pakje! Hooguit vijfhonderd pond.'

'En zodra je het gekocht hebt, ga je regelrecht terug naar het hotel.'

'Natuurlijk, lieverd.'

'Dat is niet zo natuurlijk. Fleur, dit keer mag je niet te laat komen. Heb je dat goed begrepen? Je-mag-niet-te-laat-komen.' De laatste woorden werden haar als een militair bevel toegeblaft en Fleur kromp stilletjes ineen van ergernis. 'Het is heel duidelijk. Leonidas haalt je om drie uur op. De helikopter vertrekt om vier uur. Onze gasten komen om zeven uur. Je moet klaarstaan om hen te begroeten. Ik wil niet dat je te laat komt, zoals de vorige keer. Het was... het was onbetamelijk. Luister je? Fleur?'

'Natuurlijk luister ik!' zei Fleur. 'Maar er klopt iemand op de deur. Ik ga even kijken wie het is...' Ze wachtte een paar tellen en legde toen resoluut de hoorn op de haak. Een ogenblik later pakte ze hem weer op.

'Hallo? Zou u iemand naar boven kunnen sturen voor mijn bagage? Dank u.'

Beneden in de foyer was het rustig en sereen. De vrouw van *Take Hat!* zag Fleur langs de winkel lopen en zwaaide even, maar Fleur negeerde haar.

'Ik wil graag uitchecken,' zei ze toen ze bij de receptie aankwam. 'En ik zou graag geld willen opnemen. De rekening staat op naam van Sakis Papandreous.'

'Ach ja.' De vlotte, blonde receptioniste tikte iets op haar computer in, keek op en glimlachte naar haar. 'Hoeveel wilt u opnemen?'

Fleur keek haar stralend aan.

'Tienduizend pond. En kunt u twee taxi's voor me bestellen?'

De vrouw keek verrast op. 'Twee?'

'Eén voor mij en één voor mijn bagage. Mijn bagage gaat naar Chelsea.' Fleur sloeg haar ogen neer onder haar gazen voile. 'Ik ga naar een herdenkingsdienst.'

'O jeetje, wat naar,' zei de vrouw terwijl ze Fleur enkele pagina's hotelrekening overhandigde. 'Iemand die u na stond?'

'Nog niet,' zei Fleur terwijl ze de rekening ondertekende zonder hem verder te controleren. Ze keek aandachtig toe terwijl de caissière dikke stapels bankbiljetten uittelde en in twee enveloppen met monogram stopte, nam ze met een teder gebaar aan, stopte ze in haar Osprey-tas en knipte die resoluut dicht. 'Maar je weet maar nooit.'

Richard Favour zat op de eerste rij van de kerk van St. Anselmus met gesloten ogen te luisteren naar de geluiden van mensen die de kerk binnenstroomden – gedempt gefluister, het getik van hakken op de betegelde vloer – en *Jesu, joy of man's desiring* dat zachtjes op het orgel werd gespeeld.

Hij had altijd een bloedhekel aan *Jesu, joy of man's desiring* gehad; het was het voorstel van de organist geweest bij hun bespreking van drie weken geleden, nadat duidelijk was geworden dat Richard geen enkel stuk orgelmuziek kon bedenken waar Emily nu speciaal dol op was geweest. Er had een ietwat gênante stilte gehangen terwijl Richard zich suf piekerde tot de organist tactvol had gemompeld: '*Jesu, joy of man's desiring* doet het altijd heel goed...' en Richard had er in haastige opluchting mee ingestemd.

Nu verscheen er een ontevreden frons op zijn gezicht. Hij had toch wel iets persoonlijkers kunnen kiezen dan dit bombastische, afgezaagde deuntje? Emily was een echte muziekliefhebster geweest; ze ging altijd naar concerten en recitals toen haar gezondheid het nog toeliet. Had ze hem nu nooit eens aangekeken en gezegd: 'Ik vind dit zo prachtig, jij niet?' Hij kneep zijn ogen dicht terwijl hij het zich voor de geest probeerde te halen. Maar het enige beeld dat hij voor zich zag, was dat van Emily die in bed lag met doffe ogen, bleek en teer en zonder te klagen. Hij werd getroffen door een schuldgevoel. Waarom had hij zijn vrouw nooit gevraagd wat haar favoriete muziekstuk was? In de drieëndertig jaar dat ze getrouwd waren geweest had hij het haar nooit gevraagd.

Hij wreef vermoeid over zijn voorhoofd en keek naar het gedrukte herdenkingsprogramma op zijn schoot. De woorden staarden hem aan. *Dienst ter herdenking van en dankzegging voor het leven van Emily Millicent Favour.* Eenvoudig zwart lettertype, eenvoudige witte kaart. Hij had alle pogingen van de drukker weerstaan om er populaire details als zilveren randen of engelen in reliëf aan toe te voegen. Daar, dacht hij, zou Emily mee ingestemd hebben. Althans… dat hoopte hij maar.

Richard was al verscheidene jaren met Emily getrouwd toen hij zich realiseerde dat hij haar niet echt goed kende, en er kwamen er nog eens verscheidene bij voor hij besefte dat dat ook nooit meer zou gebeuren. In het begin was haar serene afstandelijkheid een deel van haar aantrekkingskracht geweest, samen met haar bleke, mooie gezichtje en het strakke, jongensachtige figuur dat ze net zo resoluut verborgen hield als haar diepste gedachten. Hoe meer ze zich verstopte, hoe meer Richard geprikkeld werd, en hij had naar hun trouwdag uitgekeken met een verlangen dat aan radeloosheid grensde. Eindelijk, had hij gedacht, zouden Emily en hij hun verborgen zelf aan elkaar kunnen tonen. Hij had ernaar gesnakt om niet alleen haar lichaam, maar ook haar geest, haar persoon te verkennen, om haar meest intieme angsten en dromen te ontdekken, om haar levenslange zielsverwant te worden.

Ze waren op een onbewolkte, winderige dag in een dorpje in Kent getrouwd. Emily had er de hele dag beheerst en sereen uitgezien. Richard had gedacht dat ze simpelweg beter was dan hij in het verbergen van de nerveuze afwachting die toch zeker net zo intens binnen in haar brandde als in hem – een verwachtingsvol gevoel dat sterker geworden was naarmate de dag opgeslokt werd en het begin van hun leven samen dichterbij kwam.

Nu deed hij zijn ogen dicht en dacht aan die eerste, tintelende seconden toen de deur achter de kruier dichtging en hij voor het eerst alleen met zijn vrouw was in de suite van het hotel in Eastbourne. Hij had naar haar staan kijken terwijl ze haar hoed afzette met diezelfde soepele, precieze bewegingen die ze altijd maakte. Hij had half en half gewild dat ze dat gekke ding zou weggooien en hem in zijn armen zou vallen, maar tegelijkertijd wilde hij ook dat dit heerlijke, onzekere wachten voor altijd door zou gaan. Het had geleken alsof Emily het moment van hun samenzijn opzettelijk uitstelde, hem plaagde met haar koele, afwezige manier van doen, alsof ze precies wist wat er door zijn hoofd speelde.

En toen had ze zich eindelijk omgedraaid en hem aangekeken. En hij had diep ademgehaald, niet goed wetend waar hij moest beginnen, welke van zijn lang ingehouden gedachten hij het eerst de vrije loop zou laten. En ze had hem met blauwe, afstandelijke ogen aangekeken en gezegd: 'Hoe laat eten we?'

Zelfs toen dacht hij nog dat ze maar wat plaagde. Hij dacht dat ze het gevoel van verwachting expres rekte, dat ze haar emoties met opzet binnenhield tot ze zo overweldigend werden dat ze er in één enorme stortvloed uit kwamen en zich met de zijne zouden vermengen. En dus, onder de indruk van haar kennelijke zelfbeheersing, had hij geduldig gewacht. Gewacht op de stortvloed, op het openzetten van de sluizen, op de tranen en de overgave.

Maar het was nooit gebeurd. Emily's liefde voor hem had zich nooit anders gemanifesteerd dan in een langzaam druppelen van innige genegenheid. Ze had op elke streling van hem, op elke vertrouwelijkheid van zijn kant met dezelfde lauwe belangstelling gereageerd. Toen hij haar een heftigere reactie probeerde te ontlokken, stuitte hij in eerste instantie op onbegrip, maar naarmate hij vuriger werd, op een bijna angstig verzet.

Uiteindelijk gaf hij zijn pogingen op. En geleidelijk, bijna zonder dat hij zich ervan bewust was, was zijn eigen liefde voor haar ook gaan veranderen. In de loop der jaren waren zijn emoties opgehouden als een kokendhete vloedgolf tegen het oppervlak van zijn ziel te beuken – ze hadden zich teruggetrokken en waren gestold tot iets wat stevig, droog en verstandig was. En Richard zelf was ook stevig, droog en verstandig geworden. Hij had geleerd zijn mening voor zich te houden, zijn gedachten emotieloos op een rijtje te zetten en maar de helft te zeggen van wat hij werkelijk dacht. Hij had geleerd te glimlachen als hij wilde stralen, met zijn tong te klakken als hij het wilde uitgillen van frustratie, om zichzelf en zijn domme gedachten zo veel mogelijk in te dammen.

Nu, terwijl hij zat te wachten tot haar herdenkingsdienst zou beginnen, was hij Emily dankbaar voor die lessen in zelfbeheersing. Want als hij zich niet had weten te bedwingen, zouden de hete, sentimentele tranen die achter zijn ogen brandden onbeheerst over zijn wangen hebben gestroomd en de handen die kalm zijn programma vasthielden voor zijn verwrongen gezicht zijn geslagen en zou hij overmand zijn door een wanhopig, buitensporig verdriet.

De kerk was bijna vol toen Fleur aankwam. Ze bleef enkele ogenblikken achterin staan om haar blik over de gezichten en kleding en stemmen voor haar te laten gaan, om de kwaliteit van de bloemstukken te bepalen en om te kijken of er in de banken niet iemand zat die zou kunnen opkijken en haar herkennen.

Maar de mensen voor haar vormden een anoniem stelletje. Mannen in saaie pakken, vrouwen met inspiratieloze hoeden. Er bekroop Fleur een zweem van twijfel. Johnny had toch niet de verkeerde uitgekozen? Viel er echt iets te halen in deze kleurloze menigte?

'Wilt u een programma?' Ze keek op en zag een man met lange benen over de marmeren vloer op haar af stappen. 'We beginnen zo,' voegde hij er fronsend aan toe.

'Natuurlijk,' murmelde Fleur. Ze stak hem haar bleke, geparfumeerde hand toe. 'Fleur Daxeny. Wat fijn je te zien... Sorry, ik ben je naam even kwijt...'

'Lambert.'

'Lambert. Ach ja, natuurlijk. Nu weet ik het weer.' Ze zweeg en keek even naar zijn gezicht, waarop nog steeds een arrogante frons lag. 'Jij bent de slimme.'

'Dat zou je wel kunnen zeggen, denk ik,' zei Lambert schouderophalend.

Slim of sexy, dacht Fleur. Alle mannen willen het een of het ander zijn – of allebei. Ze keek opnieuw naar Lambert. Zijn gelaatstrekken waren opgeblazen en rubberachtig, zodat het zelfs in rust net was alsof hij een gezicht trok. Het was beter het maar bij slim te laten, vond ze.

'Nou, ik ga maar eens zitten,' zei ze. 'Ik neem aan dat ik je straks nog wel zie.'

'Er is achterin nog plaats genoeg,' riep Lambert haar na. Maar Fleur scheen hem niet te horen. Ze liep snel naar voren terwijl ze haar programma met een intens, ernstig gezicht bestudeerde.

'Neem me niet kwalijk,' zei ze terwijl ze bij de derde rij van voren stil bleef staan. 'Is er nog plaats? Het is nogal druk achterin.'

Ze bleef onbewogen staan terwijl de tien mensen die de rij bezetten enigszins verontwaardigd opzij schoven. Toen ging ze met een elegante beweging zitten. Ze hield haar hoofd een ogenblik gebogen en keek toen op met een strenge, dappere uitdrukking op haar gezicht.

'Arme Emily,' zei ze. 'Die arme, lieve Emily.'

'Wie was dat?' fluisterde Philippa Chester toen haar man weer op de plaats naast haar ging zitten.

'Dat weet ik niet,' zei Lambert. 'Een van de vriendinnen van je moeder, neem ik aan. Ze scheen alles van me te weten.'

'Ik geloof niet dat ik me haar herinner,' zei Philippa. 'Hoe heet ze?'

'Fleur. Fleur nog-iets.'

'Fleur. Ik heb nog nooit van haar gehoord.'

'Misschien hebben ze bij elkaar op school gezeten of zo.'

'O ja,' zei Philippa. 'Dat zou kunnen. Zoals die andere. Joan. Weet je nog? Die zomaar ineens op de stoep stond?'

'Nee,' zei Lambert.

'Ach, jawel. Jóan. Ze heeft mama die afgrijselijke glazen schaal gegeven.' Philippa tuurde weer naar Fleur. 'Alleen ziet deze er te jong uit. Ik vind haar hoed leuk. Ik wou dat ik zulke kleine hoedjes kon dragen. Maar mijn hoofd is te groot. Of mijn haar klopt niet. Of zoiets.'

Haar stem stierf weg. Lambert keek op een papier en mompelde. Philippa liet haar blik weer door de kerk gaan. Zoveel mensen. Allemaal voor mama. Ze moest er bijna van huilen.

'Staat mijn hoed goed?' vroeg ze ineens.

'Hij staat geweldig,' zei Lambert zonder op te kijken.

'Hij heeft een kapitaal gekost. Ik kon gewoon niet geloven hoeveel hij kostte. Maar toen ik hem vanochtend opzette, dacht ik...'

'Philippa!' siste Lambert. 'Hou je mond nou eens. Ik moet straks wel voorlezen!'

'O ja. Ja, natuurlijk.'

Philippa sloeg terechtgewezen haar ogen neer. En voelde opnieuw een speldenprikje gekrenktheid. Niemand had háár gevraagd om voor te lezen. Lambert las een stuk voor, en haar kleine broertje Antony ook, maar het enige wat zij mocht doen, was stilzitten met haar hoed op. En zelfs dat kon ze niet zo goed.

'Als ik doodga,' zei ze ineens, 'wil ik dat iederéén voorleest tijdens mijn herdenkingsdienst. Jij en Antony en Gillian en al onze kinderen...'

'Als we die krijgen,' zei Lambert zonder op te kijken.

'Als we die krijgen,' herhaalde Philippa somber. Ze keek om zich heen naar de zee van zwarte hoeden. 'Misschien ga ik wel dood voor we kinderen krijgen. Ik bedoel, we weten toch helemaal niet wanneer we doodgaan? Ik kan morgen wel doodgaan.' Ze brak haar zin af, overweldigd door de gedachte aan zichzelf in een kist, bleek en wasachtig en romantisch, omringd door huilende nabestaanden. 'Ik kan morgen wel doodgaan. En dan zou het...'

'Hou je mond,' zei Lambert terwijl hij zijn papier wegstopte.

Hij liet zijn hand uit het zicht verdwijnen en kneep zomaar in Philippa's stevige kuit. 'Je kletst onzin,' mompelde hij. 'Wat klets je?'

Philippa zweeg. Lamberts vingers omklemden haar huid tot ze zo venijnig knepen dat ze naar adem snakte.

'Ik klets onzin,' zei ze snel en zachtjes.

'Goed zo,' zei Lambert. Hij liet haar los. 'Nou, ga rechtop zitten en hou je in.'

'Sorry,' zei Philippa ademloos. 'Het is alleen een beetje... overweldigend. Er zijn hier zoveel mensen. Ik wist niet dat mama zoveel vrienden had.'

'Je moeder was een heel populaire vrouw,' zei Lambert. 'Iedereen was dol op haar.'

En niemand houdt van mij, wilde Philippa zeggen. Maar in plaats daarvan duwde ze hulpeloos tegen haar hoed en trok een paar plukken dun haar onder de strenge zwarte rand vandaan, zodat ze er tegen de tijd dat ze moest opstaan voor de eerste psalm, nog beroerder uitzag dan daarvoor.

2

'De dag die Gij geschonken hebt, Heer, is ten einde,' zong Fleur. Ze dwong zichzelf om in het gezangenboek te kijken en net te doen of ze de woorden las. Alsof ze ze niet uit haar hoofd kende, alsof ze ze niet op al zoveel begrafenissen en herdenkingsdiensten had gezongen dat ze de tel was kwijtgeraakt. Waarom kozen mensen altijd dezelfde langdradige gezangen voor begrafenissen? dacht ze. Snapten ze dan niet hoe saai ze het maakten voor de professionele onuitgenodigde begrafenisgast?

De eerste keer dat Fleur onuitgenodigd aan een begrafenis deel had genomen, was per ongeluk gegaan. Toen ze op een grauwe ochtend door een achterafstraatje in Kensington liep en zich afvroeg of ze misschien een baan in een dure kunstgalerie zou kunnen krijgen, zag ze een groep goedgeklede mensen staan op de stoep van een kleine, maar prestigieuze katholieke kerk. Toen ze vlak bij hen was, was ze uit doelloze nieuwsgierigheid langzamer gaan lopen; ze was langzamer gaan lopen en toen helemaal blijven staan. Ze stond niet echt binnen de groep, maar er ook niet echt buiten, en luisterde zo aandachtig mogelijk naar zoveel mogelijk gesprekken. En toen ze hoorde praten over vermogensbeheer, over familiediamanten, over Schotse eilanden, was het geleidelijk tot haar doorgedrongen dat die mensen geld hadden. Serieus geld.

En toen was het miezeren overgegaan in een plensbui, en de mensen op de stoep hadden eensgezind vijfentwintig paraplu's uitgeklapt, als een zwerm merels die opsteeg. Het had Fleur alleen maar natuurlijk geleken om een goedmoedig uitziende oudere heer uit te zoeken, hem aarzelend aan te kijken en met een dankbare glimlach onder de beschutting van zijn deftige koepel van zwarte zijde te kruipen. Het viel niet mee om boven de regen en het geroezemoes uit te komen, dus hadden ze eenvoudigweg naar elkaar gelachen en geknikt. En tegen de tijd dat het koor klaar was met repeteren en de kerkdeuren waren opengegaan, was het alsof ze elkaar al heel lang kenden. Hij had haar mee de kerk in genomen, haar een programma aangereikt en ze waren samen bijna achterin gaan zitten.

'Ik kende Benji niet zo vreselijk goed,' had de oudere man haar toevertrouwd toen ze eenmaal zaten. 'Maar hij was een dierbare vriend van mijn vrouw zaliger.'

'Hij was een vriend van mijn vader,' had Fleur geantwoord terwijl ze een blik op het programma wierp en snel de naam 'Benjamin St. John Gregory' in haar geheugen opsloeg. 'Ik kende hem helemaal niet. Maar het is goed om iemand eer te betuigen.'

'Dat vind ik ook,' had de oudere man gezegd. Hij had haar stralend aangekeken en haar zijn hand toegestoken. 'Mag ik mezelf voorstellen? Mijn naam is Maurice Snowfield.'

Ze had het drie maanden uitgehouden met Maurice Snowfield. Hij was toch niet zo rijk als Fleur had gehoopt en ze was bijna gek geworden van zijn zachtaardige, verstrooide manier van doen. Maar tegen de tijd dat ze uit zijn huis in Wiltshire wegging, had ze hem genoeg geld afgetroggeld om twee trimesters van het schoolgeld van haar dochter Zara vooruit te betalen en een gloednieuwe garderobe van zwarte mantelpakjes aan te schaffen.

'*... tot al Uw schepselen U aanbidden...*' Er klonk geritsel door de kerk toen iedereen zijn of haar gezangenboekje dichtsloeg, ging zitten en opnieuw naar het programma keek. Fleur maakte van de gelegenheid gebruik om haar tas open te doen en nog eens naar het briefje te kijken dat Johnny haar, vastgeniet aan een aankondiging uit de krant, had gestuurd. De aankondiging was voor de herdenkingsdienst voor Emily Favour op 20 april in de kerk van St. Anselmus. 'Een goede gok,' had Johnny gekrabbeld. 'Richard Favour heel rijk, heel stil.'

Fleur gluurde naar de voorste rij. Ze zag de man met het rubberachtige gezicht, die de eerste tekst gelezen had, en naast hem een vaalblonde vrouw met een afgrijselijke hoed. Verder zat er een jongen van tienerleeftijd en een oudere vrouw met een nog vreselijkere hoed... Fleurs blik gleed snel verder en bleef toen rusten. Aan het andere eind van de rij zat een onopvallende, grijzende man. Hij zat voorovergebogen met opgetrokken schouders en zijn hoofd rustte op de rand van het houten schot voor hem.

Ze bekeek hem enkele seconden kritisch. Nee, hij deed niet net alsof – hij had van zijn vrouw gehouden. Hij miste haar. En aan zijn lichaamstaal te zien, sprak hij er niet met zijn familie over.

Dat maakte het allemaal zoveel gemakkelijker. Degenen die echt treurden, waren de gemakkelijkste prooien – de mannen die zich niet konden voorstellen dat ze ooit weer verliefd zouden worden, die zwoeren dat ze trouw zouden blijven aan hun overleden vrouw. Het was Fleurs ervaring dat dat alleen maar betekende dat als ze voor haar vielen, ze ervan overtuigd waren dat het echte liefde moest zijn.

Ze hadden Richard gevraagd of hij de lofrede wilde houden.

'U bent het vast gewend om toespraken te houden,' had de dominee gezegd, 'zakelijke toespraken. Dit heeft er veel van weg – gewoon een beschrijving van het karakter van uw vrouw, misschien een enkele anekdote, goede doelen waar ze bij betrokken was, alles waarmee de mensen herinnerd worden aan de ware Emily...' Maar toen hij Richards plotseling gedeprimeerde gezicht zag, was zijn stem weggestorven en had hij er op zachte toon aan toegevoegd: 'Het hoeft niet – misschien vindt u het te moeilijk?'

Richard had geknikt.

'Dat denk ik wel,' had hij gemompeld.

'Heel begrijpelijk,' had de dominee gedecideerd gezegd. 'Daarin staat u niet alleen.'

Maar hij stond wél alleen, had Richard gedacht. Hij stond alleen in zijn ongelukkigheid, in de wetenschap dat zijn vrouw gestorven was en dat alleen hij wist hoe slecht hij haar gekend had. De eenzaamheid die hij gedurende zijn hele huwelijk had gevoeld, leek nu ondraaglijk verhevigd, gecondenseerd tot een verbittering die dicht bij woede kwam. De ware Emily! wilde hij uitschreeuwen. Wat heb ik ooit van de ware Emily geweten?

En dus was de taak van het houden van de lofrede op de schouders van hun oude vriend, Alec Kershaw, terechtgekomen. Richard ging rechtop zitten terwijl Alec naar de katheder liep, op de witte kaartjes klopte die voor hem lagen en over zijn montuurloze leesbril naar de groep mensen voor zich keek.

'Emily Favour was een dappere, charmante en ruimhartige vrouw,' begon hij op verheven, formele toon. 'Haar plichtsgetrouwheid werd alleen geëvenaard door haar medeleven en toewijding om anderen te helpen.'

Alec zweeg even en keek naar Richard. En toen hij Alecs gezicht zag, voelde Richard een schok van begrip door zijn lichaam trekken. Alec had Emily ook niet echt gekend. Deze woorden waren hol, conventioneel – eerder bedacht om de klus te klaren dan om de waarheid te spreken.

Richard werd bekropen door een idioot gevoel van schrik – van paniek bijna. Zodra deze lofrede gehoord was, zodra de dienst afgelopen was en iedereen de kerk uit was, zou dat het zijn. Dat zou de officiële versie van het karakter van Emily Favour zijn. Einde verhaal, dossier gesloten, daar bleef het bij. Zou hij het kunnen verdragen? Zou hij het kunnen verdragen om te leven met de definitieve beoordeling van zijn vrouw als niets meer dan een verzameling goedbedoelde clichés?

'Haar inzet voor goede doelen was ongeëvenaard – in het bijzonder haar werk voor het Rainbow Fund en St. Bride's Hospice. Ik denk dat velen van ons zich nog wel de eerste kerstveiling van de Greyworth Golf Club zullen kunnen herinneren, een evenement dat nu een vaste plaats in onze agenda's heeft gekregen.'

Fleur voelde een geeuw door haar lichaam kruipen. Hield die man nou nooit op?

'En natuurlijk brengt het noemen van de Greyworth Golf Club ons bij een ander bijzonder belangrijk aspect van het leven van Emily Favour. Wat sommigen misschien zouden omschrijven als een hobby… een spelletje. Al weet de rest van ons natuurlijk dat het een véél serieuzere zaak is.'

Enkele toehoorders gniffelden plichtmatig en Fleur keek op. Waar had hij het over?

'Toen ze met Richard trouwde, stond Emily voor de keus om golfweduwe of golfpartner te worden. Ze werd golfpartner. En ondanks de ziekte die haar sloopte, ontwikkelde ze een benijdenswaardige stijl, zoals eenieder die getuige is geweest van haar mooie overwinning op de Ladies' Foursome kan bevestigen.'

Golfweduwe of golfpartner, dacht Fleur terloops. Weduwe of partner. Nou, dat was niet zo moeilijk – weduwe had altijd veruit de voorkeur.

Na de dienst liep Richard naar de deur aan de westkant, zoals de dominee geopperd had, om vrienden en familie te begroeten. 'Mensen stellen altijd prijs op een gelegenheid om persoonlijk hun condoleances over te brengen,' had de dominee gezegd. Nu vroeg Richard zich af of dat wel waar was. De meeste kerkgangers stoven langs hem heen terwijl ze haastige, onduidelijke woorden van medeleven als bezweringsformules naar hem toewierpen. Een paar bleven staan, keken hem recht in de ogen en schudden zijn hand; sommigen omhelsden hem zelfs. Maar dat waren verrassend genoeg in veel gevallen mensen die hij amper kende: vertegenwoordigers van advocatenkantoren en particuliere banken, vrouwen van zakelijke kennissen.

'Op naar de Lanesborough,' zei Lambert op gewichtige toon aan de andere kant van de deur. 'Op naar een drankje in de Lanesborough.'

Een elegante vrouw met roodblond haar bleef voor Richard staan en stak hem een blanke hand toe. Richard, die het handen schudden beu was, schudde hem.

'Het punt is,' zei de vrouw alsof ze verderging met een gesprek waar ze al aan begonnen waren, 'dat de eenzaamheid niet eeuwig zal duren.'

Richard schrok een beetje en voelde de halfgeloken oogleden van zijn ziel met een ruk opengaan.

'Wat zei u?' begon hij. Maar de vrouw was weg. Richard keek naar zijn vijftienjarige zoon Antony, die naast hem stond.

'Wie was dat?' vroeg hij.

Antony haalde zijn schouders op. 'Ik weet het niet. Lambert en Philippa hadden het over haar. Ik denk dat ze mam misschien van school kende.'

'Hoe wist ze...' begon Richard en zweeg. Hij wilde zeggen: hoe wist ze dat ik eenzaam was? Maar in plaats daarvan draaide hij zich om, glimlachte naar Antony en zei: 'Je kunt heel mooi voorlezen.' Antony haalde zijn schouders op.

'Tja.' Met een onbewust gebaar dat hij zo'n beetje om de drie minuten herhaalde, bracht Antony zijn hand naar zijn gezicht en wreef over zijn voorhoofd – en even werd de donkerrode wijnvlek die als een hagedisje over zijn oog sprong gemaskeerd. Elke drie minuten van zijn leven dat hij niet sliep, zorgde Antony, zonder zich ervan bewust te zijn, ervoor dat zijn wijnvlek uit het zicht bleef. Voor zover Richard wist, was hij nooit geplaagd met die wijnvlek; thuis had iedereen in ieder geval altijd gedaan alsof hij er niet zat. Niettemin vloog Antony's hand met bijna wanhopige regelmaat naar zijn gezicht en bleef daar zo nu en dan langere tijd rondhangen, soms uren achtereen, om het rode hagedisje als een alerte beschermengel te bewaken.

'Nou,' zei Richard.

'Ja,' zei Antony.

'We moeten maar eens gaan.'

'Ja.'

En dat was het. Gesprek afgelopen. Wanneer was hij opgehouden met Antony te praten? vroeg Richard zich af. Hoe kwam het dat die aanbiddende, ongegeneerde monologen die hij tegen zijn kleine zoontje had gehouden in de loop der jaren in dergelijke loze, publieke dialogen waren veranderd?

'Goed,' zei hij. 'Nou, laten we dan maar gaan.'

De Belgravia-zaal in de Lanesborough was lekker vol toen Fleur arriveerde. Ze nam een champagnedrankje aan van een gebruinde Australische ober en liep rechtstreeks naar Richard Favour toe. Toen ze in de buurt kwam, veranderde ze iets van koers, alsof ze langs hem heen wilde lopen.

'Pardon.' Ze hoorde zijn stem tegen haar achterhoofd en er ging een schokje van triomf door Fleur heen. Ze moest soms wel een halfuur heen en weer lopen voor het onderwerp van haar belangstelling iets tegen haar zei.

Ze draaide zich zo snel mogelijk om zonder overhaast te lijken en wierp Richard Favour de warmste, breedste glimlach toe die ze maar kon opbrengen. Ze was zich gaan realiseren dat het bij weduwnaars pure tijdverspilling was om net te doen alsof ze moeilijk te krijgen was. Sommigen hadden gewoonweg de puf niet om op de versiertoer te gaan, sommigen waren er te bedeesd voor en anderen begonnen tijdens de hofmakerij al argwaan te krijgen. Het was beter om maar meteen met een sprong in hun leven te belanden, om zo snel mogelijk deel uit te maken van de status quo.

'Hé, hallo,' zei Fleur. Ze nam een slokje van haar Buck's fizz en wachtte tot hij iets zou zeggen. Als ze door eventuele alerte familieleden gadegeslagen werden, dan zouden ze zien hoe hij met haar aan het flirten was – en niet andersom.

'Ik wilde u bedanken,' zei Richard, 'voor uw mooie woorden. Ik vond dat u sprak – alsof u weet hoe dit proces verloopt.'

Fleur keek enkele ogenblikken teder naar haar drankje terwijl ze probeerde te beslissen welk verhaal ze zou kiezen. Ten slotte keek ze op en wierp hem een dappere glimlach toe.

'Ik vrees van wel. Ik heb het zelf meegemaakt. Een tijdje geleden.'
'En u heeft het overleefd.'
'Ik heb het overleefd,' echode Fleur. 'Maar het viel niet mee. Het kan zo moeilijk zijn om te bepalen met wie je kunt praten. De familie staat soms te dicht bij je.'
'Of niet dicht genoeg,' zei Richard, die somber aan Antony dacht.
'Precies,' zei Fleur. 'Niet dichtbij genoeg om te weten wat je echt doormaakt, niet dichtbij genoeg om... om het verdriet te delen.' Ze nam nog een slokje en keek Richard aan. Hij zag er ineens heel verloren uit. Gatsie, dacht ze. Ben ik te ver gegaan?
'Richard?' De rubberachtige man kwam op hen afgestormd. 'Derek Cowley is zojuist aangekomen. Je weet wel – de softwaredirecteur van Graylows.'
'Ik heb hem in de kerk gezien,' zei Richard. 'Wie heeft hem in vredesnaam uitgenodigd?'
'Ik,' zei Lambert. 'Hij is een nuttig contact.'
'Juist.' Richards gezicht verstrakte.
'Ik heb een babbeltje met hem gemaakt,' vervolgde Lambert, die niets in de gaten had, 'maar hij wil jou ook spreken. Kun je even met hem praten? Ik heb het contract nog niet genoemd...' Hij brak zijn zin af alsof hij Fleur voor het eerst zag. Ik snap het al, dacht Fleur terwijl ze haar ogen tot spleetjes kneep. Vrouwen doen er niet toe.
'O, hallo,' zei hij. 'Sorry, hoe heet u ook alweer?'
'Fleur,' zei Fleur. 'Fleur Daxeny.'
'O ja, da's waar. En u bent... wat? Een oude schoolvriendin van Emily?'
'O nee.' Fleur glimlachte lieflijk naar hem.
'Ik vond u er al een beetje te jong voor,' zei Lambert. 'Hoe kent u Emily dan?'
'Nou, dat is wel interessant,' zei Fleur en nam nog een bedachtzaam slokje. Het was verrassend hoe een verraderlijke vraag gerekt kon worden door even een slokje of een hapje te nemen. In veel gevallen zag iemand die tijdens de stilte voorbij-

liep dat het gesprek tijdelijk op een dood spoor gekomen was en maakte dan van de gelegenheid gebruik om zich bij het groepje te voegen – en vervolgens werd haar antwoord gemakshalve vergeten.

Maar vandaag werden ze door niemand onderbroken, en Lambert bleef haar met onomwonden nieuwsgierigheid aankijken.

'Het is interessant,' zei Fleur opnieuw terwijl ze Richard recht aankeek. 'Ik heb uw vrouw maar twee keer ontmoet. Maar beide keren maakte ze een enorme indruk op me.'

'Waar hebben jullie elkaar ontmoet?' vroeg Lambert.

'Tijdens een lunchbijeenkomst,' zei Fleur. 'Een grote liefdadigheidslunch. We zaten aan dezelfde tafel. Ik klaagde over het eten en Emily zei dat ze het wel met me eens was, maar dat ze geen type was om te klagen. En toen raakten we aan de praat.'

'Waar hebben jullie over gepraat?' Richard keek aandachtig naar Fleur.

'Over van alles en nog wat,' zei Fleur. Ze keek Richard aan en zag het verlangen in zijn ogen. 'Ik nam haar in vertrouwen,' zei ze langzaam en dempte haar stem zodat Richard onwillekeurig vooroverboog, 'en zij nam mij in vertrouwen. We kregen het over ons leven... en ons gezin... en de keuzes die we gemaakt hebben...'

'Wat heeft ze gezegd?' Voor hij het wist, had Richard de vraag eruit geflapt. Fleur haalde haar schouders op.

'Het is nu alweer een hele tijd geleden. Ik denk niet dat ik het me nog precies kan herinneren.' Ze glimlachte. 'Het was niets eigenlijk. Ik denk dat Emily me allang weer vergeten was. Maar ik... ik ben haar nooit vergeten. En toen ik de aankondiging van de herdenkingsdienst zag, kon ik de verleiding niet weerstaan om te komen.' Fleur sloeg haar ogen neer. 'Het was nogal aanmatigend van me. Ik hoop dat u het me niet kwalijk neemt.'

'Natuurlijk neem ik het u niet kwalijk,' zei Richard. 'Elke vriendin van Emily is van harte welkom.'

'Gek dat ze het nooit over u heeft gehad,' zei Lambert terwijl hij haar kritisch bekeek.

'Het zou me verbaasd hebben,' antwoordde Fleur terwijl ze glimlachend naar hem opkeek. 'Het stelde niet veel voor. Een paar lange gesprekken, heel wat jaren geleden.'

'Ik wou... ik wou dat ik wist wat ze u verteld had.' Richard lachte een beetje verlegen. 'Maar als u het zich niet herinnert...'

'Ik herinner me beetjes.' Fleur glimlachte tergend naar hem. 'Wat flarden. Sommige dingen waren wel verrassend. En sommige... tamelijk persoonlijk.' Ze zweeg even en wierp een zijdelingse blik op Lambert.

'Lambert, ga jij maar met Derek Cowley praten,' zei Richard onmiddellijk. 'Ik spreek hem misschien straks nog wel even. Maar nu zou ik graag... nu zou ik graag nog wat met mevrouw Daxeny willen praten.'

Een kwartier later kwam Fleur uit de Lanesborough tevoorschijn en stapte in een taxi. In haar zak zat het telefoonnummer van Richard Favour en in haar agenda stond een afspraak om de volgende dag met hem te lunchen.

Het had echt geen enkele moeite gekost. De arme man wilde duidelijk dolgraag weten wat ze over zijn vrouw te zeggen had, maar was te beleefd om haar in de rede te vallen terwijl ze, ogenschijnlijk zonder zich ervan bewust te zijn, naar andere onderwerpen afdwaalde. Ze had hem nog een paar onbenulligheidjes gevoerd, vervolgens een blik op haar horloge geworpen en uitgeroepen dat ze ervandoor moest. Zijn gezicht betrok en hij leek bereid om zich bij de teleurstelling van het einde van het gesprek neer te leggen. Maar net toen Fleur op het punt stond om hem op te geven, had hij zijn agenda tevoorschijn gehaald en Fleur met een enigszins trillende stem gevraagd of ze misschien met hem wilde gaan lunchen. Fleur vermoedde dat het maken van lunchafspraken met vreemde vrouwen niet iets was wat Richard Favour vaak gedaan had. Wat haar goed uitkwam.

Tegen de tijd dat de taxi stopte voor het herenhuis in Chelsea waar Johnny en Felix woonden, had ze op een papiertje alle feiten opgeschreven die ze zich over Emily Favour kon herinneren. 'Slechte gezondheid' onderstreepte ze. 'Golf' onderstreepte ze twee keer. Het was jammer dat ze niet wist hoe de vrouw eruitzag. Een foto zou wel handig zijn geweest. Maar ja, ze was ook niet van plan om lang over Emily Favour te praten. Het was haar ervaring dat overleden echtgenotes maar het best gemeden konden worden.

Ze sprong uit de taxi en zag Johnny op de stoep voor het herenhuis staan waar hij aandachtig toezag op iets wat uit een bestelwagen gehaald werd. Hij was een goedverzorgde man van achter in de vijftig met bruin haar en een permanent gebruinde huid. Fleur kende hem al twintig jaar en hij was de enige tegen wie ze nooit gelogen had.

'Schat!' riep ze. 'Johnn-iee! Is mijn bagage aangekomen?' Hij draaide zich om toen hij zijn naam hoorde, met een frons van ergernis op zijn gezicht vanwege de onderbreking. Maar toen hij zag dat het Fleur was, verdween de frons.

'Lieveling!' riep hij. 'Kom eens kijken.'

'Wat is het?'

'Onze nieuwe schaal. Felix heeft er gisteren op geboden. We vonden het een koopje. Voorzichtig!' snauwde hij ineens. 'Kijk uit dat je hem niet omver stoot!'

'Is Felix thuis?'

'Ja. Ga maar naar boven. Ik zei uitkijken, sufferd!'

Toen ze de trap naar de eerste verdieping op liep, hoorde ze Wagner luid en onbarmhartig uit Johnny's appartement komen. Toen ze naar binnen stapte, leek het volume wel verdubbeld.

'Felix!' riep ze. Maar hij hoorde haar niet. Ze liep de salon binnen, waar ze hem voor de spiegel zag staan, een gezette man van middelbare leeftijd die met een krijsend hoge stem met Brünnhilde meezong.

Toen Fleur Felix' hoge piepstem voor het eerst had gehoord, had ze gedacht dat er iets danig mis met hem was. Maar ze kwam er al snel achter dat hij zijn boterham verdiende met dat rare geluid dat hij aanwendde voor het zingen van diensten in kerken en kathedralen. Johnny en zij gingen wel eens naar St. Paul's Cathedral of Westminster Abbey om Felix de avonddienst te horen zingen en zagen hem dan plechtig in zijn witte kant in een processie lopen en buigingen maken. Wat minder vaak zagen ze hem in jacquet wanneer hij in een uitvoering van Händel's *Messiah* of Bachs *Matthäus Passion* zong.

Fleur hield niet van Felix' stem en ze vond de *Matthäus Passion* erg saai, maar ze ging altijd op de voorste rij zitten, waar ze enthousiast klapte en met Johnny meedeed wanneer hij 'Bravo!' riep. Want Fleur was Felix een hoop verschuldigd. Herdenkingsdiensten vond ze zelf wel in de kranten – maar Felix was degene die van de begrafenissen afwist. Als hij er niet zelf moest zingen, dan kende hij altijd wel iemand die dat wel deed. En het was steeds op de kleinere, intiemere begrafenissen geweest dat Fleur het best gescoord had.

Toen Felix haar in de spiegel zag, schrok hij even en hield op met zingen.

'Niet echt mijn toonhoogte,' schreeuwde hij boven de muziek uit. 'Een beetje laag voor me. Hoe was de herdenkingsdienst?'

'Prima!' schreeuwde Fleur. Ze liep naar de cd-speler en zette het geluid zachter. 'Prima,' herhaalde ze. 'Tamelijk veelbelovend. Ik ga morgen met meneer Favour lunchen.'

'O, goed gedaan,' zei Felix. 'Ik wilde je vertellen over een begrafenis die we morgen doen. Heel aardig; ze hebben om *Hear my prayer* gevraagd. Maar als je al iets hebt...'

'Vertel me er toch maar over,' zei Fleur. 'Ik ben niet geheel en al overtuigd van die familie Favour. Ik vraag me af of er wel geld zit.'

'Meen je dat nou?'

'Vreselijke hoeden.'

'Hmm. Hoeden zeggen niet alles.'

'Nee.'

'Wat heeft Johnny over ze gezegd?'

'Wat heeft Johnny over wat gezegd?' klonk Johnny's stem vanuit de deuropening. 'Kijk toch uit, lomperik! Hierheen. Ja. Op de tafel.'

Een man in een overall kwam de kamer binnen en zette een groot voorwerp in bruin papier op de tafel.

'Laat me eens kijken!' riep Johnny uit. Hij begon het papier eraf te scheuren.

'Een kroonkandelaar,' zei Fleur. 'Mooi.'

'Het is een schaal,' verbeterde Johnny haar. 'Is hij niet mooi?'

'Knap, hè, van mij?' zei Felix. 'Om zoiets schitterends te vinden.'

'Ik durf te wedden dat het een kapitaal gekost heeft,' zei Fleur mokkend. 'Jullie hadden dat geld ook aan een goed doel kunnen geven, weet je.'

'Net als jij? Ik dacht het niet.' Johnny haalde een zakdoek tevoorschijn en begon de schaal op te poetsen. 'Als je zo om geld verlegen zit, waarom ben je dan bij die charmante Sakis weggegaan?'

'Hij was helemaal niet charmant. Hij was een bazige rotzak. Hij gaf me alsmaar bevelen en schreeuwde tegen me...'

'... en kocht pakjes van Givenchy voor je.'

'Dat weet ik,' zei Fleur spijtig. 'Maar ik kon hem geen moment langer verdragen. En bovendien wilde hij me geen Gold Card geven.' Ze haalde haar schouders op. 'Dus had het geen zin.'

'Waarom die mannen je een creditcard geven gaat mijn verstand te boven,' zei Felix.

'Tja,' zei Fleur. 'Maar dat is niet zo moeilijk, hè?'

'Eén-nul voor jou,' zei Felix opgewekt.

'Maar hij heeft je toch wel het een en ander opgeleverd?' zei Johnny.

'Hier en daar wat plukjes. Wat contant geld. Maar niet genoeg.' Fleur zuchtte en stak een sigaret op. 'Wat een verdomde tijdverspilling.'

'Dat is dan een pond voor het vloekpotje, alsjeblieft,' zei Felix onmiddellijk. Fleur sloeg haar ogen ten hemel en zocht in haar tas naar haar portemonnee. Ze keek op.

'Heb je terug van een briefje van vijftig?'
'Vast wel,' zei Felix. 'Ik zal even in het potje kijken.'
'Weet je, Fleur,' zei Johnny, die nog steeds aan het poetsen was, 'al die kleine plukjes bij elkaar vormen vast wat de meeste mensen een kapitaal zouden noemen.'
'Nee hoor, niet waar,' zei Fleur.
'Hoeveel heb je in je ouwe sok zitten?'
'Nog niet genoeg.'
'En hoeveel is genoeg?'
'O Johnny, schei uit met je kruisverhoor!' zei Fleur geprikkeld. 'Het is allemaal jouw schuld. Jij zei dat Sakis een makkie zou zijn.'
'Dat heb ik helemaal niet gezegd. Ik heb alleen maar gezegd dat hij volgens mijn bronnen multimiljonair was en emotioneel kwetsbaar. Wat volkomen waar bleek te zijn.'
'Hij wordt nog kwetsbaarder als het tot hem doordringt dat je ervandoor bent,' zei Felix terwijl hij Fleurs briefje van vijftig in een groot blik met roze cherubijnen stopte.
'Ga nu geen medelijden met hem krijgen!' riep Fleur uit.
'O, maar dat heb ik ook niet! Elke man die zich door jou laat beetnemen, verdient alles wat hij krijgt.'
Fleur zuchtte. 'Maar ik heb het op zijn jacht wel leuk gehad.' Ze blies een rookwolk uit. 'Het is eigenlijk best jammer.'
'Heel erg jammer,' zei Johnny, die een stap achteruit deed om de schaal te bewonderen. 'Nu moeten we natuurlijk weer iemand anders voor je zien te vinden.'
'En je hoeft niet nog een rijke Griek te verwachten,' deed Felix een duit in het zakje. 'Ik word niet vaak gevraagd om op orthodoxe feestjes te komen zingen.'
'Ben je nog naar die herdenkingsdienst van Emily Favour geweest?'
'Jazeker,' zei Fleur terwijl ze haar sigaret uitdrukte. 'Maar ik was niet erg onder de indruk. Zit daar echt geld?'
'O já,' zei Johnny en hij keek op. 'Dat zou tenminste wel moeten. Mijn maat van De Rouchets heeft me verteld dat Richard

Favour een privékapitaal van miljoenen bezit. En dan is er nog het familiebedrijf. Er zou een hoop geld moeten zitten.'

'O, nou ja, ik ga morgen met hem lunchen. Ik probeer er wel achter te komen.' Fleur slenterde naar de schoorsteenmantel en begon tussen de stijve, bedrukte uitnodigingen voor Johnny en Felix te neuzen.

'Weet je, misschien zou je je doelen eens een beetje naar beneden moeten bijstellen,' opperde Felix. 'Neem eens een keer genoegen met een doodgewone miljonair.'

'Toe nou, zeg. Met een miljoen kom je tegenwoordig nergens meer,' zei Fleur. 'Nergens! Dat weet jij net zo goed als ik. En ik heb zekerheid nodig.' Haar blik viel op een foto in een zilveren lijstje van een klein meisje met blond, pluizig haar dat in het zonlicht een stralenkrans vormde. 'Zára heeft zekerheid nodig,' voegde ze eraan toe.

'Die lieve Zara,' zei Johnny. 'We hebben al een tijdje niets van haar gehoord. Hoe gaat het met haar?'

'Goed,' zei Fleur vaag. 'Ze zit op school.'

'Nu we het er toch over hebben,' zei Johnny. Hij keek even naar Felix. 'Heb je het haar verteld?'

'Wat? O dát. Nee.'

'Wat is er?' vroeg Fleur argwanend.

'Iemand heeft ons vorige week gebeld.'

'Wie?'

'Hal Winters.'

Er viel een korte stilte.

'Wat wilde hij?' vroeg Fleur ten slotte.

'Jou. Hij wilde met jou in contact komen.'

'En jullie hebben tegen hem gezegd...'

'Niets. We hebben gezegd dat we niet wisten waar je was.'

'Goed.' Fleur ademde langzaam uit. Ze keek Johnny aan en wendde toen snel haar gezicht af.

'Fleur,' zei Johnny ernstig, 'vind je niet dat je hem moet bellen?'

'Nee,' zei Fleur.

'Nou, ik wel.'

'Nou, ik niet! Johnny, ik heb het al eerder gezegd. Ik praat niet over hem.'

'Maar…'

'Hoor je me?' riep Fleur nijdig uit. 'Ik praat niet over hem!'

En voor hij verder nog iets kon zeggen, had ze haar tas gepakt, haar haar achterover gezwaaid en was snel de kamer uit gestapt.

3

Lambert legde de hoorn op de haak en bleef er enkele seconden naar kijken. Toen keek hij naar Philippa.

'Je vader is een sukkel,' riep hij uit. 'Een vervloekte idioot!'

'Wat heeft hij gedaan?' vroeg Philippa nerveus.

'Hij heeft iets met een of ander ellendig wijf, dat is alles. Ik bedoel, op zijn leeftijd!'

'En zo snel na mama's overlijden,' deed Philippa een duit in het zakje.

'Precies,' zei Lambert. 'Precies.' Hij wierp een goedkeurende blik op Philippa en ze voelde een kleur van genoegen langs haar hals omhoog kruipen. Lambert keek niet vaak goedkeurend naar haar.

'Hij belde net op om te zeggen dat hij vandaag met die vrouw zou gaan lunchen. Hij klonk...' Lambert vertrok peinzend zijn gezicht en Philippa wendde vlug haar blik af voor de gedachte zich aan haar zou opdringen dat ze met een buitengewoon lelijke man getrouwd was. 'Hij klonk dronken,' eindigde Lambert.

'Zo vroeg in de ochtend?'

'Niet dronken van de álcohol,' zei Lambert ongeduldig. 'Dronken van...' Hij brak zijn zin af en Philippa en hij keken elkaar enkele ogenblikken aan.

'Van geluk,' zei Philippa ten slotte.

'Nou ja,' gaf Lambert schoorvoetend toe. 'Dat moet het dan wel zijn.'

Philippa boog zich voorover naar de spiegel en begon met een beverige hand eyeliner op haar ooglid aan te brengen.

'Wie is het?' vroeg ze. 'Hoe heet ze?'

'Fleur.'

'Fleur? Die van de herdenkingsdienst? Die met die leuke hoed?'

'Godallemachtig, Philippa! Je dacht toch niet dat ik hem naar haar hoed had gevraagd? En schiet nou eens op.' En zonder op antwoord te wachten liep hij de kamer uit.

Philippa staarde stilletjes naar haar spiegelbeeld, naar haar fletse blauwe ogen en vaalblonde haar en enigszins rood aangelopen wangen. Er ging een stortvloed aan denkbeeldige woorden door haar hoofd, woorden die Lambert gezegd had kunnen hebben als hij een ander mens was geweest. Hij had kunnen zeggen: 'Ja schat, ik denk dat zij het is', of hij had kunnen zeggen: 'Philippa, mijn liefste, ik had alleen maar oog voor jou tijdens de herdenkingsdienst', of hij had kunnen zeggen: 'Die met die leuke hoed? Jij had de mooiste hoed van allemaal.' En dan zou zij gezegd hebben, op die zelfverzekerde, plagerige toon die ze nooit in het echt wist voort te brengen: 'Toe, schat. Die hoed moet zelfs jou opgevallen zijn!' En dan zou hij gezegd hebben: 'O, díe hoed!' En dan zouden ze allebei gelachen hebben. En dan... en dan zou hij haar op haar voorhoofd gekust hebben en dan...

'Philippa!' Lamberts stem galmde scherp door de flat. 'Philippa, ben je klaar?'

Philippa schrok. 'Nog vijf minuutjes!' riep ze terug. Ze hoorde de trilling in haar stem en verachtte zichzelf erom.

'Nou, schiet op dan!'

Van haar stuk gebracht begon Philippa in haar make-uptasje naar de juiste kleur lippenstift te zoeken. Als Lambert een ander mens was geweest, zou hij misschien teruggeroepen hebben: 'Doe maar rustig aan', of 'Je hoeft je niet te haasten, schat', of misschien zou hij naar de kamer teruggekomen zijn en naar haar gelachen hebben en met haar haar gespeeld hebben en zij zou gelachen hebben en gezegd hebben: 'Je houdt me op!' en dan zou hij gezegd hebben: 'Ik kan er ook niets aan doen dat je zo'n heerlijke vrouw bent!' En dan zou hij haar vingertoppen gekust hebben... en dan...

In de hoek van de kamer begon de telefoon met een gedempt elektronisch gereutel te rinkelen. Philippa ging zo op in haar eigen wereld dat ze het niet eens hoorde.

In de werkkamer nam Lambert de telefoon op.

'Met Lambert Chester.'

'Goedemorgen, meneer Chester. Mijn naam is Erica Fortescue van de First Bank. Zou ik u even kunnen spreken?'

'Ik sta op het punt om weg te gaan. Is het belangrijk?'

'Het gaat om het bedrag dat u rood staat, meneer Chester.'

'O.' Lambert keek behoedzaam naar de deur van de werkkamer – en schopte hem toen voor alle zekerheid dicht. 'Wat is het probleem?'

'Blijkbaar heeft u uw limiet overschreden. Nogal aanzienlijk.'

'Onzin.' Lambert leunde achterover, stak zijn vinger in zijn mond en begon tussen zijn tanden te peuteren.

'U staat momenteel meer dan driehonderdduizend pond in de min. Terwijl de afgesproken limiet tweehonderdvijftigduizend was.'

'Ik denk dat u zult zien,' zei Lambert, 'dat de limiet vorige maand verhoogd is. Naar driehonderdvijftigduizend.'

'Is dat schriftelijk bevestigd?'

'Larry Collins heeft het voor me geregeld.'

'Larry Collins heeft de bank verlaten.' De stem van Erica Fortescue klonk poeslief door de telefoon.

Godver, dacht Lambert. Larry heeft de zak gekregen. Stomme eikel.

'Nou, hij heeft het schriftelijk bevestigd voor hij wegging,' zei hij snel. Hij kon gemakkelijk een of andere brief in elkaar draaien.

'Er staat niets in onze boeken.'

'Nou, dan is hij het zeker vergeten.' Lambert zweeg even en

vertrok zijn gezicht tot een zelfvoldane sneer. 'Hij heeft misschien ook vergeten te vertellen dat ik over twee jaar meer geld krijg dan een van jullie ooit bij elkaar gezien heeft.' Daar heb je niet van terug, dacht hij, stomme, formele trut.

'Het beheerde vermogen van uw vrouw? Ja, dat heeft hij me wel verteld. Is dat bevestigd?'

'Ja, natuurlijk. Het is allemaal geregeld.'

'Juist.'

'En u maakt zich nog steeds druk over dat zielige beetje dat ik rood sta?'

'Ja, meneer Chester, inderdaad. Over het algemeen accepteren we de activa van echtgenoten niet als onderpand op rekeningen die op één naam staan.' Lambert staarde woest naar de telefoon. Wie dacht die slet wel dat ze was? 'En dan nog iets...'

'Wat?' Hij begon zich ongerust te voelen.

'Ik vond het interessant te zien dat in het dossier van uw vrouw het beheerd vermogen niet vermeld wordt. Het staat alleen maar in uw eigen dossier. Is daar een reden voor?'

'Ja, inderdaad,' snauwde Lambert onbeheerst. 'Het staat niet in het dossier van mijn vrouw omdat ze er niets vanaf weet.'

De mappen waren leeg. Allemaal leeg. Fleur keek er vol ongeloof naar terwijl ze er een paar opensloeg, op zoek naar losse papieren, bankafschriften, wat dan ook. Maar toen ze een geluid hoorde, duwde ze snel de laden van de dossierkast dicht en haastte zich naar het raam. Toen Richard de kamer binnenkwam, leunde ze uit het raam en snoof vol overgave de Londense uitlaatgassen op.

'Wat een prachtig uitzicht,' riep ze uit. 'Ik ben dol op Regent's Park. Ga je vaak naar de dierentuin?'

'Nooit,' zei Richard lachend. 'Niet meer sinds Antony klein was.'

'We moeten een keer gaan,' zei Fleur. 'Zolang je nog in Londen bent.'

'Vanmiddag misschien?'

'Vanmiddag gaan we naar Hyde Park,' zei Fleur gedecideerd. 'Dat is al afgesproken.'

'Als jij het zegt.' Richard grinnikte. 'Maar dan kunnen we nu beter gaan als we niet te laat willen komen voor Philippa en Lambert.'

'Oké.' Fleur glimlachte charmant naar Richard en liet zich mee de kamer uit tronen. Bij de deur keek ze vluchtig om zich heen, om te zien of ze iets over het hoofd had gezien. Maar het enige zakelijk uitziende meubelstuk dat er te bespeuren viel, was de dossierkast. Geen bureau, geen secretaire. Zijn administratie bevond zich zeker elders. Op kantoor. Of in het huis in Surrey.

Op weg naar het restaurant liet ze haar hand soepel in die van Richard glijden, en toen hun vingers zich verstrengelden, zag ze een lichte kleur langs zijn hals omhoog kruipen. Hij was zo'n geremde Engelse gentleman, bedacht ze terwijl ze haar best deed niet te lachen. Na vier weken was hij nog steeds niet verder gekomen dan haar kussen, met droge, beschroomde, ongeoefende lippen. Niet zoals die bruut van een Sakis die haar na hun allereerste lunchafspraak meteen meesleepte naar een hotelkamer. Fleur kromp ineen bij de herinnering aan Sakis' dikke, harige dijen en zijn geblafte bevelen. Zo was het veel beter. En tot haar verrassing vond ze het wel prettig om behandeld te worden als een middelbareschoolmaagd. Ze liep naast Richard met een glimlach op haar gezicht en voelde zich ingepakt en beschermd en zelfvoldaan, alsof ze echt haar deugdzaamheid nog te beschermen had, alsof ze zichzelf voor dat speciale moment bewaarde.

Of ze zo lang kon wachten was een ander verhaal. Vier weken van lunches, dineetjes, films en musea – en ze had nog steeds geen harde bewijzen dat Richard Favour goed in de slappe was zat. Goed, hij had een paar mooie pakken, een flat in Londen, een landhuis in Surrey, de reputatie rijk te zijn. Maar dat zei niets. Op de huizen konden wel torenhoge hypotheken liggen. Hij zou wel elk moment failliet kunnen gaan. Hij zou háár elk moment wel om geld kunnen vragen. Het was haar een keer eerder overkomen – en sinds die tijd was Fleur op haar hoede. Als ze geen harde bewijzen kon vinden dat er sprake was van een aardig kapitaal, dan verdeed ze haar tijd. Dan zou ze nu toch al wel weg moeten zijn. Op naar de volgende begrafenis, op naar de volgende schlemiel. Maar...

Fleur onderbrak haar gedachten en stopte Richards arm wat steviger onder de hare. Als ze eerlijk was tegen zichzelf, moest ze toegeven dat haar zelfvertrouwen een lichte knauw had gekregen sinds ze bij Sakis weg was. De afgelopen paar weken had ze drie begrafenissen en vijf herdenkingsdiensten bijgewoond – maar tot dusver was Richard Favour haar enige veelbelovende vangst. In de tussentijd waren Johnny en Felix, al waren het nog zulke schatten, een beetje zenuwachtig aan het worden bij de aanblik van haar bagage in hun logeerkamer. Ze zat meestal niet zo lang zonder man ('aan het uitrusten', zoals Felix het noemde); ze stapte gewoonlijk van het ene bed rechtstreeks in het andere.

Kon ze Richard maar aansporen om er wat vaart achter te zetten, dacht Fleur, een plaatsje in zijn bed veiligstellen, zich in zijn huishouden wriemelen. Dan zou ze zijn financiële situatie pas goed kunnen taxeren en tegelijkertijd het verblijfsprobleem oplossen. Anders – als er niet snel iets gebeurde – zou ze gedwongen worden om het soort maatregelen te nemen waarvan ze gezworen had zich er nooit toe te verlagen. Dan zou ze op zoek moeten gaan naar een eigen flat. Misschien zelfs naar een baan. Fleur huiverde en klemde vastberaden haar kaken op elkaar. Ze moest gewoon bij Richard in bed zien te komen. Als dat eenmaal gebeurd was, zou de rest vanzelf gaan.

Toen ze Great Portland Street insloegen, voelde Richard dat Fleur hem een por gaf.

'Kijk eens!' zei ze zachtjes tegen hem. 'Kijk daar eens!'

Richard keek opzij. Aan de overkant van de straat stonden twee nonnen op de stoep, ogenschijnlijk verwikkeld in een verbitterde discussie.

'Ik heb nog nooit nonnen zien ruziemaken,' zei Fleur giechelend.

'Ik ook niet, geloof ik.'

'Ik ga eens met ze praten,' zei Fleur opeens. 'Wacht hier maar even.'

Richard keek vol verbazing toe terwijl Fleur met grote stappen de straat overstak. Ze stond enkele minuten op de stoep aan de overkant, een levendige gestalte in haar paarse jas die met de in het zwart geklede nonnen praatte. Ze leken te knikken en glimlachen. Toen stak ze abrupt de straat weer over naar hem, en de nonnen liepen in kennelijke harmonie weg.

'Wat is er gebeurd?' riep Richard uit. 'Wat heb je in 's hemelsnaam gezegd?'

'Ik heb tegen hen gezegd dat ruzie de Heilige Moeder verdriet deed.' Fleur grinnikte om Richards ongelovige gezichtsuitdrukking. 'Eerlijk gezegd heb ik hun de weg naar het metrostation gewezen.'

Richard moest lachen.

'Je bent een bijzondere vrouw!' zei hij.

'Dat weet ik,' zei Fleur zelfvoldaan. Ze stopte haar hand weer onder zijn arm en ze liepen verder.

Richard keek naar het bleke voorjaarslicht dat vlekjes op de stoep wierp en voelde een bruisend gevoel van blijheid door zijn hele lichaam gaan. Hij kende deze vrouw nog maar vier weken, maar nu al kon hij zich zijn leven zonder haar niet meer voorstellen. Als hij samen met haar was, werden saaie, alledaagse dingen omgetoverd tot een reeks glanzende momenten die het koesteren waard waren. Als hij niet bij haar was, wilde hij dat hij het was. Fleur leek een spelletje van het leven te maken – niet het strenge doolhof van regels en conventies waar Emily zo onvermoeibaar aan vastgehouden had, maar een gokspelletje, een spelletje wie-niet-waagt-die-niet-wint. Hij merkte dat hij met kinderlijke opwinding wachtte op wat ze nu weer zou gaan zeggen, met wat voor plannetje ze hem nu weer zou verrassen. Hij had de afgelopen vier weken meer van Londen gezien dan ooit tevoren, had meer gelachen dan hij ooit gedaan had, had meer geld uitgegeven dan hij in lange tijd had gedaan.

Zijn gedachten keerden dikwijls terug naar Emily en dan voelde hij zich schuldig – schuldig omdat hij zoveel tijd met Fleur doorbracht, omdat hij het zo naar zijn zin had, omdat hij haar gekust had. En schuldig omdat zijn oorspronkelijke motivatie om achter Fleur aan te gaan – om zoveel mogelijk over Emily's verborgen karakter te ontdekken – de tweede plaats had ingenomen na domweg bij haar willen zijn. Soms zag hij in zijn dromen Emily's gezicht, bleek en verwijtend; dan werd hij midden in de nacht wakker, ineengekrompen van verdriet en zwetend van schaamte. Maar tegen de ochtend was het beeld van Emily altijd vervaagd en was Fleur de enige aan wie hij kon denken.

'Ze is bloedmooi!' zei Lambert op verontwaardigde toon.

'Dat heb ik toch gezegd!' zei Philippa. 'Is ze je niet opgevallen bij de herdenkingsdienst?'

Lambert haalde zijn schouders op.

'Ik geloof wel dat ik haar best aantrekkelijk vond. Maar... moet je haar zien!' Moet je haar daar naast je vader zien! wilde hij zeggen.

Ze keken zwijgend toe terwijl Fleur haar paarse jas uittrok. Ze droeg er een strakke zwarte jurk onder; ze wriemelde even en streek hem glad over haar heupen. Er ging een steek van jaloezie en begeerte door Lambert heen. Wat deed een vrouw als zij in godsnaam bij Richard terwijl hij aan Philippa vastzat?

'Daar komen ze,' zei Philippa. 'Hoi, pap!'

'Hoi, schat,' zei Richard en hij gaf haar een kus. 'Lambert.'

'Richard.'

'En dit is Fleur.' Richard kon de trotse grijns op zijn gezicht niet onderdrukken.

'Wat enig je te ontmoeten,' zei Fleur terwijl ze Philippa een warme glimlach schonk en haar een hand toestak. Na een heel korte aarzeling schudde Philippa deze. 'En Lambert heb ik natuurlijk al ontmoet.'

'Heel kort,' zei Lambert op ontmoedigende toon. Fleur wierp hem een nieuwsgierige blik toe en glimlachte toen weer naar

Philippa. Philippa glimlachte lichtelijk van haar stuk gebracht terug.

'Het spijt me dat we aan de late kant zijn,' zei Richard terwijl hij zijn servet uitschudde. 'We eh... we zijn de confrontatie met een paar nonnen aangegaan. Nonnen in het wild.' Hij keek even naar Fleur, en zonder aanleiding begonnen ze allebei te lachen.

Philippa keek ongemakkelijk naar Lambert, die zijn wenkbrauwen optrok.

'Neem me niet kwalijk,' zei Richard nog nagniffelend. 'Het duurt te lang om uit te leggen. Maar het was vreselijk geestig.'

'Dat geloof ik graag,' zei Lambert. 'Heb je al iets te drinken besteld?'

'Ik wil graag een Manhattan,' zei Richard.

'Een wat?' Philippa keek hem vol ongeloof aan.

'Een Manhattan,' herhaalde Richard. 'Je hebt toch wel eens van een Manhattan gehoord?'

'Richard was tot vorige week een Manhattan-maagd,' zei Fleur. 'Ik ben gewoon dol op cocktails. Jij niet?'

'Ik weet het niet,' zei Philippa. 'Ik geloof van wel.' Ze nam een slokje van haar mineraalwater en probeerde zich de laatste keer te herinneren dat ze een cocktail had gedronken. Toen zag ze tot haar ongeloof de hand van haar vader onder tafel naar die van Fleur kruipen. Ze keek even naar Lambert; die keek gebiologeerd naar hetzelfde.

'En ik neem er ook een,' zei Fleur opgewekt.

'Ik denk dat ik er dan ook maar een neem,' zei Philippa. Ze voelde zich een beetje slapjes. Was dit echt haar vader? Die hand in hand zat met een andere vrouw? Ze kon het niet geloven. Ze had hem zelfs nooit hand in hand gezien met haar moeder. En daar zat hij een beetje te grijnzen alsof mama nooit bestaan had. Hij gedroeg zich niet als haar vader, vond ze. Hij gedroeg zich alsof... alsof hij een normale man was.

Voor Lambert moest ze uitkijken, dacht Fleur. Hij was degene die haar alsmaar argwanende blikken bleef toewerpen, die haar alsmaar naar haar achtergrond bleef vragen en haar ondervroeg over hoe goed ze Emily nu eigenlijk gekend had. Ze zag hoe de uitdrukking 'geldbeluste vrouw' in zijn gedachten vorm kreeg. En dat was goed als het betekende dat er geld te halen viel, maar niet als het betekende dat hij haar door de mand zou doen vallen. Ze moest hem stroop om de mond smeren.

Dus toen het dessert kwam, keek ze hem aan en nam een eerbiedige, bijna dweperige houding aan.

'Richard heeft me verteld dat je de computerexpert van zijn bedrijf bent.'

'Dat klopt,' zei Lambert op verveelde toon.

'Wat geweldig. Ik weet niets van computers.'

'Veel mensen niet.'

'Lambert ontwerpt computerprogramma's voor het bedrijf,' zei Richard, 'en verkoopt ze aan andere bedrijven. Het is een behoorlijk winstgevende afdeling.'

'Dus jij wordt de nieuwe Bill Gates?'

'Eerlijk gezegd is mijn benadering volkomen anders dan die van Gates,' zei Lambert op koude toon. Fleur keek naar hem om te zien of hij een grapje maakte, maar zijn ogen stonden hard en humorloos. Jeetje, dacht ze terwijl ze haar best deed om niet te lachen. Onderschat nooit de ijdelheid van een man.

'Maar je gaat misschien toch miljarden verdienen?'

Lambert haalde zijn schouders op.

'Geld interesseert me niet.'

'Lambert houdt zich niet met geld bezig,' deed Philippa een duit in het zakje en ze liet een onzeker lachje horen. 'Ik doe al onze administratie.'

'Een taak die bij uitstek geschikt is voor het vrouwelijk verstand,' zei Lambert.

'Hé, wacht even,' protesteerde Richard. 'Dat vind ik niet helemaal eerlijk.'

'Het is misschien niet eerlijk,' zei Lambert terwijl hij een lepel in zijn chocolademousse stak, 'maar het is wel waar. Mannen creëren, vrouwen administreren.'

'Vrouwen creëren baby's,' zei Fleur.

'Vrouwen brengen baby's vóórt,' zei Lambert. 'Maar mannen creëren ze. De vrouw is de passieve partner. En wie bepaalt het geslacht van een baby? De man of de vrouw?'

'De kliniek,' zei Fleur.

Lambert keek misnoegd. 'Je schijnt niet helemaal te begrijpen waar het om draait bij wat ik zeg,' begon hij. 'Het is simpelweg...' Maar voor hij verder kon gaan, werd hij onderbroken door een galmende vrouwenstem.

'Ach, wat een verrassing! De familie Favour *en masse!*'

Fleur keek op. Een blonde vrouw in een smaragdgroen jasje kwam op hen af. Haar ogen flitsten van Richard naar Fleur, naar Lambert, naar Philippa en terug naar Fleur. Fleur keek haar flegmatiek aan. Waarom deden die vrouwen zo veel make-up op? De oogleden van de vrouw waren bedolven onder een dikke laag blauw glazuur, haar wimpers staken als zwarte priemen recht vooruit en op een van haar tanden zat een veegje lippenstift.

'Eleanor!' zei Richard. 'Wat leuk je te zien. Ben je hier met Geoffrey?'

'Nee,' zei Eleanor. 'Ik ga lunchen met een vriendin en daarna gaan we naar het Scotch House.' Ze verhing de goudkleurige schouderband van haar tas van de ene schouder naar de andere. 'Trouwens, Geoffrey zei onlangs nog dat hij je de laatste tijd niet meer op de club ziet.' Haar stem had iets vragends en opnieuw dwaalde haar blik naar Fleur.

'Ik zal jullie even aan elkaar voorstellen,' zei Richard. 'Dit is een vriendin van me, Fleur Daxeny. Fleur, dit is Eleanor Forrester. Haar man is voorzitter van de golfclub in Greyworth.'

'Aangenaam kennis te maken,' mompelde Fleur terwijl ze iets van haar stoel veerde om een hand te geven. De hand van Eleanor Forrester was stevig en ruw, bijna mannelijk op de rode nagels na. Nog een golfer.

'Ben je een oude vriendin van Richard?' vroeg Eleanor.

'Niet echt,' zei Fleur. 'Ik heb Richard vier weken geleden voor het eerst ontmoet.'

'Juist,' zei Eleanor. Haar stakerige wimpers gingen een paar keer op en neer. 'Juist,' zei ze opnieuw. 'Nou, dan ga ik maar eens. Doet iemand van jullie mee aan het voorjaarstoernooi?'

'Ik in ieder geval wel,' zei Lambert.

'O, ik denk ik ook wel,' zei Richard. 'Maar wie weet?'

'Wie weet,' echode Eleanor. Ze keek weer naar Fleur en haar mond werd een dunne streep. 'Heel leuk je ontmoet te hebben, Fleur. Heel interessant.'

Ze keken haar zwijgend na terwijl ze gedecideerd wegbeende, met haar blonde haar dat stijf tegen de kraag van haar jasje wipte.

'Nou,' riep Lambert toen ze buiten gehoorsafstand was. 'Morgen weet de hele club het.'

'Eleanor was echt een goede vriendin van mama,' zei Philippa verontschuldigend tegen Fleur. 'Ze dacht waarschijnlijk...' Ze brak haar zin verlegen af.

'Weet je, je moet uitkijken,' zei Lambert tegen Richard. 'Straks ga je terug naar Greyworth en kom je erachter dat iedereen over je loopt te kletsen.'

'Wat leuk,' zei Richard terwijl hij naar Fleur glimlachte, 'om in het middelpunt van de belangstelling te staan.'

'Het lijkt nu misschien leuk,' zei Lambert. 'Maar als ik jou was...'

'Ja, Lambert? Wat zou je dan doen?'

Er was een stalen klank in Richards stem geslopen en Philippa wierp Lambert een waarschuwende blik toe. Maar Lambert ploegde voort.

'Ik zou een beetje uitkijken, Richard. Eerlijk gezegd zou je toch niet willen dat de mensen het verkeerde idee krijgen? Je wilt toch niet dat mensen achter je rug over je roddelen?'

'En waarom zouden ze achter mijn rug over me roddelen?'

'Nou, ik bedoel, het is overduidelijk, hè? Luister, Fleur, ik wil je niet voor het hoofd stoten, hoor, maar je begrijpt het toch wel? Een hoop mensen waren dol op Emily. En als ze over jou horen...'

'Niet alleen zullen ze over Fleur horen,' zei Richard op luide toon, 'maar ze zullen haar ook ontmoeten, aangezien ze zo snel mogelijk naar Greyworth zal komen. En als je daar een probleem mee hebt, Lambert, dan stel ik voor dat je maar uit de buurt blijft.'

'Ik wilde alleen maar zeggen...' zei Lambert.

'Ik weet wat je wilde zeggen,' zei Richard. 'Ik weet maar al te goed wat je wilde zeggen. En ik vrees dat je daardoor aardig in mijn achting bent gedaald. Kom, Fleur, we gaan.'

Toen ze buiten stonden, gaf Richard Fleur een arm.

'Het spijt me zo verschrikkelijk,' zei hij. 'Lambert kan buitengewoon onaangenaam zijn.'

'Ach, dat geeft niet,' zei Fleur stilletjes. Mijn god, dacht ze, ik heb het heel wat onaangenamer meegemaakt. Een dochter die mijn haar uit mijn hoofd probeerde te trekken, de buurvrouw die me een slet noemde...

'En wil je wel naar Greyworth komen? Het spijt me, ik had het je eerst moeten vragen.' Richard keek haar ongerust aan. 'Maar ik beloof je dat je het er naar je zin zult hebben. We kunnen lange wandelingen maken en je kunt kennismaken met de rest van de familie...'

'En leren golfen?'

'Als je dat wilt.' Hij glimlachte. 'Het is niet verplicht.' Hij zweeg verlegen. 'En je zou natuurlijk... je zou je eigen kamer hebben. Ik zou niet willen dat je... dat je...'

'Nee?' zei Fleur zachtjes. 'Ik wel.' Ze ging op haar tenen staan en kuste Richard teder op de lippen. Na een ogenblik duwde ze zachtjes haar tong in zijn mond. Zijn lichaam verstarde ogenblikkelijk. Van schrik? Van begeerte? Ze ging terloops met haar hand over zijn nek en wachtte op een reactie.

Richard bleef stokstijf staan, met Fleurs mond op de zijne en haar woorden die door zijn hoofd weergalmden, en probeerde zijn gedachten te ordenen, wat hem totaal niet lukte. Hij stond als aan de grond genageld, bijna verlamd van opwinding. Na enkele ogenblikken bracht Fleur haar lippen zachtjes naar zijn mondhoek, en hij voelde zijn huid zomaar exploderen van het heerlijke gevoel. Zo had het met Emily moeten zijn, dacht hij duizelig terwijl hij zijn best moest doen om niet om te vallen. Zo had het moeten aanvoelen met zijn geliefde vrouw. Maar Emily had hem nooit zo opgewonden als deze vrouw – deze betoverende vrouw die hij nog maar vier weken kende. Hij had nog nooit zo'n gevoel van verwachting gehad. Hij had nog nooit zo'n zin gehad om... om een vrouw te néuken.

'Laten we een taxi nemen,' zei hij met verstikte stem terwijl hij zich van Fleur losmaakte. 'Laten we teruggaan naar de flat.' Hij kon het bijna niet opbrengen om ook maar een woord uit te brengen. Elk woord leek het moment te bezoedelen, de innerlijke overtuiging teniet te doen dat hij op het punt stond een perfecte ervaring te ondergaan. Maar iemand moest de stilte verbreken. Ze moesten op de een of andere manier van de straat af.

'Hoe zit het met Hyde Park?'

Richard had het gevoel dat Fleur hem kwelde.

'Een andere keer,' wist hij uit te brengen. 'Kom. Kom!'

Hij hield een taxi aan, liet haar instappen, mompelde een adres tegen de taxichauffeur en keek weer naar Fleur. En toen hij haar zag, bleef zijn hart bijna stilstaan. Terwijl Fleur achterover tegen de zwartleren rugleuning ging zitten, was haar jurk op geheimzinnige wijze opgekropen tot het randje van een van haar zwarte kousen net zichtbaar was.

'O god,' mompelde hij onduidelijk terwijl hij naar het doorschijnende zwarte kant staarde. Emily had nooit zwartkanten kousen gedragen.

En ineens voelde hij een kille hand om zijn hart. Wat stond hij op het punt te gaan doen? Wat gebeurde er met hem? Er flitsten beelden van Emily door zijn hoofd. Haar lieve glimlach, het gevoel van haar haar door zijn vingers. Haar slanke benen, haar strakke, kleine billen. Knusse, ontspannen momenten, nachten vol genegenheid.

'Richard,' zei Fleur hees terwijl ze zachtjes haar vinger over zijn dij liet gaan. Richard kromp ineen van paniek. Wat op het trottoir zo helder had geleken werd nu vertroebeld door herinneringen die hem maar niet met rust wilden laten, door een schuldgevoel dat de kop opstak en hem verstikte tot hij haast geen lucht meer kreeg. Ineens was hij bijna in tranen. Hij kon dit niet. Hij wilde dit niet. En toch tolde zijn verlangen naar Fleur als een kwelgeest door zijn lichaam.

'Richard?' zei Fleur opnieuw.

'Ik ben nog steeds getrouwd,' hoorde hij zichzelf zeggen. 'Ik kan het niet. Ik ben nog steeds met Emily getrouwd.' Hij keek haar aan, wachtend op een of andere bevrijding van zijn marteling, een of andere innerlijke erkenning dat wat hij deed juist was. Maar die kwam niet. Hij werd overspoeld door tegenstrijdige emoties, door fysieke behoeften, door geestelijke pijn. Geen enkele richting leek de juiste.

'Je bent niet echt meer met Emily getrouwd,' zei Fleur op langzame, zachte toon. 'Toch?' Ze begon zijn wang te strelen, maar hij wendde met een ruk zijn gezicht af.

'Ik kan het niet!' Richard zag wit van wanhoop. Hij boog voorover met een strak gezicht en fonkelende ogen. 'Je begrijpt het niet. Emily was mijn vrouw. Emily is de enige...' Zijn stem brak en hij wendde zijn gezicht af.

Fleur dacht een ogenblik na en trok toen snel haar jurk recht. Tegen de tijd dat Richard zijn emoties in bedwang had en weer naar haar keek, waren de kanten kousen verdwenen onder een zee van fraaie zwarte wol. Hij keek haar zwijgend aan.

'Ik moet een ongelooflijke teleurstelling voor je zijn,' zei hij ten slotte. 'Ik zou het heel goed kunnen begrijpen als je besloot...' Hij haalde zijn schouders op.

'Wat besloot?'

'Dat je me niet meer wilde zien.'

'Richard, doe niet zo mal!' Fleur klonk zacht, vol medeleven en een tikkeltje speels. 'Je dacht toch niet dat ik maar één ding van je wilde?' Ze wierp hem een lachje toe, en na enkele ogenblikken grinnikte Richard terug. 'We hebben het zo leuk samen,' vervolgde Fleur. 'Ik zou het vreselijk vinden als een van ons zich onder druk gezet voelde...'

Terwijl ze praatte, ving ze een glimp op van het gezicht van de taxichauffeur in de achteruitkijkspiegel. Hij staarde vol openlijke verbazing naar hen en Fleur kreeg ineens de neiging om te giechelen. Maar in plaats daarvan keek ze naar Richard en zei op zachtere toon: 'Het lijkt me heerlijk om naar Greyworth te komen en ik ben blij met mijn eigen slaapkamer. En als het verder mocht gaan... dan gaat het verder.'

Richard keek haar enkele ogenblikken aan en pakte toen haar hand.

'Je bent een geweldige vrouw,' zei hij schor. 'Ik voel me...' Hij omklemde haar hand steviger. 'Ik voel me ineens heel sterk met je verbonden.'

Fleur keek hem zwijgend aan en sloeg toen bescheiden haar ogen neer.

Die vervloekte Emily, dacht ze. Die liep steeds weer in de weg. Maar ze zei niets en liet Richard haar hand vasthouden, helemaal tot aan Regent's Park.

4

Twee weken later stond Antony Favour in de keuken van zijn huis, The Maples genaamd, te kijken hoe zijn tante Gillian slagroom stond te kloppen. Ze klopte met de hand; er lag een grimmige uitdrukking op haar gezicht en haar mond leek bij elke slag van de klopper strakker te gaan staan. Antony wist zeker dat er in een van de keukenkastjes een mixer lag; hij had hem zelf gebruikt om beslag voor pannenkoeken mee te maken. Maar Gillian klopte de room altijd met de hand. Ze deed bijna alles met de hand. Gillian woonde al voor Antony's geboorte bij hen in huis en zo lang hij zich kon herinneren, was zij degene die kookte, die tegen de werkster zei wat er gedaan moest worden en die, als de werkster weg was, met een frons door het huis liep, terwijl ze met haar stofdoek opnieuw over oppervlakken ging die er volkomen schoon uitzagen. Zijn moeder had zich eigenlijk nooit met dat soort dingen beziggehouden. Soms was ze te ziek geweest om te koken en de rest van de tijd had ze het te druk gehad met golfen.

Er kwam een beeld van zijn moeder in Antony's hoofd op. Klein en slank, met zilverblond haar en een keurige geruite broek. Hij herinnerde zich haar blauwgrijze ogen, haar dure montuurloze bril, haar vage bloemetjesgeur. Zijn moeder had er altijd keurig uitgezien, zilver en blauw. Antony keek steels naar Gillian. Haar doffe grijze haar was in twee dikke dotten verdeeld, haar wangen zagen knalrood en ze hield haar schouders opgetrokken in het lichtpaarse vest. Gillian had dezelfde grijsblauwe ogen als zijn moeder, maar afgezien daarvan, dacht Antony, was het bijna niet te geloven dat ze zussen waren.

Hij keek weer naar Gillians strakke gezicht. Vanaf het moment dat pap gebeld had om te zeggen dat hij een vrouw zou meenemen die zou blijven logeren, liep Gillian rond met een gezicht dat grimmiger stond dan ooit. Ze had niets gezegd – maar Gillian zei nu eenmaal niet vaak iets. Ze kwam nooit met een mening, ze zei nooit dat ze ergens de pest over in had. Je moest het zelf maar raden. En nu, vermoedde Antony, had ze heel zwaar de pest in.

Antony wist zelf niet goed wat hij van die vrouw moest denken. Hij had de avond tevoren in bed liggen denken aan zijn vader en moeder en die nieuwe vrouw en had gewacht op een spontane reactie, een emotie die hem de juiste kant uit zou wijzen. Maar er gebeurde niets. Hij had geen speciaal negatieve emoties, maar ook geen positieve, alleen een soort verbijsterd besef dat dit zomaar gebeurde, dat zijn vader met een andere vrouw omging. Zo nu en dan werd hij getroffen door die gedachte terwijl hij met iets anders bezig was en dan voelde hij zich zo geschokt dat hij strak voor zich uit moest kijken en diep ademhalen en een paar keer met zijn ogen knipperen om te voorkomen dat zijn ogen volliepen met tranen, jezus-nog-aan-toe. Maar op andere momenten leek het volkomen natuurlijk, bijna iets wat hij verwacht had.

Hij was het gewend geraakt om mensen te vertellen dat zijn moeder overleden was, misschien was vertellen dat zijn vader een vriendin had gewoon de volgende stap. Soms moest hij er zelfs om lachen.

Gillian was klaar met het kloppen van de slagroom. Ze schudde de klopper uit en gooide hem in de gootsteen zonder hem af te likken. Toen zuchtte ze diep en wreef met haar hand over haar voorhoofd.

'Maak je schuimtaart?' vroeg Antony.

'Ja,' zei Gillian. 'Met kiwi.' Ze haalde haar schouders op. 'Ik weet niet of dat is wat je vader wil. Maar het moet maar.'

'Het zal vast heerlijk zijn,' zei Antony. 'Iedereen houdt van schuimtaart.'

'Nou, het moet gewoon maar,' herhaalde Gillian. Ze liet een vermoeide blik door de keuken dwalen en Antony volgde deze. Hij was dol op de keuken – het was zijn favoriete vertrek. Ongeveer vijf jaar geleden hadden zijn ouders hem laten verbouwen tot een enorme boerenkeuken met terracotta plavuizen en een open haard en een enorme houten tafel met echt lekker zittende stoelen. Ze hadden vijf miljoen potten en pannen en dat soort dingen gekocht, allemaal uit dure catalogi, en knoflook aan de muren gehangen en een vrouw in de arm genomen die overal droogboeketten had neergezet.

Antony kon wel de hele dag in de keuken rondhangen – eerlijk gezegd, nu ze een televisie aan de muur hadden hangen, deed hij het ook vaak. Maar Gillian scheen een hekel aan het vertrek te hebben. Ze had er een hekel aan gehad zoals het vroeger was – 'een en al wit en steriel' had ze het genoemd – en ze had er nu nog steeds een hekel aan, ook al was zij degene geweest die de plavuizen had uitgekozen en de binnenhuisarchitecte had verteld waar alles moest komen. Antony begreep het niet.

'Kan ik iets doen?' vroeg hij. 'Zal ik de aardappelen schillen of zoiets?'

'We eten geen aardappelen,' zei Gillian geïrriteerd, alsof hij dat had kunnen weten. 'We eten wilde rijst.' Ze fronste haar voorhoofd. 'Ik hoop dat die niet al te moeilijk klaar te maken is.'

'Het wordt vast heel lekker,' zei Antony. 'Waarom gebruik je de rijstkoker niet?'

Zijn ouders hadden Gillian drie kerstmissen geleden een rijstkoker gegeven. Het jaar ervoor hadden ze haar een sapcentrifuge gegeven en sindsdien waren er een elektrische hakmolen, een elektrisch broodmes en een ijsmachine bij gekomen. Voor zover Antony wist had ze er nog nooit gebruik van gemaakt.

'Ik red me wel,' zei Gillian. 'Waarom ga je niet naar buiten? Of leren?'

'Ik vind het echt niet erg om te helpen,' zei Antony.

'Het gaat sneller als ik het zelf doe.' Gillian slaakte nog een diepe zucht en pakte een kookboek. Antony keek enkele ogenblikken zwijgend naar haar, haalde toen zijn schouders op en liep naar buiten.

Het was een mooie dag en hij was eigenlijk wel blij om in de zon te lopen, bedacht hij. Hij slenterde over de oprijlaan van The Maples en stak de weg over naar het clubhuis. Alle straten in de omsloten wijk Greyworth waren privéterrein en je had een pasje nodig om erin te komen, dus meestal waren er nauwelijks auto's, alleen die van mensen die een huis in de wijk hadden of die lid waren van de golfclub.

Misschien, dacht Antony onder het lopen, had hij nog tijd voor een snelle negen holes voordat pap thuiskwam. Hij werd geacht deze week voor zijn examens te studeren – dat was de reden dat hij thuis was. Er lag een hele week van studieverlof voor hem. Maar Antony hoefde niet te studeren – hij kende alles wat ze zouden vragen. In plaats daarvan was hij van plan om een beetje te luieren, te golfen, misschien wat te tennissen. Zijn beste vriend, Will, zat ook op kostschool, net als hij, en bij Will op school hadden ze geen studieverlof. 'Mazzelpik,' had Will geschreven. 'Maar je moet mij de schuld niet geven als je voor alles zakt.' Antony kon niet anders dan het met hem eens zijn. Wat dat betreft was hij een mazzelpik. Zijn vader was er niet echt blij mee geweest. 'Waar betalen wij je schoolgeld voor,' had hij uitgeroepen, 'als ze je alleen maar terug naar huis sturen?' Antony wist het niet. Het kon hem niets schelen. Het was zijn probleem niet.

De weg naar het clubhuis liep heuvelafwaarts en werd omzoomd door gras en bomen en de poorten van de huizen van andere mensen. Antony keek naar elke oprijlaan waar hij langsliep en probeerde aan de hand van de aanwezigheid van auto's te bepalen wie thuis was en wie niet. De Forresters hadden een nieuwe witte Jeep, zag hij terwijl hij bij hun poort bleef staan. Mooi, hoor.

'Hé, Antony! Wat vind je van mijn Jeep?' Antony schrok en

keek op. Een meter of vijftig verderop zaten Xanthe Forrester en Mex Taylor in het gras. Hun benen waren verstrengeld in een wirwar van Levi's en ze rookten allebei. Antony onderdrukte de neiging om zich om te draaien en net te doen of hij het niet gehoord had. Xanthe was van zijn leeftijd en hij kende haar al zijn hele leven. Ze was altijd al een krengig klein meisje geweest, maar nu was ze gewoon een kreng. Ze slaagde er altijd in om hem het gevoel te geven dat hij stom en onhandig en lelijk was. Mex Taylor woonde nog maar sinds kort in Greyworth. Het enige wat Antony wist, was dat hij in de hoogste klas van Eton zat, een handicap van zeven had en dat alle meisjes hem het einde vonden. En dat was genoeg.

Hij liep langzaam heuvelafwaarts naar hen toe en deed zijn best om niet te hard te lopen, rustig te blijven ademhalen en een slimme opmerking te bedenken. Toen hij vlak bij hen was, drukte Xanthe ineens haar sigaret uit en begon Mex te kussen. Ze greep hem bij zijn hoofd en begon te kronkelen alsof ze in een of andere achterlijke film speelde. Antony hield zichzelf woedend voor dat ze zich alleen maar aan het uitsloven was. Ze dacht vast dat hij jaloers was. Ze dacht vast dat hij nog nooit van zijn leven iemand gezoend had. Ze moest eens weten. Op school werden ze bijna elk weekend naar feesten gebracht en Antony kwam er altijd wel vandaan met een stel zuigplekken en een telefoonnummer, geen probleem. Maar dat was op school, waar kinderjaren geen rol speelden, waar mensen je namen zoals je was. Terwijl Xanthe Forrester, Fifi Tilling – dat hele kliekje – hem nog steeds zagen als die saaie ouwe Antony Favour, leuk voor een partijtje golf, maar verder eigenlijk niet.

Ineens maakte Xanthe zich van Mex los.

'Mijn telefoon! Hij trilt!' Ze wierp Mex een ondeugende blik toe, keek even naar Antony en haalde toen haar gsm uit het knalrode hoesje op haar heup. Antony keek verlegen naar Mex en voelde hoe zijn hand onwillekeurig beschermend naar zijn oog vloog om zijn wijnvlek te bedekken.

'Hoi? Fifi! Ja, ik ben met Mex!' Xanthe klonk triomfantelijk.

'Sigaret?' vroeg Mex terloops aan Antony. Antony dacht even na. Als hij ja zei, moest hij blijven en met hen praten. En straks zag iemand hem en die zou het zijn vader vertellen en dat zou echt heel vervelend zijn. Maar als hij nee zei, zouden ze hem saai vinden.

'Oké.'

Xanthe zat nog steeds in haar telefoon te kletsen, maar toen Antony een sigaret opstak, hield ze op en zei giechelend: 'Antony! Met een sigaret! Is dat niet een beetje te avontuurlijk voor jouw doen?'

Mex keek geamuseerd naar Antony en Antony voelde dat hij bloosde.

'Hé, te gek, joh!' zei Xanthe terwijl ze haar telefoon wegstopte. 'Fifi's ouders zijn tot vrijdag weg. We gaan vanavond allemaal naar haar toe,' voegde ze er voor Mex aan toe. 'Jij, ik, Fifi en Tania. Tania heeft spul.'

'Klinkt goed,' zei Mex. 'En eh...' Hij gebaarde met zijn hoofd in Antony's richting. Xanthe trok heel even een gezicht naar Mex en wendde zich toen tot Antony.

'Heb je zin om ook te komen, Antony? Fifi heeft een dvd van *Kill Bill* die we gaan kijken.'

'Ik ben bang dat ik niet kan,' zei Antony. 'Mijn vader...' Hij zweeg even. Hij ging Xanthe niet zomaar vertellen dat zijn vader een vriendin had. 'Mijn vader komt thuis,' zei hij zwakjes.

'Je vader komt thuis?' zei Xanthe vol ongeloof. 'Je kunt niet uit omdat je vader thuis komt?'

'Ik vind dat juist heel leuk,' zei Mex vriendelijk. 'Ik wou dat ik zo'n band met mijn vader had.' Hij trok een grimas naar Xanthe. 'Het zou wel helpen als ik niet zo'n pesthekel aan hem had.'

Xanthe begon te schateren.

'Ik wou dat ik een betere band met mijn vader had,' zei ze. 'Dan zou hij me misschien een Jag gegeven hebben in plaats van een Jeep.' Ze stak nog een sigaret op.

'Hoe kan het nou dat jij een Jeep hebt?' vroeg Antony. 'Je kunt nog niet autorijden. Je bent nog maar vijftien.'

'Ik mag op privéwegen rijden,' wierp Xanthe tegen. 'Mex leert het me. Hè, Mex?' Ze ging achterover in het gras liggen en ging met haar vingers door haar blonde krullen. 'En dat is niet het enige wat hij me leert. Begrijp je wat ik bedoel?' Ze blies een kring van rook de lucht in. 'Nou nee, waarschijnlijk niet.' Ze knipoogde naar Mex. 'Ik wil Antony niet choqueren. Hij zoent nog met zijn mond dicht.'

Antony keek vol woede en schaamte naar Xanthe terwijl hij naar een of andere snedige, kleinerende opmerking zocht. Maar de coördinatie tussen zijn hersenen en zijn mond leek volkomen verdwenen.

'Je pa,' zei Xanthe peinzend. 'Je pa. Wat heb ik daar pas ook alweer over gehoord?' Ze kwam abrupt overeind. 'O ja! Hij heeft een vriendinnetje, hè?'

'Nee, niet waar!'

'Jawel! Mijn ouders hadden het erover. Een of andere vrouw in Londen. Blijkbaar is ze heel mooi. Mam heeft ze gezien toen ze aan het lunchen waren.'

'Ze is alleen maar een vriendin,' zei Antony wanhopig. Al zijn onverschilligheid was verdwenen. Ineens haatte hij zijn vader; hij haatte zelfs zijn moeder omdat ze doodgegaan was. Waarom had alles niet kunnen blijven zoals het was?'

'Ik heb het gehoord van je moeder,' zei Mex. 'Rot, zeg.'

Je weet er helemaal niks van! wilde Antony schreeuwen. Maar in plaats daarvan trapte hij zijn sigaret uit en zei: 'Ik moet gaan.'

'Jammer, zeg,' zei Xanthe. 'Ik werd helemaal geil van je zoals je daar staat met die sexy broek aan. Waar heb je die vandaan? Van de rommelmarkt?'

'See you,' zei Mex. 'Veel plezier met je vader.'

Terwijl Antony wegliep, hoorde hij onderdrukt gegniffel, maar hij keek pas bij de bocht achterom. Toen gunde hij zich een snelle blik over zijn schouder. Xanthe en Mex waren alweer aan het zoenen.

Hij liep snel de bocht om en ging op een laag stenen muurtje zitten. Hij hoorde in gedachten alle opmerkingen weer die volwassenen in de loop der jaren hadden gemaakt. *Mensen die je plagen zijn gewoon onvolwassen... Je moet het gewoon negeren – dan raken ze het beu... Als ze meer belang hechten aan je uiterlijk dan aan je persoonlijkheid, dan zijn ze het niet waard om als vrienden te hebben.*

Wat moest hij dan? Iedereen negeren behalve Will? Uiteindelijk helemaal geen vrienden meer hebben? Zoals hij het zag, had hij twee keuzes. Of hij kon eenzaam zijn óf met de massa meedoen. Antony zuchtte. Het was allemaal leuk en aardig voor volwassenen. Zij wisten niet hoe het was. Wanneer was zijn vader voor het laatst afgekat? Waarschijnlijk nooit. Volwassenen katten elkaar niet af. Dat deden ze gewoon niet. Eigenlijk, dacht Antony, moesten volwassenen eens ophouden met klagen. Zij hadden het verdomde makkelijk.

Gillian zat aan de enorme houten tafel in de keuken van haar overleden zus en staarde wezenloos naar een berg sperziebonen. Ze voelde zich moe, bijna te moe om het mes op te tillen. Sinds het overlijden van Emily was er een apathie over haar gekomen die ze beangstigend en verwarrend vond. Ze kon geen andere manier bedenken om ermee om te gaan dan zich uit alle macht op de huishoudelijke taken te storten waar ze haar dag mee vulde. Maar hoe harder ze werkte, hoe minder energie ze leek te hebben. Als ze ging zitten om even uit te rusten, had ze zin om nooit meer op te staan.

Ze steunde voorover op haar ellebogen en voelde zich suf en zwaar. Ze voelde haar eigen gewicht in de boerenstoel zakken, de massa van haar stevige, niet-mooie lichaam. Een ruime boezem gehuld in een verstandige beha, dikke benen verborgen onder een rok. Haar vest was dik en zwaar; zelfs haar haar voelde zwaar vandaag.

Ze staarde een paar minuten lang naar de tafel en volgde met haar vinger de nerven in het hout in een poging zich te verliezen in de krullen en lussen, in een poging zich normaal te voelen. Maar toen haar vinger bij een donkere knoest kwam, stopte ze.

Het had geen zin zichzelf voor de gek te houden. Ze voelde zich niet zomaar zwaar. Ze voelde zich niet zomaar apathisch. Ze voelde zich bang.

Het telefoontje van Richard was kort geweest. Geen enkele verklaring, alleen maar het feit dat hij een vrouw meenam die zou blijven logeren en dat ze Fleur heette. Gillian staarde naar haar stompe, ruwe vinger en beet op haar lip. Ze had moeten beseffen dat dit zou gebeuren, dat Richard vroeg of laat... vrouwelijk gezelschap zou vinden. Maar op de een of andere manier had ze zich voorgesteld dat alles verder zou gaan als normaal: Richard, Antony en zij. Niet zo heel anders dan toen Emily nog leefde – al die keren dat ze met zijn drieën zaten te eten terwijl Emily boven in bed lag.

Het was stom van haar. Natuurlijk had het niet altijd zo door kunnen gaan. Om te beginnen was Antony bijna volwassen. Het zou niet lang duren voor hij van school ging om naar de universiteit te gaan. En verwachtte ze nou heus dan nog in The Maples te blijven wonen? Alleen Richard en zij? Ze had geen idee wat Richard van haar vond. Zag hij haar als iets meer dan Emily's zus? Beschouwde hij haar als vriendin? Als lid van de familie? Of verwachtte hij dat ze wegging nu Emily dood was? Ze had geen idee. In alle jaren dat ze in zijn huis woonde, had ze maar zelden rechtstreeks met Richard gesproken. Hun communicatie, voor zover daar sprake van was, was altijd via Emily gelopen. En nu Emily er niet meer was, communiceerden ze helemaal niet meer. In de tijd sinds haar overlijden hadden ze niets belangrijkers besproken dan afspraken voor het eten. Gillian had het niet over haar positie gehad en Richard ook niet.

Maar nu was alles anders. Nu was er een vrouw die Fleur heette. Een vrouw van wie ze helemaal niets wist.

'Je zult van haar houden,' had Richard er nog net aan toegevoegd voor hij ophing. Dat betwijfelde Gillian. Natuurlijk bedoelde hij 'houden van' in de moderne, vrijblijvende zin van het woord. Ze had het te pas en te onpas horen gebruiken door de vrouwen in de bar van het clubhuis – ik hou zo van dat soort jurken... Vind je dat geen geur om van te houden? Houden van, houden van. Alsof het niets betekende, alsof het geen heilig werkwoord was, een werkwoord om te koesteren, dat met mate gebruikt moest worden. Gillian hield van mensen, niet van handtassen. Ze wist met grote zekerheid van wie ze hield, van wie ze had gehouden, van wie ze altijd zou houden. Maar in heel haar volwassen leven had ze de woorden nooit hardop gezegd.

Buiten trok een wolk verder, en er viel een bundel zonlicht op de tafel.

'Het is een mooie dag,' zei Gillian terwijl ze luisterde naar haar stem in de doodse stilte van de keuken. Ze ging de laatste tijd steeds meer in zichzelf praten. Als Richard in Londen was en Antony op school, was ze soms dagenlang alleen in het huis. Lege, eenzame dagen. Ze had helemaal geen vriendinnen in Greyworth – als de rest van de familie weg was, stopte de telefoon al snel met rinkelen. Veel van Emily's vriendinnen waren Gillian in de loop der jaren meer gaan zien als een betaalde huishoudster dan als een lid van de familie – een idee dat Emily nooit geprobeerd had weg te nemen.

Emily. Gillians gedachten bleven stilstaan. Haar kleine zusje Emily. Ze deed haar ogen dicht en legde haar hoofd in haar handen. Wat voor wereld was dit waarin een jongere zus of broer eerder stierf dan de oudere? Waar het zwakke lichaam van een getrouwde zus bijna compleet verwoest werd door herhaalde miskramen terwijl het stevige lijf van haar ongetrouwde zus nooit op de proef was gesteld? Gillian had Emily bij elke miskraam verzorgd, had haar verzorgd bij en na de geboorte van Philippa en – veel later – Antony. Ze had toegekeken hoe Emily's lichaam het geleidelijk opgaf, hoe alles vervaagde. En nu was ze alleen, wonend bij een familie die niet echt haar familie was, wachtend op de komst van de vervangster van haar zus.

Misschien was het tijd om weg te gaan en een nieuw leven te beginnen. Dankzij Emily's ruimhartige nalatenschap was ze nu financieel onafhankelijk. Ze kon overal heen gaan, doen wat ze wilde. Een reeks beelden volgde elkaar op als de foto's in een pensioenplanbrochure. Ze kon een huisje aan zee kopen. Ze kon gaan tuinieren. Ze kon gaan reizen.

De herinnering aan een aanbod van vele jaren geleden sloop in Gillians gedachten, een aanbod waar ze zo opgewonden van geraakt was dat ze meteen naar Emily gerend was om het te vertellen. Een wereldreis met Verity Standish.

'Je herinnert je Verity nog wel, hè?' had ze opgewonden tegen Emily gezegd, die bij de schoorsteenmantel met een porseleinen beeldje stond te spelen. 'Ze gaat zomaar! Ze vliegt in oktober naar Caïro en gaat van daaruit verder. Ze wil dat ik meega! Spannend, hè?' En ze had gewacht tot Emily zou gaan glimlachen, vragen stellen, net zo hartelijk met Gillian zou meeleven als Gillian in de loop der jaren met Emily's vele gelukkige momenten had gedaan. Maar Emily had zich omgedraaid en zonder te wachten tot Gillian weer op adem was, gezegd: 'Ik ben zwanger. Vier maanden.'

Gillian had naar adem gesnakt en Emily met tranen van blijdschap aangekeken. Ze had niet gedacht – niemand had gedacht – dat Emily ooit nog een kind zou krijgen. Elk van haar zwangerschappen na Philippa was binnen twaalf weken geëindigd in een miskraam; het had onwaarschijnlijk geleken dat ze ooit nog een baby zou voldragen.

Ze was snel naar Emily toegelopen en had vol blijdschap haar handen gepakt. 'Vier maanden! O, Emily!'

Maar Emily's blauwe ogen hadden zich verwijtend in de hare geboord. 'Wat betekent dat de baby in december geboren wordt.'

Ineens was tot Gillian doorgedrongen wat ze bedoelde. En eindelijk had ze eens geprobeerd zich tegen Emily's heerszucht te verzetten.

'Je vindt het toch niet erg als ik die reis ga maken?' Ze had een opgewekte, nuchtere toon aangenomen. 'Richard zal je alle mogelijke steun geven, dat weet ik zeker. En ik ben in januari weer terug, dan kan ik het weer overnemen.' Ze was gaan hakkelen. 'Het is gewoon zo'n fantastische...'

'O, ga maar!' had Emily op koele toon gezegd. 'Ik kan zo een kraamverzorgster aannemen. En een kindermeisje voor Philippa. Het komt wel goed, hoor.' Ze had een beetje naar Gillian gelachen en Gillian had waakzaam en terneergeslagen naar haar gekeken. Ze kende dat spelletje van Emily, wist dat ze altijd op de volgende zet anticipeerde.

'En dan houd ik het kindermeisje waarschijnlijk aan als je terug bent.' Emily's tinkelende stem had door de kamer gezweefd en zich als een pijnlijke splinter in Gillians borst genesteld. 'Ze kan in jouw kamer. Dat vind je toch niet erg, hè? Je woont dan waarschijnlijk toch al ergens anders.'

Ze had toch moeten gaan. Ze had de gok moeten nemen en met Verity mee moeten gaan. Ze had een paar maanden kunnen reizen, terugkomen en weer bij de familie gaan wonen. Emily zou haar hulp niet afgewezen hebben. Daar was ze nu zeker van. *Ze had moeten gaan.* De woorden weergalmden bitter in haar hoofd en ze voelde haar hele lichaam verstrakken terwijl het berouw van vijftien jaar als giftig bloed door haar heen stroomde.

Maar ze was niet gegaan. Ze had toegegeven, zoals ze altijd aan Emily had toegegeven, en ze was gebleven voor de geboorte van Antony. En na zijn geboorte had ze zich gerealiseerd dat ze nooit weg kon gaan, dat ze nooit uit vrije wil uit het huis weg kon gaan. Want Emily hield niet van de kleine Antony. Maar Gillian hield meer van hem dan van wat ook ter wereld.

'En, vertel me eens over Gillian,' zei Fleur terwijl ze gemakkelijk achterover leunde in de passagiersstoel.

'Gillian?' zei Richard afwezig. Hij zette zijn richtingaanwijzer aan. 'Nou, vooruit, laat me ertussen, idioot.'

'Ja, Gillian,' zei Fleur terwijl de auto van rijbaan veranderde. 'Hoe lang woont ze al bij jullie?'

'O, al jaren. Sinds... ik weet niet, sinds de geboorte van Philippa misschien.'

'En kun je goed met haar overweg?'

'Ja, hoor.'

Fleur keek even naar Richard. Zijn gezicht was uitdrukkingloos en ongeïnteresseerd. Gillian afgeserveerd.

'En Antony,' zei ze. 'Ik heb hem ook nog niet ontmoet.'

'O, Antony zul je wel leuk vinden,' zei Richard. Zijn gezicht kreeg ineens iets enthousiasts. 'Het is een goede jongen. Heeft een handicap van twaalf, wat behoorlijk goed is voor zijn leeftijd.'

'Geweldig,' zei Fleur beleefd. Hoe meer tijd ze met Richard doorbracht, hoe duidelijker het haar werd dat ze zich ook aan dat afgrijselijke spelletje zou moeten wagen. Ze probeerde zichzelf voor te stellen met een paar golfschoenen met kwastjes en spikes en rilde een beetje.

'Wat een mooi landschap hier,' zei ze terwijl ze uit het raampje keek. 'Ik wist niet dat er ook schapen waren in Surrey.'

'Een enkel schaap,' zei Richard. 'En ook een enkele koe.' Hij zweeg even en zijn mond begon humoristisch te trekken. Fleur wachtte. De trekkende mond betekende dat hij een grapje ging maken. 'Je zult op de golfclub kennismaken met enkele van de mooiste koeien van Surrey,' zei Richard uiteindelijk en gnuifde. Fleur giechelde mee, meer geamuseerd om hem dan om het grapje. Was dit dezelfde stijve, saaie man die ze zes weken geleden ontmoet had? Ze kon het bijna niet geloven. Richard leek zich met een bijna fanatieke vastberadenheid in een leven vol vrolijkheid te hebben gestort. Nu was hij degene die haar opbelde met uitzinnige suggesties, die grapjes maakte, die uitstapjes en pleziertjes plande.

Ze nam aan dat hij voor een deel het gebrek aan fysieke intimiteit in hun relatie probeerde te compenseren – een gebrek waarvan hij duidelijk aannam dat zij er net zo mee zat als hij. Ze had een paar keer tegen hem gezegd dat het niet erg was – maar niet te overtuigend, niet zo dat het als kwetsend opgevat kon worden. En dus, om hun beider frustraties te verlichten, was hij hun avonden gaan vullen met surrogaat. Als hij haar niet in bed kon onderhouden, dan deed hij het maar in theaters en cocktailbars en nachtclubs. Hij belde elke ochtend om tien uur met een plannetje voor die avond. Tot haar verbazing was Fleur zich gaan verheugen op zijn telefoontjes.

'Sheringham St. Martin!' riep ze ineens uit toen ze een bord zag.

'Ja, dat is een mooi dorpje,' zei Richard.

'Daar heeft Xavier Formby zijn nieuwe restaurant geopend. Ik heb erover gelezen. *The Pumpkin House*. Het schijnt fantastisch te zijn. We moeten er eens een keer heen gaan.'

'Laten we dan nu gaan!' zei Richard onmiddellijk. 'Laten we daar gaan eten. Perfect! Ik zal even bellen om te horen of ze een tafeltje vrij hebben.'

Zonder onderbreking toetste hij het nummer van Inlichtingen op zijn telefoon in. Fleur bekeek hem aandachtig. Was er een reden voor haar om hem erop te wijzen dat die Gillian waarschijnlijk al een etentje voor hen georganiseerd had? Het scheen Richard niet te kunnen schelen – het was net alsof Gillian geen enkele rol speelde in zijn gedachten. Bij sommige families was het de moeite waard om de vrouwen voor je te winnen – maar wat had het hier voor zin? Ze zou het spelletje maar met Richard meespelen. Hij was uiteindelijk degene met het geld. En als hij uit eten wilde, wie was zij dan om hem van het tegendeel te overtuigen?

'Ja?' zei Richard. 'Nou, dan komen we er zo aan.'

Fleur keek hem stralend aan. 'Wat goed van je.'

'Carpe diem,' zei Richard. 'Pluk de dag.' Hij glimlachte naar haar. 'Weet je, als jongen begreep ik die uitdrukking nooit. Hoe kon je nu de dag "plukken"? Ik begreep er helemaal niets van.'

'Maar begrijp je het nu wel?' vroeg Fleur.

'O ja,' zei Richard. 'Ik ga het steeds beter begrijpen.'

De telefoon ging om zeven uur, net toen Antony klaar was met tafeldekken. Terwijl Gillian opnam, deed hij een stap achteruit om zijn werk te bewonderen. Er stonden vazen met lelies, kaarsen stonden klaar om aangestoken te worden, er lagen witte kanten servetten en vanuit de keuken kwam de heerlijke geur van gebraden lam. Tijd voor een gin, dacht Antony. Hij keek op zijn horloge. Zijn vader zou toch zeker zo wel komen?

Ineens verscheen Gillian in de deur van de eetkamer in de blauwe jurk die ze altijd droeg bij speciale gelegenheden. Haar gezicht stond grimmig, maar dat hoefde niet per se iets te betekenen.

'Dat was je vader,' zei ze. 'Hij komt pas later thuis.'

'O, hoeveel later?' Antony legde een mes recht.

'Een uur of tien, zei hij. Die vrouw en hij zijn uit eten.'

Antony keek met een ruk op. 'Uit eten? Maar dat kan niet!'

'Ze zitten nu in een restaurant.'

'Maar je hebt eten klaargemaakt! Heb je hem dat verteld? Heb je verteld dat er gebraden lam in de oven staat?'

Gillian haalde haar schouders op. Ze had die berustende, vermoeide uitdrukking op haar gezicht waar Antony zo'n hekel aan had.

'Je vader mag toch uit eten gaan als hij daar zin in heeft?' zei ze.

'Je had iets moeten zeggen!' riep Antony uit.

'Het is niet aan mij om je vader te vertellen wat hij wel of niet mag doen.'

'Maar als hij het zich gerealiseerd had, dan weet ik zeker...' Antony brak zijn zin af en keek Gillian gefrustreerd aan. Waarom had ze nou verdorie niets tegen pa gezegd? Als hij thuiskwam en zag wat hij gedaan had, zou hij zich ongelooflijk rot voelen.

'Nou, het is nu te laat. Hij heeft niet gezegd in welk restaurant hij zat.'

Ze keek bijna blij, dacht Antony, alsof ze een zekere bevrediging putte uit het feit dat al haar moeite voor niets was geweest.

'Dus eten we het gewoon allemaal zelf op?' Hij wist dat hij agressief klonk, maar het kon hem niet schelen.

'Ja, dat zal dan wel.' Gillian bekeek zichzelf. 'Ik ga deze jurk even uittrekken,' zei ze.

'Waarom hou je hem niet aan?' zei Antony, die dolgraag op de een of andere manier de avond wilde redden. 'Je ziet er leuk uit.'

'Dan komen er maar kreukels in. Zonde om hem nu te bederven.' Ze draaide zich om en liep in de richting van de trap.

Nou, donder dan ook maar op, dacht Antony. Als jij geen moeite wilt doen, dan doe ik het ook niet. Hij dacht aan de ontmoeting met Xanthe Forrester en Mex Taylor die ochtend. Ze hadden hem echt uitgenodigd, hè? Misschien vielen ze achteraf toch wel mee.

'Dan ga ik maar uit, denk ik,' zei hij. 'Als we toch geen uitgebreid diner of zo hebben.'

'Goed,' zei Gillian zonder achterom te kijken.

Antony liep naar de telefoon en belde het nummer van Fifi Tilling.

'Hallo?' Fifi klonk alsof ze veel plezier had en op de achtergrond was muziek te horen.

'Hoi, met Antony. Antony Favour.'

'O, oké. Hoi, Antony. Hé, allemaal,' riep ze. 'Antony aan de telefoon.' Hij meende gegniffel op de achtergrond te horen.

'Ik zou vanavond al iets hebben,' zei hij onbeholpen, 'maar dat gaat niet meer door. Dus nu zou ik wel langs kunnen komen of zo. Xanthe zei dat iedereen bij elkaar zou komen.'

'O. Ja.' Het was even stil. 'Maar eigenlijk gaan we met zijn allen naar een club.'

'Te gek. Nou, daar ben ik ook wel voor in.' Klonk hij vriendelijk en relaxed of gespannen en wanhopig? Hij kon het niet horen.

'Het probleem is eigenlijk dat de auto vol zit.'

'O, hmm.' Antony keek onzeker naar de telefoon. Wilde ze zeggen...

'Sorry.' Ja, inderdaad.

'Geen probleem.' Hij probeerde nonchalant te klinken. Geamuseerd zelfs. 'Misschien een andere keer.'

'O. Ja. Goed.' Fifi klonk vaag. Ze luisterde niet eens naar hem.

'Nou, tot kijk dan maar,' zei Antony.

'Dag, Antony. Tot kijk.'

Antony legde de telefoon neer en werd overspoeld door een golf van vernedering. Als ze gewild hadden, zouden ze heus wel een plek voor hem gevonden hebben. Hij keek naar zijn handen en zag dat ze trilden. Hij had het warm van gêne, ook al was hij alleen in de kamer.

Het was allemaal de schuld van die klotevader van hem – als hij op tijd thuisgekomen was, zou dat telefoongesprek nooit plaatsgevonden hebben. Antony leunde achterover in zijn stoel. Hij vond het een bevredigende gedachte. Ja, het was de schuld van zijn vader. Een verkwikkende verontwaardiging steeg in hem op. En het was ook Gillians schuld. Waarom moest zij nou zo moeilijk doen? Waarom had ze niet op zijn vaders gemoed gewerkt en gezegd dat hij meteen naar huis moest komen?

Hij bleef zo een paar minuten nijdig op hen allebei zitten zijn terwijl hij met een servet speelde en naar de tafel keek die hij gedekt had. Wat een moeite voor niets. Nou, het kon allemaal mooi blijven zoals het was. Hij ging de tafel niet afruimen.

Toen kwam het bij hem op dat Gillian misschien naar beneden zou roepen of hij nu juist dat wilde doen, dus voor dat gebeurde, stond hij op en slenterde de keuken in. Het lamsvlees lag nog in de oven te braden en op de tafel stond majesteitelijk de schuimtaart, overdekt met slagroom en versierd met kiwi. Antony keek ernaar. Als ze toch niet normaal gingen dineren, dan kon het toch geen kwaad als hij er een hapje van nam? Hij trok een stoel naar achteren, pakte de afstandsbediening en begon te zappen. En terwijl het geluid van een spelletjesprogramma door de keuken schetterde, pakte hij een lepel, stak deze in de meringue en begon te eten.

5

Het ontbijt stond klaar in de oranjerie.

'Wat een heerlijke kamer,' zei Fleur beleefd terwijl ze naar Gillians gezicht keek, zoekend naar oogcontact. Maar Gillian hield haar ogen op haar bord gericht. Ze had Fleur nog niet één keer aangekeken sinds Richard en zij de avond tevoren aangekomen waren.

'Dat vinden wij ook,' zei Richard monter. 'Vooral in het voorjaar. 's Zomers kan het wel eens te warm worden.'

Er viel opnieuw een stilte. Antony zette zijn theekopje neer en iedereen leek intens te luisteren naar het zachte getinkel.

'We hebben de oranjerie zo'n... tien jaar geleden laten bouwen,' vervolgde Richard. 'Klopt dat, Gillian?'

'Zou kunnen,' zei Gillian. 'Iemand nog thee?'

'Ja, graag,' zei Fleur.

'Goed, nou, dan zal ik maar een nieuwe pot zetten,' zei Gillian en verdween de keuken in.

Fleur nam een hapje toast. Het ging eigenlijk best goed, vond ze, ondanks de niet gegeten lamsbout en de schuimtaart. Het was de jongen, Antony, die hen de avond tevoren erop aangesproken had, bijna onmiddellijk zodra ze binnenkwamen, en hun had verteld dat Gillian de hele dag had staan koken. Richard had heel verschrikt gekeken en Fleur had zich overtuigend ontzet getoond. Gelukkig leek niemand het haar te verwijten. En net zo gelukkig was het vanochtend duidelijk dat er niet meer op teruggekomen zou worden.

'Zo.' Gillian was teruggekomen met de theepot.

'Heerlijk,' zei Fleur terwijl ze glimlachend naar Gillians stugge gezicht opkeek. Het zou een makkie worden, dacht ze, als het enige waar ze mee te maken kreeg pijnlijke stiltes en een paar hatelijke blikken zouden zijn. Boze blikken lieten haar koud, opgetrokken wenkbrauwen en terloopse opmerkingen ook. Dat was de zegen als je het op de gereserveerde Engelse middenklasse gemunt had, dacht ze terwijl ze van haar thee nipte. Ze leken nooit met elkaar te praten, ze wilden nooit ophef veroorzaken, ze leken nog eerder bereid al hun geld kwijt te raken dan de gêne van een directe confrontatie te ondergaan. Wat voor iemand als zij betekende dat de weg vrij was.

Ze keek nieuwsgierig naar Gillian. Voor iemand die hoogstwaarschijnlijk de beschikking over geld had, droeg Gillian wel buitengewoon afgrijselijke kleren. Een donkergroene broek – Fleur nam aan dat ze het een sportbroek zouden noemen – en een blauwe geborduurde katoenen bloes met korte, werkmanachtige mouwen. Toen ze zich over de theepot boog, ving Fleur een glimp op van Gillians bovenarmen – massieve flappen witte, slappe, bijna dood uitziende huid.

Antony's kleding was iets beter. Een tamelijk gewone spijkerbroek en een best aardig rood overhemd. Het was jammer van zijn wijnvlek. Hadden ze er niet iets aan kunnen laten doen? Misschien niet, want hij strekte zich helemaal over zijn oog uit. Als hij een meisje was geweest had hij er natuurlijk make-up op kunnen doen... Afgezien daarvan, vond Fleur, was hij een knappe jongen. Hij leek op zijn vader.

Fleurs blik dwaalde terloops naar Richard. Hij zat achterovergeleund in zijn stoel en keek vanuit de oranjerie de tuin in met een duidelijk tevreden gezicht, alsof hij aan een vakantie was begonnen. Toen hij haar ogen op zich gericht voelde, keek hij op en glimlachte. Fleur glimlachte terug. Het was gemakkelijk om naar Richard te glimlachen, vond ze. Hij was een goede man, vriendelijk en attent en lang niet zo saai als ze aanvankelijk gevreesd had. Die afgelopen paar weken waren leuk geweest.

Maar het was geld dat ze nodig had, geen plezier. Ze had niet zo volhard om zich vervolgens te laten afschepen met een beperkt inkomen en vakanties op Mallorca. Fleur zuchtte inwendig en nam nog een slokje thee. Soms raakte ze uitgeput van de jacht op het grote geld – ze begon wel eens te denken dat er misschien toch niet zoveel mis was met Mallorca. Maar dat was zwakte. Ze was niet zo ver gekomen om het zomaar op te geven. Ze zou haar doel bereiken. Ze móest het bereiken. Al was het maar omdat het het enige doel was dat ze had.

Ze keek op naar Richard en glimlachte.

'Is dit het grootste huis van de wijk?'

'Ik geloof het niet,' zei Richard. 'Een van de grootste, denk ik.'

'De Tillings hebben acht slaapkamers,' zei Antony ongevraagd. 'En een biljartkamer.'

'Nou, kijk aan.' Richard grinnikte. 'Antony zal het eens niet precies weten.'

Antony zei niets. Hij vond de aanblik van Fleur aan de overkant van de tafel verontrustend. Had deze vrouw echt iets met zijn vader? Ze was oogverblindend. Oogverblindend! En door haar zag zijn vader er anders uit. Toen ze de vorige avond met zijn tweeën aankwamen, helemaal opgetut en glamourachtig, zagen ze eruit alsof ze uit de familie van iemand anders kwamen. Zijn vader had er niet uitgezien als zijn vader. En Fleur zag er zeker niet uit als iemands moeder. Maar ze was ook geen slet, dacht Antony. Ze was niet goedkoop. Ze was gewoon... mooi.

Toen Richard zijn kopje wilde pakken, zag hij Antony met onverholen bewondering naar Fleur kijken, en onwillekeurig voelde hij zich trots. Ja, m'n jongen, wilde hij zeggen. Het leven is voor mij nog niet voorbij. In zijn achterhoofd reden er gedachten als een trein voorbij: beelden van Emily die precies op de plek zat waar Fleur nu zat, herinneringen aan het familieontbijt waarbij Emily's tinkelende lach boven het gesprek uit klonk. Maar hij drukte ze de kop in zodra ze bovenkwamen; hij weigerde zich te laten leiden door zijn sentimentaliteit. Het leven was er om geleefd te worden, het geluk lag voor het oprapen,

Fleur was een geweldige vrouw. Zittend in het volle zonlicht leek het ook niet ingewikkelder dan dat.

Na het ontbijt verdween Richard om zich klaar te maken om te gaan golfen. Zoals hij Fleur had uitgelegd, was vandaag de Banting Cup. Iedere andere zaterdag zou hij zijn partijtje golf hebben laten schieten om haar van alles te laten zien. Maar de Banting Cup...

'Maak je maar geen zorgen,' had Fleur gezegd. 'Ik red me wel.'

'We kunnen afspreken om erna iets te gaan drinken,' had Richard eraan toegevoegd. 'Gillian brengt je wel naar het clubhuis.' Hij zweeg even en er was een rimpel in zijn voorhoofd verschenen. 'Vind je het erg?'

'Natuurlijk niet,' had Fleur lachend gezegd. 'Het wordt vast een heerlijke ochtend in mijn eentje.'

'Maar je zult niet alleen zijn!' had Richard gezegd. 'Gillian zal voor je zorgen.'

Nu stond Fleur aandachtig naar Gillian te kijken. Ze haalde schone borden uit de vaatwasser en stapelde ze op. Elke keer dat ze bukte, slaakte ze een zuchtje en elke keer dat ze overeind kwam, keek ze alsof de inspanning haar dood zou worden.

'Mooie borden,' zei Fleur terwijl ze opstond. 'Echt schitterend. Heb jij ze uitgekozen?'

'Wat, deze?' vroeg Gillian. Ze keek naar het bord in haar hand alsof ze het haatte. 'O nee. Emily heeft ze uitgekozen. Richards vrouw.' Ze zweeg even en haar stem werd harder. 'Ze was mijn zus.'

'Juist,' zei Fleur.

Nou, het had niet lang geduurd om op dat onderwerp te komen, dacht ze. De dode, onschuldige vrouw. Misschien had ze deze Gillian onderschat. Misschien zou de aanval nu beginnen. De opeengeklemde lippen, de gesiste dreigementen. *Je bent niet welkom in mijn keuken.* Ze bleef naar Gillian kijken en afwachten. Maar Gillians gezicht bleef passief; bleek en uitgezakt als een niet-afgebakken broodje.

'Golf jij ook?' vroeg Fleur uiteindelijk.

'Een beetje.'

'Ik kan het helemaal niet, vrees ik. Ik moet het gaan leren.'

Gillian gaf geen antwoord. Ze was begonnen de borden terug te zetten in de halfopen kast. Het waren handbeschilderde aardewerken borden, elk versierd met een ander boerderijdier. Als ze te pronken werden gezet, dacht Fleur, dan moesten ze ten minste op de juiste manier rechtop staan. Maar Gillian scheen het niet in de gaten te hebben. Elk bord werd met een klap in de kast gezet tot de bovenste plank en de helft van de een na bovenste plank vol stonden met dieren die alle kanten op gedraaid waren. Toen waren de dieren op en begon ze de rest van de planken vol te zetten met porselein met een blauw en wit patroon. Nee! wilde Fleur uitroepen. Zie je dan niet hoe lelijk dat staat? Het kost je twee minuten om het er aardig uit te laten zien.

'Mooi,' zei ze toen Gillian klaar was. 'Ik ben dol op boerenkeukens.'

'Het valt niet mee om ze schoon te houden,' zei Gillian somber. 'Al die tegels. Je hakt groenten en al die stukjes komen ertussen.'

Fleur keek vaag om zich heen terwijl ze zich afvroeg wat ze eventueel nog kon zeggen over het onderwerp gehakte groenten. Het vertrek deed haar denken aan een onbehaaglijke keuken in Schotland waar ze een heel jachtseizoen had zitten rillen om er vervolgens achter te komen dat haar adellijke gastheer niet alleen zwaar in de schulden zat, maar haar al die tijd ook nog eens had bedrogen. Die kloterige adel, dacht ze woest. Tijdverspillers en losers.

'Pardon,' zei Gillian. 'Ik moet even bij de kast.' Ze bukte voor Fleur langs en haalde een rasp tevoorschijn.

'Kan ik helpen?' vroeg Fleur. 'Er is vast wel iets wat ik kan doen.'

'Het is makkelijker als ik het zelf doe.' Gillians schouders waren gebogen, en ze weigerde Fleur aan te kijken. Fleur haalde inwendig haar schouders op.

'Oké,' zei ze. 'Nou, dan ga ik maar eens naar boven om daar het een en ander te doen. Hoe laat gaan we naar het clubhuis?'

'Twaalf uur,' zei Gillian zonder op te kijken.

Tijd zat, dacht Fleur terwijl ze de trap op ging. Met Richard en Antony allebei uit huis en Gillian die in de keuken lustig stond te raspen, was dit een perfecte gelegenheid om op zoek te gaan naar wat ze wilde weten. Ze liep al taxerend langzaam de gang door. Het behang was saai maar duur, de schilderijen waren saai en goedkoop. Alle goede schilderijen waren kennelijk in de salon beneden gepropt, waar het bezoek ze kon zien. Emily Favour, dacht ze, was waarschijnlijk het soort vrouw geweest dat dure jurken en goedkoop ondergoed droeg.

Ze liep langs de deur van haar slaapkamer en ging een trapje af. Het mooie van in een huis zijn waar je nog nooit eerder geweest was, was dat je altijd kon zeggen dat je verdwaald was. Vooral omdat de rondleiding de avond ervoor zo vaag was geweest. 'Daar beneden is mijn werkkamer,' had Richard gezegd terwijl hij naar het trapje gebaarde. En Fleur had geen krimp gegeven, maar een beetje gegeeuwd en gezegd: 'Ik word zo soezerig van al die wijn!'

Nu liep ze vastberaden het trapje af. Eindelijk kon ze echt aan de slag gaan. Achter die deur zou ze achter de ware omvang van Richards potentieel komen – of hij het waard was om al die moeite voor te doen, en hoeveel ze hem afhandig zou kunnen maken. Ze zou snel berekenen of het de moeite waard was om een bepaalde periode van het jaar af te wachten en of er sprake was van ongewone factoren waarmee ze rekening diende te houden. Ze vermoedde van niet. De financiële zaken van de meeste mannen vertoonden opvallende overeenkomsten. Het waren de mannen zelf die verschilden.

De gedachte aan een nieuw project vervulde haar met enige opwinding en ze voelde hoe haar hart sneller ging kloppen toen ze haar hand op de deurknop legde en duwde. De deur gaf echter niet mee. Ze probeerde het nog eens – maar het had geen zin. De deur van de werkkamer zat op slot.

Ze bleef even woedend naar de glanzend witte panelen kijken. Wat voor soort man deed nou in zijn eigen huis de deur van zijn werkkamer op slot? Ze probeerde het nog een keer. Hij zat echt op slot. Ze had zin om er even een trap tegen te geven. Toen kreeg haar zelfdiscipline de overhand. Het had geen zin om rond te hangen en het risico te lopen gezien te worden. Ze draaide zich vlug om, liep het trapje weer op en ging de gang door naar haar kamer. Ze ging op het bed zitten en keek boos naar haar spiegelbeeld. Wat zou ze nu doen? Die deur stond tussen haar en alle gegevens die ze nodig had in. Hoe kon ze verdergaan zonder de juiste informatie?

'Getverdemme,' zei ze hardop. 'Getverdemme. Getverdemme.' Uiteindelijk monterde het geluid van haar eigen stem haar op. Zo erg was het nu allemaal ook weer niet. Ze zou wel iets bedenken. Richard kon de werkkamer niet voortdurend op slot houden – en als hij dat wel deed, moest ze gewoon de sleutel zien te vinden. In de tussentijd... Fleur haalde terloops haar hand door haar haar. In de tussentijd kon ze altijd nog lekker lang in bad gaan en haar haar wassen.

Om halftwaalf kwam Gillian de trap op gesjokt. Fleur, die haar ochtendjas nog aan had, dacht even na. Gillian kon in ieder geval voor verstrooiing zorgen.

'Gillian, wat zal ik naar het clubhuis aantrekken?' vroeg ze. Ze probeerde Gillian aan te kijken. 'Zeg me eens wat ik aan moet?'

Gillian haalde licht haar schouders op. 'Er zijn geen echte regels. Een beetje chic, zou ik zeggen.'

'Te vaag! Je zult me moeten helpen beslissen. Kom mee!' Fleur ging terug haar kamer in en Gillian volgde haar na een korte aarzeling.

'Mijn chicste kleren zijn allemaal zwart,' zei Fleur. 'Is er iemand in het clubhuis die zwart draagt?'

'Niet echt,' zei Gillian.

'Dat dacht ik al.' Fleur slaakte een dramatische zucht. 'En ik wilde nu juist geen buitenbeentje zijn. Mag ik eens zien wat jij aantrekt?'

'Niks bijzonders,' zei Gillian op botte, bijna nijdige toon. 'Gewoon een blauwe jurk.'

'Blauw! Weet je wat...' Fleur begon in een van haar koffers te zoeken. 'Wil je deze misschien lenen?' Ze haalde een lange blauwe zijden sjaal tevoorschijn en drapeerde hem over Gillians schouder. 'Ik heb hem van een of andere idioot gekregen. Zie ik eruit als het type vrouw dat blauw kan dragen?' Ze rolde met haar ogen naar Gillian en dempte haar stem. 'Hij scheen ook te denken dat ik maatje zesendertig had en graag rood ondergoed droeg.' Ze haalde haar schouders op. 'Wat moet je daarmee?'

Gillian staarde naar Fleur en voelde dat ze een kleur kreeg. Er gebeurde iets onbekends achter in haar keel. Het leek wel een beetje op lachen.

'Maar jou zal hij prima staan,' zei Fleur. 'Het is precies de kleur van je ogen. Ik wou dat ik blauwe ogen had!'

Ze bekeek Gillans ogen aandachtig, en Gillian begon het warm te krijgen.

'Dank je,' zei ze abrupt. Ze keek naar de blauwe zijde. 'Maar ik weet niet zeker of hij wel bij de jurk past.'

'Zal ik meekomen om je te helpen? Ik weet hoe je die dingen moet knopen.'

'Nee!' schreeuwde Gillian bijna. Fleur overdonderde haar. Ze moest weg zien te komen. 'Ik ga me nu omkleden en dan zie ik wel.' Ze haastte zich de kamer uit.

In de veilige haven van haar eigen kamer bleef Gillian staan. Ze pakte het uiteinde van de sjaal en wreef de gladde stof over haar gezicht. Hij rook lekker. Net als Fleur. Lief en zacht en vrolijk.

Gillian ging aan haar kaptafel zitten. Fleurs stem klonk nog na in haar oren. Ze voelde nog steeds een lachje borrelen achter in haar keel. Ze voelde zich vrolijk, ademloos, bijna overweldigd. Dat is charme, dacht ze ineens. Echte charme was niet het gedweep en gezoen van de ijskoude vrouwen van de golfclub. Ze hadden Emily altijd een charmante vrouw genoemd, maar in haar ogen hadden ijspegels gelegen en haar tinkelende lach was humorloos en namaakzoet geweest. Fleurs ogen waren warm en allesomvattend, en als ze lachte, wilden alle anderen ook lachen. Dat was echte charme. Natuurlijk meende Fleur het allemaal niet echt. Ze wilde niet echt blauwe ogen, ze had Gillians goede raad niet echt nodig. En – dat wist Gillian zeker – ze wilde ook best een buitenbeentje zijn in het clubhuis. Maar dankzij haar had Gillan zich heel even gelukkig en gewenst gevoeld en deelgenoot aan een grapje. Gillian was nog nooit deelgenoot aan een grapje geweest.

Het clubhuis van Greyworth was in Amerikaanse koloniale stijl gebouwd, met een grote houten veranda die op de achttiende green uitkeek.

'Is dit de bar?' vroeg Fleur toen ze aankwamen. Ze keek om zich heen naar de tafels en stoelen, de glazen gin, de rood aangelopen, vrolijke gezichten.

'De bar is daarbinnen. Maar 's zomers zit iedereen buiten. Het is vreselijk moeilijk om een tafeltje te krijgen.' Gillian keek met toegeknepen ogen om zich heen. 'Ik geloof dat ze allemaal bezet zijn.' Ze zuchtte. 'Wat wil je drinken?'

'Een Manhattan,' zei Fleur. Gillian keek haar weifelend aan.

'Wat is dat?'

'Dat weten zij wel.'

'O... nou goed dan.'

'Wacht even,' zei Fleur. Ze stak haar hand naar Gillian uit en trok de uiteinden van de blauwe sjaal goed. 'Je moet hem meer draperen. Zo. Je moet ervoor zorgen dat er geen kreukels in komen. Goed?'

Gillian haalde even haar schouders op.

'Het is allemaal zo'n gedoe.'

'Dat gedoe maakt het nu juist leuk,' zei Fleur. 'Zoals naden in je kousen. Je moet om de vijf minuten controleren of ze nog recht zitten.'

Gillians gezicht werd nog somberder.

'Nou, ik ga maar wat te drinken halen,' zei ze. 'Er zal wel een enorme rij staan.'

'Zal ik even meelopen?' vroeg Fleur.

'Nee, blijf jij hier maar wachten tot er een tafeltje vrijkomt.'

Ze liep in de richting van de glazen deuren die toegang gaven tot de bar. Toen ze bij de deuren kwam, ging ze ietsje langzamer lopen en trok bijna onmerkbaar aan de uiteinden van de sjaal. Fleur moest even glimlachen. Toen draaide ze zich op haar gemakje om en liet haar blik over de veranda dwalen. Ze wist zeker dat ze al wat geïnteresseerde blikken begon te krijgen. Golfende mannen met rode gezichten bogen zich voorover naar hun vrienden en golfende vrouwen met pinnige ogen gaven elkaar een por.

Fleur liet snel een kritische blik over de tafels op de veranda gaan. Sommige keken uit op de golfbaan en andere niet. De beste was die in de hoek, was haar conclusie. Hij was groot en rond en er zaten maar twee mannen aan. Zonder aarzeling liep Fleur erheen en glimlachte naar de bollere van de twee mannen. Hij droeg een knalgele trui en was halverwege een zilveren kroes bier.

'Hallo,' zei ze. 'Zijn jullie maar met zijn tweeën?'

De bolle man werd een tintje roder en schraapte zijn keel.

'Onze vrouwen komen zo bij ons zitten.'

'O jee.' Fleur begon de stoelen te tellen. 'Is er misschien nog plaats voor mijn vriendin en mij? Ze is onze drankjes aan het halen.'

De mannen keken elkaar aan.

'Het punt is,' vervolgde Fleur, 'dat ik echt heel graag naar de golfbaan wil kijken.' Ze ging langzaam dichter naar de tafel toe. 'Hij is prachtig, hè?'

'Een van de beste in Surrey,' zei de dunnere man nors.

'Kijk die bomen toch!' zei Fleur en ze wees. Beide mannen volgden haar blik. Tegen de tijd dat ze weer voor zich uit keken, zat ze op een van de lege stoelen. 'Hebben jullie vandaag gespeeld?'

'Eh, luister eens,' zei een van de mannen ongemakkelijk. 'Ik wil niet...'

'Hebben jullie in de Banting Cup gespeeld? Wat ís de Banting Cup eigenlijk?'

'Bent u een nieuw lid? Want als dat zo is...'

'Ik ben helemaal geen lid,' zei Fleur.

'U bent geen lid? Hebt u wel een gastenpas?'

'Dat weet ik eigenlijk niet,' zei Fleur vaag.

'Dat bedoel ik nou, hè?' zei de dunnere man tegen de man in de gele trui. 'Absoluut geen bewaking.' Hij keerde zich naar Fleur. 'Luister eens, jongedame, ik vrees dat ik u toch echt moet vragen...'

'Jongedame?' zei Fleur stralend tegen hem. 'Dat is heel vriendelijk.'

Hij stond nijdig op.

'Bent u zich ervan bewust dat dit een privéclub is en dat indringers vervolgd worden? Ik denk dat het het beste is voor u en uw vriendin ...'

'O, daar is Gillian,' viel Fleur hem in de rede. 'Hallo, Gillian. We mogen van deze aardige heren aan hun tafel zitten.'

'Hallo, George,' zei Gillian. 'Is er een probleem?'

Er volgde een heel korte stilte waarin Fleur zich onbekommerd afwendde. Er barstte een verward, gegeneerd gesprek achter haar los. De mannen hadden niet geweten dat Fleurs vriendin Gillian was! Ze hadden geen idee gehad. Ze dachten... Nee, natuurlijk dachten ze niet. Nou, hoe dan ook... wat was de wereld toch klein, hè? Wat was de wereld toch klein. En toen waren er drankjes.

'Die Manhattan is voor mij,' zei Fleur terwijl ze zich omdraaide. 'Aangenaam. Mijn naam is Fleur Daxeny.'

'Alistair Lennox.'

'George Tilling.'

'Ik heb mijn gastenpasje gevonden,' zei Fleur. 'Willen jullie het zien?'

Beide mannen begonnen verlegen te kuchen.

'Elke vriendin van Gillian...' begon de een.

'Eigenlijk ben ik meer een vriendin van Richard,' zei Fleur.

'Een oude vriendin?'

'Nee, een nieuwe vriendin.'

Er viel een stilte waarin begrip oplichtte in de ogen van George Tilling. Nu weet je het weer, dacht Fleur. Ik ben die roddel waarover je vrouw je probeerde te vertellen terwijl je de krant zat te lezen. Nu zou je wel willen dat je wat beter had geluisterd, hè? Ze wierp hem een flauw glimlachje toe.

'Besef je wel dat er een hoop over je geroddeld wordt?' zei Alec toen ze bij de zeventiende green aankwamen. Richard lachte een beetje en pakte zijn putter.

'Dat heb ik begrepen, ja.' Hij keek op naar zijn oude vriend, die met een vriendelijk en bezorgd gezicht naar hem keek. 'Wat jij niet beseft, is dat het best grappig is als er over je geroddeld wordt.'

'Het is geen grapje,' zei Alec. Zijn Schotse accent werd uitgesprokener, zoals altijd wanneer hij geagiteerd was. 'Ze zeggen...' Hij maakte zijn zin niet af.

'Wat zeggen ze?' Richard stak zijn hand op. 'Eerst even putten.'

Zonder enige aarzeling sloeg hij de bal vanaf drie meter in de hole.

'Goed gedaan,' zei Alec automatisch. 'Je speelt goed vandaag.'

'Wat zeggen ze? Kom, Alec. Stort je hart maar uit.'

Alec wachtte even. Hij keek pijnlijk getroffen. 'Ze zeggen dat als je doorgaat met deze vrouw, je misschien toch niet genomineerd zult worden als voorzitter.'

Richards mond verstrakte.

'Juist,' zei hij. 'En heeft iemand van hen "deze vrouw", zoals je het zo charmant omschrijft, wel eens ontmoet?'

'Ik geloof dat Eleanor heeft gezegd...'

'Eleanor heeft Fleur één keer heel kort in een restaurant in Londen ontmoet. Ze heeft absoluut niet het recht...'

'Recht of onrecht heeft hier helemaal niets mee te maken. Dat weet jij ook. Als de club zich tegen Fleur keert...'

'Waarom zouden ze?'

'Nou... ze is wel heel anders dan Emily, hè?'

Richard kende Alec al vanaf zijn zevende en had nooit van zijn leven de drang gehad om hem een lel te verkopen. Maar nu voelde hij wel zo'n agressie tegenover Alec, tegenover hen allemaal. Hij keek zwijgend toe terwijl Alec mis sloeg en voelde dat zijn handen zich tot vuisten balden en zijn kaken zich spanden. Toen de bal eindelijk in de hole floepte, keek Alec op en zag Richards strakke gezicht.

'Luister,' zei hij verontschuldigend. 'Het kan je misschien niets schelen wat de club vindt. Maar... nou ja, het is niet alleen de club. Ik maak me zorgen om je. Je moet toegeven dat Fleur heel je leven overgenomen schijnt te hebben.' Hij zette de vlag terug en ze begonnen samen langzaam naar de achttiende tee te lopen.

'Je maakt je zorgen om me,' herhaalde Richard. 'En waar maak je je precies zorgen om? Dat ik het misschien te veel naar mijn zin zal hebben? Dat ik nu misschien gelukkiger zou zijn dan ik ooit van mijn leven ben geweest?'

'Richard...'

'Nou, wat is het dan?'

'Ik maak me alleen zorgen dat je gekwetst zult worden, geloof ik.' Alec wendde opgelaten zijn gezicht af.

'Kijk toch eens,' zei Richard. 'We worden zowaar openhartig tegen elkaar.'

'Je weet wel wat ik bedoel.'

'Het enige wat ik weet, is dat ik gelukkig ben, dat Fleur gelukkig is en dat jullie je met jullie eigen zaken moeten bemoeien.'

'Maar je hebt je er zomaar in gestort...'

'Ja, ik heb me er zomaar in gestort. En weet je? Ik ben erachter gekomen dat je er zomaar in storten de beste manier van leven is.'

Ze waren bij de tee aangekomen. Richard haalde zijn bal tevoorschijn en keek Alec strak aan.

'Heb jij je ooit wel eens ergens in gestort?' Alec zweeg. 'Ik dacht van niet. Nou, weet je, misschien moest je het eens proberen.'

Richard legde zijn bal op de tee en deed met opeengeklemde

kaken wat proefslagen. De achttiende was lang en lastig; hij liep in een lus om een meertje aan de rechterkant. Richard en Alec waren het er altijd over eens geweest dat het veiliger was om om het meertje heen te spelen dan het risico te lopen een bal in het water kwijt te raken. Maar vandaag sloeg Richard zonder naar Alec te kijken de bal onverschrokken naar rechts, rechtstreeks naar het meertje toe. Ze keken allebei zwijgend toe terwijl het balletje over het wateroppervlak scheerde en veilig op de baan belandde.

'Ik geloof... dat het je gelukt is,' zei Alec zwakjes.

'Ja,' zei Richard. Hij klonk niet verbaasd. 'Het is me gelukt. Het zou jou waarschijnlijk ook lukken.'

'Ik denk niet dat ik het ga proberen.'

'Tja,' zei Richard. 'Misschien is dat het verschil tussen ons.'

6

Tot Fleurs stomme verbazing was het vier weken later. De julizon scheen elke ochtend in de oranjerie. Antony had vakantie en was dus thuis. Richards onderarmen begonnen bruin te worden. Op de club werd over niets anders gepraat dan over vluchten, villa's en huisoppassers.

Fleur was nu een vertrouwde figuur in het clubhuis. De meeste ochtenden, als Richard naar kantoor was, slenterden Gillian en zij naar het fitnesscentrum – waarvoor Richard Fleur een seizoenskaart had gegeven. Dan zwommen ze een beetje, zaten een beetje in de jacuzzi, dronken een glas vers passievruchtensap en slenterden weer terug. Het was een aangename, rustige routine, waar zelfs Gillian nu van leek te genieten – ondanks haar aanvankelijke weerstand. Het was de eerste keer bijna onmogelijk geweest om haar mee te krijgen en het was Fleur alleen gelukt door te appelleren aan Gillians plichtsgevoel als gastvrouw. Het leek wel alsof het grootste deel van Gillians leven geregeerd werd door plichtsgevoel – een idee dat Fleur volkomen vreemd was.

Ze nam een slokje koffie, deed haar ogen dicht en voelde de zon op haar gezicht. Het ontbijt was voorbij en ze zat als enige in de oranjerie. Richard had een bespreking met zijn advocaat; hij zou later terugkomen voor een rondje golf met Lambert en een of andere zakenrelatie. Antony was ook ergens heen om, nam ze aan, tienerdingen te doen. Gillian was boven om toezicht te houden op de werkster. Toezicht – nog zoiets wat Fleur volkomen vreemd was. Of je deed iets, óf je liet het een ander doen en bemoeide je er verder niet meer mee. Maar ja, ze was altijd lui geweest. En ze was luier aan het worden. Te lui.

Ze werd getroffen door een aanval van zelfverwijt. Ze woonde al vier weken in het huis van Richard Favour. Vier weken! En wat had ze in die tijd bereikt? Niets. Na de eerste poging om in zijn werkkamer te komen had ze het onderwerp geld luchtig uit haar gedachten laten glijden en zich laten opnemen in een comfortabel, zonovergoten bestaan waarin de ene dag in de andere overvloeide – en ineens was ze vier weken ouder. Vier weken ouder en geen cent rijker. Ze was niet eens meer in de buurt van zijn werkkamer gekomen. Wist zij veel; misschien zat hij wel niet op slot en lag hij boordevol goudbaren.

'Een stuiver voor je gedachten,' zei Gillian, die in de deur van de serre verscheen.

'Die zijn heel wat meer dan een stuiver waard,' was Fleurs montere weerwoord. 'Heel wat meer.'

Ze keek fronsend naar Gillians outfit. Ze droeg een feloranje jurk met een lelijke, drukke hals en had daar Fleurs blauwe sjaal over gedrapeerd. Er ging nu geen dag meer voorbij zonder dat Gillian die sjaal om had, precies op de manier die Fleur haar had voorgedaan – wat ze ook aanhad. Fleur nam aan dat ze zich gevleid moest voelen, maar in plaats daarvan begon ze zich te ergeren. Was de enige oplossing de vrouw van sjaals in elke denkbare kleur te voorzien?

'We moeten zo maar gaan,' zei Gillian. 'Ik weet niet wat gebruikelijk is. Misschien komt iedereen te laat. Deftig laat.' Ze deed een poging tot een lachje.

'Deftig laat is uit de mode,' zei Fleur verveeld. 'Al is het misschien nog wel bon ton in Surrey.'

Vanmiddag, dacht ze bij zichzelf. Vanmiddag zou ze nog eens een poging wagen. Misschien terwijl Richard aan het golfen was. Ze kon Gillian in de keuken houden door voor te stellen dat ze een taart zou bakken. En misschien kon ze een reden bedenken om Richards sleutels te lenen. Ze kon er even binnenwippen en er weer uit gaan zonder dat iemand doorhad waar ze was.

'Ik heb geen idee wie er zullen zijn,' zei Gillian. 'Ik ben nog nooit naar iets dergelijks geweest.'

Gillian leek buitengewoon spraakzaam, vond Fleur. Ze sloeg haar ogen op en zag dat Gillian haar smekend aankeek. Mijn God, dacht Fleur. Ik ben de oplichter en zij is degene die zenuwachtig is.

Ze stonden op het punt om naar het huis van Eleanor Forrester te gaan om te brunchen en het assortiment sieraden te bekijken dat Eleanor met groot enthousiasme verkocht als ze maar even de kans kreeg. Gillian was kennelijk nooit eerder naar een van die brunches van Eleanor geweest. Fleur vermoedde tussen de regels door lezend dat Gillian nooit eerder gevraagd was.

Toen Eleanor haar vroeg, had Fleur de uitnodiging intuïtief willen afslaan, maar toen had ze het blije gezicht van Richard gezien en aan haar eigen hoofdbeginsel moeten denken. Als een man glimlacht, moet je het nog eens doen; als hij nog een keer glimlacht, moet je niet meer ophouden.

'Natuurlijk,' had ze gezegd, met een snelle blik op Gillians stijve, afgewende gezicht. 'We komen graag, hè Gillian?' Vervolgens had ze niet geweten waar ze het meest van genoot, de bedremmelde uitdrukking op Gillians gezicht of de ongemakkelijke op dat van Eleanor Forrester.

Gillian verplaatste haar gewicht van de ene voet naar de andere en verfrommelde het uiteinde van de sjaal tussen haar nerveuze vingers. Fleur kwam eigenlijk meer vanwege de sjaal overeind.

'Oké,' zei ze. 'Laten we maar gaan en naar de prullen van die vrouw gaan kijken.'

Eleanors tuin was groot en glooiend met veel priëlen en smeedijzeren bankjes. Er stonden twee schragentafels op het gazon, één met eten en de ander met sieraden.

'Neem een glaasje Buck's fizz!' riep Eleanor uit toen ze aankwamen. 'Ik hoef je niet te vragen of je rijdt, hè? Heb je gehoord van die arme James Morrell?' voegde ze er zachtjes aan toe. 'Hij is zijn rijbewijs voor een jaar kwijt. Zijn vrouw is wóedend. Nou, ga maar lekker zitten. Een hoop meisjes zijn er al.'

De 'meisjes' waren tussen de vijfendertig en vijfenzestig. Ze waren allemaal gebruind, fit en vrolijk. Veel van hen droegen felgekleurde kleding met duur uitziend applicatiewerk. Kleine tennissers huppelden over boezems en kleine golfers sloegen tegen piepkleine balletjes van kralen terwijl ze op en neer dansten over armen.

'Leuk, hè?' zei een vrouw die Fleurs blik volgde. 'Foxy verkoopt ze! Poloshirts, broeken, echt alles. Foxy Harris. Ze zal je er vast wel over vertellen zodra ze er is.'

'Ongetwijfeld,' mompelde Fleur.

'Emily had een flinke verzameling van Foxy's kleding,' deed een andere vrouw, die geheel in het roze gekleed was, een duit in het zakje. 'Het stond haar altijd echt fantastisch.'

Fleur zei niets.

'Was je een goede vriendin van Emily, Fleur?' vroeg de roze vrouw.

'Niet echt,' zei Fleur.

'Nee, dat dacht ik eigenlijk al,' zei de vrouw. 'Ik denk dat ik haar het best kende van ons allemaal. Ik neem aan dat ze me wel eens genoemd heeft. Tricia Tilling.'

Fleur maakte een vaag gebaar met haar hand.

'We missen haar allemaal,' zei Tricia. Ze zweeg even alsof ze in herinneringen verzonken was. 'En Richard was natuurlijk dol op haar. Ik dacht wel eens dat ik nog nooit een stel had gezien dat zo verliefd was als Richard en Emily Favour. Ze waren voor elkaar gemáákt,' vervolgde Tricia. 'Als... gin en tonic.'

'Wat een mooie gedachte,' zei Fleur.

Tricia keek haar taxerend aan.

'Wat een mooi horloge, Fleur,' zei ze. 'Heb je dat van Richard gekregen?' Ze lachte een beetje. 'Ik krijg ook altijd dingetjes van George.'

'O ja?' zei Fleur. Ze speelde gedachteloos met het horloge en zei niets meer. Ze was zich vanuit haar ooghoeken bewust van Tricia's voldane gezicht.

'Weet je,' zei Tricia alsof ze een nieuw onderwerp aansneed, 'die arme Graham Loosemore heeft zich vreselijk in de nesten gewerkt. Herinneren jullie je Graham nog?' Er klonk wat bevestigend gemompel.

'Nou, hij is naar de Filippijnen op vakantie geweest – en is met een meisje daar getrouwd! Amper achttien. Ze wonen in Dorking!' Er werd collectief naar adem gesnakt. 'Ze heeft het natuurlijk op zijn geld gemunt.' Tricia trok haar gezicht samen alsof ze het koordje van een schoenenzak aantrok. 'Straks krijgt ze een baby zodat ze alimentatie kan vragen en dan is ze weg. Ze krijgt waarschijnlijk... de helft van het huis? Dat is tweehonderdduizend pond! En dat allemaal voor een domme vergissing. De sufferd!'

'Misschien is hij geen sufferd,' zei Fleur terloops en knipoogde naar Gillian.

'Wat?' snauwde Tricia.

'Hoeveel zou jij een strakke jonge Filippino betalen om elke nacht met je te vrijen?' Fleur grijnsde naar Tricia. 'Ik zou er aardig wat voor over hebben.'

Tricia's ogen puilden uit haar hoofd toen ze naar Fleur keek.

'Wat wil je daar precies mee zeggen?' fluisterde ze op een toon waar beginnende verbijstering in hoorbaar was.

'Ik wil ermee zeggen... dat het meisje het misschien waard is.'

'Waard is?'

'Misschien is ze wel tweehonderdduizend pond waard. Voor hem, tenminste.'

Tricia keek Fleur aan alsof ze bang was in de maling genomen te worden.

'Die rijke weduwnaars moeten heel erg uitkijken,' zei ze ten slotte. 'Ze zijn ontzettend kwetsbaar.'

'Rijke weduwen ook,' zei Fleur terloops. 'Ik merk dat ik voortdurend op mijn qui-vive moet zijn.' Tricia verstijfde. Maar voor ze iets kon zeggen, werd het groepje onderbroken door de stem van Eleanor Forrester.

'Nog meer Buck's fizz? En dan begin ik met de presentatie. Heb ik jullie allemaal over die arme James Morrell verteld?' voegde ze eraan toe terwijl ze glazen ronddeelde. 'Een jaar zijn rijbewijs kwijt! En hij zat maar net iets boven het maximum! Ik bedoel, wie van ons heeft nog nooit iets boven het toegestane maximum gezeten?'

'Ik,' zei Fleur terwijl ze haar glas op het gras zette zonder ervan te drinken. 'Ik heb geen rijbewijs.'

Om haar heen barstte een druk gebabbel los. Hoe bestond het dat Fleur geen rijbewijs had? Hoe deed ze dat dan? En hoe zat het met de kinderen naar school brengen en afhalen? De boodschappen?

De stem van Tricia Tilling galmde uitdagend boven de rest uit. 'Ik neem aan dat je een chauffeur hebt, Fleur?'

'Soms,' zei Fleur.

Ongewild herinnerde ze zich ineens hoe ze achter de chauffeur van haar vader in Dubai zat, hoe ze zich uit het raampje boog naar de hete, stoffige straat en dat haar in het Arabisch gezegd werd dat ze stil moest zitten. Ze reden langs de soek waar ze goud verkochten. Waar waren ze op weg naartoe geweest? Fleur wist het niet meer.

'Nou, zijn we klaar?' Eleanors stem drong tot Fleurs bewustzijn door. 'Ik begin met broches. Zijn deze niet leuk?'

Ze hield een gouden schildpad en een glitterspin op. Fleur keek beleefd voor zich uit. Maar de woorden spoelden over haar heen. Herinneringen drongen zich ongevraagd aan haar op. Ze zat bij Nura el Hassan en ze giechelden. Nura was gekleed in lichtgekleurde zijde; ze hield een kralensnoer in haar bruine handjes. Het was een cadeautje voor haar negende verjaardag. Ze had hem om Fleurs nek gehangen en ze moesten allebei giechelen. Fleur had de kralen niet hardop bewonderd. Als ze dat gedaan had, zou Nura verplicht zijn geweest om de kralen aan Fleur te geven. Dus had Fleur simpelweg naar Nura geglimlacht en vervolgens naar de kralen om Nura te laten weten dat ze ze heel mooi vond. Fleur kende Nura's gewoonten beter dan die van zichzelf. Ze had nooit iets anders gekend.

Fleur was in Dubai geboren uit een moeder die er na een halfjaar met haar minnaar vandoor ging naar Zuid-Afrika en een heel wat oudere vader voor wie het opvoeden van een kind gelijkstond aan er geld tegenaan smijten. In de steeds veranderende, ongewortelde wereld van buitenlanders in Dubai leerde Fleur om net zo gemakkelijk vrienden kwijt te raken als ze te maken, om aan het begin van het jaar een nieuwe leerling op de Britse school te begroeten en er aan het eind weer afscheid van te nemen, om mensen gedurende de korte periode dat ze ze had te gebruiken – en ze weer af te danken voor ze zelf afgedankt werd. Al die tijd was Nura de enige constante gebleven. Veel islamitische families wilden de christelijke – in werkelijkheid heidense – Fleur niet met hun kinderen laten spelen. Maar Nura's moeder bewonderde het mooie, vrijpostige roodharige meisje en had medelijden met de zakenman die een kind moest opvoeden naast zijn veeleisende baan.

En toen Fleur nog maar zestien was, kreeg haar vader ineens een ernstige leverziekte waaraan hij overleed. Hij had Fleur verrassend weinig geld nagelaten: niet genoeg voor haar om in het luxe appartement te blijven wonen, niet genoeg voor haar om op de Britse school te blijven. De familie el Hassan had Fleur liefdevol opgenomen terwijl er over haar toekomst werd beslist. Een paar maanden lang hadden Nura en zij in slaapkamers naast elkaar geslapen. Hun band was hechter dan ooit geworden, ze hadden zichzelf en elkaar eindeloos besproken en vergeleken. Toen Nura zestien was, vond men haar oud genoeg om te trouwen. Haar ouders waren al bezig een huwelijk voor haar te regelen. Fleur was afwisselend geschokt en gefascineerd door de gedachte.

'Hoe kun je het verdragen?' riep ze uit. 'Met een man trouwen die je alleen maar zijn wil oplegt?' Nura haalde altijd alleen maar glimlachend haar schouders op. Ze was een opvallend mooi meisje, met een gladde huid, dansende ogen en ronde gelaatstrekken die al neigden naar molligheid.

'Als hij te bazig is, trouw ik niet met hem,' zei ze op een keer.

'Moet je dan niet van je ouders?'

'Natuurlijk niet. Ik mag eerst met hem kennismaken en dan gaan we erover praten.'

Fleur keek haar aan. Ze was ineens jaloers. Nura's leven was keurig voor haar uitgestippeld terwijl het hare onzeker als een kapot spinnenweb voor haar ogen wapperde.

'Ik zou misschien kunnen trouwen, net als Nura,' zei ze de volgende dag tegen Nura's moeder, Fatima. Ze lachte er een beetje bij alsof ze een grapje maakte, maar ze keek strak naar het gezicht van Fatima.

'Natuurlijk zul je trouwen,' zei Fatima. 'Je zult een knappe Engelsman vinden.'

'Ik zou misschien met een Arabier kunnen trouwen,' zei Fleur.

Fatima lachte. 'Zou je je dan tot de islam bekeren?'

'Misschien wel,' zei Fleur wanhopig, 'als het moest, wel.'

Fatima keek op. 'Meen je dat?'

Fleur haalde even haar schouders op. 'Misschien zou... u iemand voor me kunnen vinden.'

'Fleur.' Fatima stond op en pakte Fleurs handen. 'Je weet dat je geen geschikte bruid zou zijn voor een Arabier. Het gaat er niet alleen om dat je geen moslima bent. Je zou het leven te zwaar vinden. Je echtgenoot zou het niet goedvinden dat je hem tegenspreekt, zoals wij dat doen. Je zou niet naar buiten mogen gaan zonder zijn toestemming. Mijn echtgenoot is heel vrijzinnig. De meesten zijn dat niet.'

'Gaat u een vrijzinnige man voor Nura zoeken?'

'Dat hopen we wel, ja. En jij zult ook een man vinden, Fleur. Maar niet hier.'

Twee dagen later werd de verloving bekendgemaakt. Nura zou trouwen met Mohammed Abduraman, een jongeman uit een van de rijkste families in de Emiraten. Men was het erover eens dat ze een wel heel goede partij had gevonden.

'Maar hou je van hem?' vroeg Fleur die avond.

'Natuurlijk hou ik van hem,' zei Nura. Maar haar ogen stonden afstandelijk en ze wilde er verder niet over praten.

De familie stortte zich onmiddellijk in de voorbereidingen. Fleur dwaalde onopgemerkt rond en keek vol ongeloof naar de enorme bedragen die aan de bruiloft besteed werden. De rollen zijde, het eten, de cadeaus voor alle gasten. Nura werd in een wervelwind van sluiers en geurige oliën meegevoerd. Straks zou ze voor altijd meegevoerd worden. Dan zou Fleur alleen zijn. Wat moest ze doen? De familie el Hassan wilde haar niet meer. Niemand wilde haar meer.

's Avonds lag ze heel stil in bed met de zoete, muskusachtige geur van het huis in haar neus en liet de tranen over haar gezicht glijden terwijl ze plannen voor haar toekomst probeerde te maken. Nura's ouders vonden dat ze terug moest naar Engeland, naar de tante in Maidenhead die ze nog nooit had ontmoet.

'Je familie is het allerbelangrijkste,' had Fatima gezegd, met de overtuiging van iemand die omringd werd door een enorm netwerk van loyale familieleden. 'Je eigen familie zal voor je zorgen.'

Fleur wist dat ze het mis had. Het was anders in Engeland. De zus van haar vader had nooit enige belangstelling voor haar getoond. Ze was op zichzelf teruggeworpen.

En toen werd Nura's verlovingsfeest gehouden. Het feest was uitsluitend voor vrouwen, met zoetigheden en spelletjes en een hoop gegiechel. Halverwege haalde Nura een doosje tevoorschijn.

'Kijk,' zei ze. 'Mijn verlovingsring.'

De enorme diamant in een ingewikkeld vlechtwerk van goud leek bijna misplaatst aan haar hand. Overal in de kamer klonken bevredigende kreetjes, zelfs naar Arabische maatstaven was hij enorm.

Die is zeker honderdduizend dollar waard, dacht Fleur. Op zijn minst. Honderdduizend dollar aan Nura's vinger. En het is niet eens zo dat ze er op een behoorlijke manier mee zal kunnen lopen pronken. Ze zal hem waarschijnlijk bijna nooit dragen.

Honderdduizend dollar. Wat kon je allemaal doen met honderd-duizend dollar?

En toen, voor ze zich kon inhouden, gebeurde het. Fleur zette haar kopje neer, keek Nura strak aan en zei: 'Ik bewonder je diamanten ring zo, Nura. Ik bewonder hem heel erg. Ik wou dat ik er zo een had.'

De hele kamer viel stil. Nura trok wit weg en haar lippen begonnen te trillen. Ze keek Fleur geschokt en gekwetst aan. Er viel een heel korte stilte waarin niemand leek adem te halen. Iedereen in de kamer boog voorover. Toen maakte Nura de diamanten ring langzaam en voorzichtig van haar vinger los en liet hem op Fleurs schoot vallen. Ze keek er een ogenblik naar en liep de kamer uit. Fleurs laatste beeld van Nura waren twee donkere, verraden ogen.

Die avond verkocht Fleur de diamant voor honderdtwintig-duizend dollar. De volgende dag nam ze het vliegtuig naar New York en ze zag Nura nooit meer terug.

Nu, bijna vijfentwintig jaar later, in de tuin van Eleanor Forrester, kreeg Fleur een beklemmend gevoel in haar borst en prikkende ogen. Als ik niet verder kom dan de middelmaat, dacht ze woest – als ik uiteindelijk de Engelse huisvrouw word die ik altijd al had kunnen zijn – dan is de diamant voor niets geweest. Dan heb ik Nura voor niets verloren. En dat kan ik niet hebben. Ik kan het niet hébben.

Ze knipperde hevig met haar ogen, keek op en concentreerde zich opnieuw op de vergulde ketting die Eleanor Forrester omhoog hield. Ik koop een ketting, dacht ze, en ik ga brunchen en ik kleed Richard Favour helemaal uit.

Oliver Sterndale leunde achterover en keek Richard licht geergerd aan.

'Je realiseert je toch wel,' zei hij voor de derde keer, 'dat als je dat geld in een beheerd fonds stopt, het jouw geld niet meer is?'

'Dat weet ik,' zei Richard. 'Daar gaat het ook om. Dan is het van de kinderen.'

'Het is een hoop geld.'

'Ik weet dat het een hoop geld is.'

Ze keken allebei naar de getallen die voor hen lagen. Het getal in kwestie stond onderstreept onder aan de pagina – een één met een hele rij nullen als een rups erachteraan.

'Het is niet zoveel,' zei Richard. 'Niet echt. En ik wil graag dat de kinderen het krijgen. Emily en ik waren het erover eens.'

Oliver zuchtte en begon met zijn pen tegen zijn hand te tikken. 'Successierechten...' begon hij.

'Het gaat niet om successierechten. Dit gaat om... zekerheid.'

'Je kunt je kinderen zekerheid geven zonder enorme bedragen aan hen over te maken. Waarom koop je geen huis voor Philippa?'

'Waarom zou ik haar geen enorm bedrag geven?' Er schemerde een glimlach op Richards gezicht. 'Uiteindelijk maakt het niet zoveel uit.'

'Het maakt juist een heleboel uit! Er kunnen allerlei dingen gebeuren waardoor je er spijt van krijgt dat je je hele kapitaal voortijdig weggegeven hebt.'

'Niet bepaald mijn hele kapitaal!'

'Een aanzienlijk deel ervan.'

'Emily en ik hebben het erover gehad. We waren het erover eens dat het heel goed mogelijk zou zijn om van de rest comfortabel te leven. En ik heb altijd het bedrijf nog.'

De advocaat leunde achterover, en aan zijn gezicht was te zien dat allerlei gedachten met elkaar streden.

'Wanneer heb je dit allemaal besloten?' vroeg hij ten slotte. 'Help het me herinneren.'

'Ongeveer twee jaar geleden.'

'En wist Emily toen dat...'

'Dat ze zou overlijden? Ja. Maar ik snap niet wat dat ermee te maken heeft.' Oliver keek Richard strak aan. Hij leek even op het punt te staan iets te gaan zeggen, maar toen zuchtte hij en wendde zijn gezicht af.

'O, ik weet het niet,' mompelde hij. 'Wat ik wél weet,' verklaarde hij wat resoluter, 'is dat je door zo'n hoeveelheid geld weg te geven je eigen toekomst wel eens in de weg zou kunnen staan.'

'Oliver, doe niet zo melodramatisch!'

'Wat Emily en jij misschien niet overzien hebben, is de mogelijkheid dat je leven na haar overlijden in zekere mate zou gaan veranderen. Ik begrijp dat er momenteel een... vriendin bij je logeert.'

'Inderdaad,' zei Richard glimlachend. 'Ze heet Fleur.'

'Nou dan.' Oliver zweeg even. 'Het lijkt nu misschien een bespottelijk idee. Maar wat zou er gebeuren als je, zeg maar, zou hertrouwen?'

'Het lijkt niet zo'n bespottelijk idee,' zei Richard langzaam. 'Maar ik begrijp niet wat dat te maken heeft met het geven van dit geld aan Philippa en Antony. Wat heeft geld met trouwen te maken?'

De advocaat keek geschokt. 'Dat meen je toch niet?'

'Half en half.' Richard gaf zich gewonnen. 'Luister, Oliver, ik zal erover nadenken. Ik zal niets overhaast doen. Maar weet je, ik zal vroeg of laat iets met het geld moeten doen. Ik heb het de afgelopen maanden stukje bij beetje laten overschrijven naar een gewone rekening.'

'Het kan geen kwaad om het voorlopig op een spaarrekening te zetten. Je kunt beter een klein beetje inkomen kwijtraken dan overhaast de verkeerde beslissing nemen.' Oliver keek abrupt op. 'Je hebt geen van de kinderen hierover verteld? Ze verwachten het niet?'

'O nee. Emily en ik waren het erover eens dat het beter voor hen zou zijn om het niet te weten. En ook dat ze moesten wachten tot hun dertigste voor ze het geld in handen zouden krijgen. We wilden niet dat ze zouden denken dat ze geen enkele inspanning hoefden te leveren in het leven.'

'Heel verstandig. En niemand anders weet ervan?'

'Nee. Niemand anders.'

Oliver zuchtte en drukte op de zoemer op zijn bureau voor nog meer koffie.

'Nou, dat is dan in ieder geval iets.'

Het geld was van hem. Praktisch van hem. Zodra Philippa dertig werd... Lambert verstevigde geïrriteerd zijn greep op het stuur. Wat was er zo magisch aan dertig? Wat zou ze op haar dertigste krijgen dat ze op haar achtentwintigste niet had?

Toen Emily hem voor het eerst vertelde over Philippa's geld, dacht hij dat ze meteen bedoelde. Volgende week. Hij had een enorm geluksgevoel door zijn lichaam voelen stromen, wat aan zijn gezicht te zien moest zijn geweest, want ze had geglimlacht – een tevreden glimlach – en gezegd: 'Natuurlijk krijgt ze het pas als ze dertig wordt.' En hij had begripvol terug geglimlacht en 'Natuurlijk' gezegd, al had hij in werkelijkheid gedacht: waarom dan? Waarom dan verdomme?

Die vervloekte Emily. Natuurlijk had ze het met opzet gedaan. Ze had het hem een tijd van tevoren verteld, zodat ze kon toekijken terwijl hij wachtte. Het was gewoon een van haar machtsspelletjes. Lambert glimlachte onwillig bij zichzelf. Hij miste Emily. Zij was de enige in die hele verdomde familie met wie het echt had geklikt, vanaf het moment dat ze elkaar ontmoetten. Dat was op een receptie van het bedrijf, kort nadat hij als technisch directeur was aangesteld. Ze stond stilletjes naast Richard te luisteren naar de joviale anekdotes van de marketing directeur – een man die ze, zo bleek later, verachtte. Lamberts blik had in een onbewaakt ogenblik de hare opgevangen – en in één tel had hij door dat zachtaardige, meegaande air heen geprikt en de keiharde minachting gezien. Hij had de ware Emily gezien. Toen ze hem aankeek, was het duidelijk dat ze zich realiseerde hoe ernstig ze zichzelf verraden had. 'Stel me eens aan deze aardige jongeman voor,' had ze onmiddellijk tegen Richard gezegd. En toen Lambert en zij elkaar de hand schudden, was een van haar mondhoeken bij wijze van erkenning vaag omhoog gekropen.

Twee weken later was hij voor het weekend op The Maples uitgenodigd. Hij had een nieuwe blazer gekocht, met Richard gegolft en met Emily door de tuin gewandeld. Zij had voornamelijk het woord gevoerd. Ze had het gehad over een reeks vage, ogenschijnlijk onsamenhangende onderwerpen. Haar afkeer van de marketing directeur, haar bewondering voor degenen die computers begrepen, haar wens dat Lambert met de rest van de familie zou kennismaken. Enkele weken daarna was de marketing directeur ontslagen omdat hij een e-mail vol gênante fouten verstuurd had. Het was rond dezelfde tijd, herinnerde Lambert zich, dat Richard hem een mooiere wagen van de zaak gegeven had. 'Emily loopt op me te mopperen,' had hij glimlachend gezegd. 'Ze denkt dat we je kwijtraken als we je niet behoorlijk behandelen!'

En toen was hij weer uitgenodigd om naar The Maples te komen en was hij voorgesteld aan Philippa. Philippa's vriend Jim was er ook, een lange jongen van tweeëntwintig die net van de universiteit was en nog niet wist wat hij wilde gaan doen. Maar zoals Emily later aan iedereen in de bar van het clubhuis uitlegde: Philippa was bijna letterlijk voor Lambert gevallen. 'Bij de zestiende hole!' had ze er met een lachje aan toegevoegd. 'Philippa was haar bal kwijtgeraakt in dat moerassige stuk. Ze gleed uit en Lambert tilde haar gewoon op en droeg haar terug naar de fairway!' Nu fronste Lambert bij de herinnering. Philippa was zwaarder dan hij had gedacht en hij had bijna een spier verrekt toen hij haar optilde. Aan de andere kant was ze ook rijker dan hij gedacht had. Hij was met Philippa getrouwd omdat hij dacht dat hij daarmee financiële zekerheid kocht. Het nieuws dat hij zelfs buitengewoon rijk zou worden was een onverwachte bonus geweest.

Hij wierp een blik uit het autoraam. De troosteloze voorsteden van Groot-Londen begonnen over te gaan in Surrey; over een halfuur zouden ze in Greyworth zijn. Philippa zat zwijgend op de stoel naast hem, verdiept als ze was in een van haar romannetjes. Zijn vrouw, de miljonaire. De multimiljonaire. Emily had de waarheid gesproken. Behalve dan dat ze geen miljonaire was, nog niet. Er steeg een bekende ergernis in Lambert op en hij voelde hoe zijn tanden begonnen te knarsen. Het was onredelijk om Philippa te behandelen als een kind dat niet te vertrouwen was. Als ze het geld toch zou krijgen, waarom gaven ze het haar dan niet meteen? En waarom hielden ze het geheim voor haar? Antony noch zij leek enig idee te hebben dat ze potentieel bijzonder rijke mensen waren, dat ze nooit zouden hoeven te werken als ze daar geen zin in hadden, dat het leven wel heel gemakkelijk voor hen zou worden. Wanneer Philippa kreunde en steunde om de prijs van een paar nieuwe schoenen, had Lambert zin om te schreeuwen: allemachtig, je zou er wel twintig kunnen kopen als je dat wilde! Maar hij deed het niet. Hij wilde niet dat zijn vrouw plannetjes zou maken om haar geld uit te geven. Hij had zelf plannen genoeg.

Hij keek even in zijn achteruitkijkspiegel naar een Lagonda die over de buitenbaan kwam aangestormd en hij verstevigde verlekkerd zijn greep om het stuur. Twee jaar, dacht hij. Nog maar twee jaar te gaan. Zijn enige probleem op dit moment was de bank. Lambert fronste zijn voorhoofd. Hij moest een oplossing voor het bankprobleem bedenken. Stomme idioten. Wilden ze de klandizie van een potentieel heel rijk persoon of niet? De afgelopen paar weken was hij gebeld door de ene idioot na de andere die hem vroeg om een afspraak, die telkens vragen stelde over zijn rood staan. Hij moest iets ondernemen voor ze het in hun domme hoofdjes haalden om Philippa te bellen. Ze wist er helemaal niets van. Ze wist niet eens dat hij die derde rekening had.

Opnieuw ging Lambert de mogelijkheden na die hij in gedachten had. De eerste was dat hij de bank volkomen negeerde. De tweede was dat hij zich gewonnen gaf en een afspraak maakte, toegaf dat hij het geld niet had om zijn rekening aan te vullen en te vragen om uitstel van betaling tot Philippa haar geld kreeg. Een uitstel van twee jaar? Het was niet ondenkbaar. Maar het was ook niet erg voor de hand liggend. Ze zouden misschien tot de conclusie komen dat ze meer garanties wilden. Ze zouden misschien besluiten om zijn werkgever te bellen. Lambert trok een lang gezicht. Ze zouden Richard bellen. Hij kon zich zomaar Richards schijnheilige houding voorstellen. De perfecte, georganiseerde Richard die zelfs zijn gasrekening altijd op tijd betaalde.

Hij zou Lambert bij zich op kantoor roepen. Hij zou het hebben over de tering naar de nering zetten. Hij zou hem verdomme Dickens citeren.

Nee. Dat kon niet. Lambert zette even zijn gedachten stil en haalde diep adem. De derde mogelijkheid was dat hij de piranha's van de bank op de een of andere manier geruststelde. Ze een flinke smak geld toeschoof. Vijftigduizend pond of zo. Hij kon dan tegelijkertijd laten doorschemeren dat hij hun gebrek aan vertrouwen in hem wel heel verbazingwekkend vond, gezien zijn vooruitzichten. Hij kon het erover hebben om zijn geld ergens anders onder te brengen. Ze eens lekker laten schrikken. Lambert lachte grimmig bij zichzelf. Dat was de beste optie van de drie. Veruit de beste. Er kleefden bijna geen nadelen aan – eentje maar. En dat was dat hij geen vijftigduizend pond had. Nog niet.

7

Toen ze de oprijlaan van The Maples opreden, keek Philippa met waterige ogen van haar romannetje op.

'Zijn we er al?'

'Nee, we zijn verdomme op Mars.'

'Ik heb het nog niet uit! Geef me twee minuten. Ik moet even zien wat er gebeurt. Ik bedoel, ik weet wat er gaat gebeuren, maar ik moet even zien...' Haar stem stierf weg. Ze hield haar ogen alweer op de pagina gericht, de woorden gretig verslindend als een doos chocolaatjes.

'Godallemachtig,' zei Lambert. 'Nou, ik blijf hier niet zitten.' Hij stapte uit en sloeg het portier met een klap dicht. Philippa gaf geen krimp.

De voordeur zat niet op slot, maar het huis voelde leeg aan. Lambert bleef in de hal staan en keek behoedzaam om zich heen. Geen spoor van Gillian. Richards auto stond er niet; misschien waren hij en zijn roodharige dame ergens naartoe. Misschien was er niemand. Misschien had hij het huis voor zichzelf.

Lambert voelde een innige tevredenheid over zich komen. Dit had hij niet verwacht. Hij had gedacht dat hij 's nachts zou moeten rondsluipen of misschien zelfs tot een volgende keer wachten. Maar dit was perfect. Hij kon meteen tot daden overgaan.

Hij liep vlug de brede trap op. De gang boven was stil en er bewoog niets. Hij bleef boven aan de trap staan luisteren of hij iets hoorde. Maar hij hoorde niets. Nadat hij nog een keer achterom gekeken had om te zien of niemand hem gadesloeg, liep

Lambert zachtjes in de richting van Richards werkkamer. Het was een afgelegen kamer, volkomen gescheiden van de slaapkamers, en hij zat meestal op slot. Als iemand hem daar zag, zou hij onmogelijk net kunnen doen alsof hij ergens anders naartoe op weg was en verdwaald was.

Niet dat het ertoe zou doen, dacht Lambert terwijl hij aan de sleutel in zijn zak voelde. Richard vertrouwde hem. Hij had hem immers een sleutel van zijn werkkamer gegeven – voor noodgevallen, had hij gezegd. Desgevraagd kon Lambert altijd zeggen dat hij op zoek was naar informatie die met de zaak te maken had. Eerlijk gezegd bewaarde Richard thuis nauwelijks bedrijfsinformatie, maar hij zou Lambert het voordeel van de twijfel geven. Dat deden mensen over het algemeen wel.

De deur naar de werkkamer was dicht. Maar toen hij de sleutel in het slot stak en hem probeerde om te draaien, realiseerde hij zich dat hij niet op slot zat. Hij stak de sleutel snel terug in zijn zak. Op deze manier stond hij sterk als iemand hem zag. ('Ik zag dat de deur openstond, Richard, dus ik vond dat ik even moest kijken...') Hij ging naar binnen en liep vlug naar de archiefkast. Bankafschriften, mompelde hij bij zichzelf. Bankafschriften. Hij trok een lade open en begon snel door de dossiermappen te bladeren.

Vijftigduizend pond was niet veel geld. Niet voor iemand als Richard. Richard had zo veel geld dat hij best zoveel kon missen. Hij zou niet eens merken dat het weg was. Lambert zou vijftigduizend pond lenen, daarmee zijn problemen met de bank oplossen en het weer terugstoppen. Vijfduizend pond hier, tienduizend pond daar – hij zou het stukje bij beetje opnemen en het weer terugstoppen zodra hij de kans kreeg. Zolang de bedragen onder de streep aan het eind van het jaar maar klopten, zou er geen haan naar kraaien.

Richards handtekening vervalsen was geen probleem. De overboekingen zouden geen probleem zijn. Beslissen van welke rekeningen hij dat zou doen was lastiger. Hij wilde niet tot de ontdekking komen dat hij de huishoudrekening geplunderd had, of de vakantierekening van dat jaar. Richard kennende was elk bedrag, groot of klein, waarschijnlijk voor het een of ander bestemd. Hij zou moeten uitkijken.

Lambert schoof de bovenste la dicht en trok de tweede open. Hij begon door de dossiermappen te bladeren. Hij stopte toen hij een onverwacht geluid hoorde. Er bevond zich iets achter hem. Iets – of iemand...

Hij draaide zich met een ruk om en voelde zijn gezicht in een uitdrukking van ongeloof verstarren. Daar, zittend achter Richards bureau en met haar benen over elkaar geslagen, zat Fleur. Hij begon razendsnel na te denken. Had ze daar al die tijd gezeten? Had ze hem gezien?

'Hallo Lambert,' zei Fleur op vriendelijke toon. 'Wat doe jij hier?'

Philippa las haar boek uit en leunde achterover, tevreden maar ook een beetje misselijk. Woorden en beelden tolden door haar hoofd terwijl de geur van de bekleding van de auto zich onaangenaam vermengde met die van de pepermuntjes die Lambert onder het rijden at. Ze deed het portier open en ademde diep in terwijl ze versuft probeerde het verhaal achter zich te laten en de werkelijkheid binnen te stappen. Maar in gedachten was ze nog steeds in de Zwitserse Alpen met Pierre, de knappe skileraar. Pierre drukte zijn mannelijke mond op de hare, zijn handen woelden door haar haar, er klonk muziek op de achtergrond... Toen Gillian onverhoeds op de auto bonkte, slaakte ze een gilletje en sprong op zodat ze haar hoofd stootte tegen de raamlijst.

'Ik heb aardbeien geplukt,' zei Gillian. 'Wil je wat drinken?'

'O,' zei Philippa. 'Ja. Ik lust wel een kopje koffie.'

Ze stapte wankelend met stijve benen uit de auto, rekte zich uit en volgde Gillian het huis in. Pierre en de Alpen begonnen uit haar gedachten weg te glijden als een slecht onthouden droom.

'Is papa er niet?' vroeg ze terwijl ze zwakjes op een keukenstoel ging zitten.

'Hij heeft een bespreking met Oliver Sterndale,' zei Gillian. 'Antony is er ook niet.' Ze hield de ketel onder de kraan.

'Ik geloof dat we ook wel een beetje aan de vroege kant zijn. En hoe zit het met...' Philippa trok een beetje een gezicht.

'Hoe zit het met wat?'

'Je weet wel. Fleur!'

'Wat is daarmee?' zei Gillian kortaf.

'Nou... waar is ze?'

'Dat weet ik niet,' zei Gillian. Ze zweeg even. 'We zijn nog niet zo lang terug van Eleanors brunch.'

'Eleanors brunch?'

'Ja.'

'Jullie zijn naar Eleanors brunch geweest?'

'Ja.' Gillians gezicht leek te verstrakken onder Philippa's verbaasde blik. 'Het is eigenlijk maar een hoop flauwekul,' voegde ze er bot aan toe.

'Heb je nog iets gekocht?'

'Uiteindelijk wel. Dit.' Gillian deed haar blauwe sjaal opzij om een gouden schildpadje op haar revers te laten zien. Ze fronste haar voorhoofd. 'Ik weet alleen niet of hij goed zit. Straks trekt hij aan de stof en zit er een gaatje in de jurk.'

Philippa staarde naar het schildpadje. Gillian kocht nooit broches. Ook ging ze meestal niet naar Eleanors brunches. Het waren altijd Philippa en haar moeder geweest die gingen, en Gillian die achterbleef. Gillian was altijd achtergebleven. En nu, dacht Philippa met een steek van jaloezie, waren het Gillian en Fleur die gegaan waren en was zij degene die achtergebleven was.

Fleur genoot er zo van om mannen te choqueren. Het was bijna het ongemak van het in haar bezigheden gestoord worden waard om Lamberts gezicht te zien, dat haar sprakeloos aankeek. Bijna, maar niet helemaal. Want het was allemaal zo goed gegaan tot hij kwam. De deur van de werkkamer zat niet op slot en ze was naar binnen geglipt om op zoek te gaan naar de financiële gegevens. En ze zou ze gevonden hebben ook, als ze niet gestoord was. Richard was duidelijk een bijzonder georganiseerd mens. Alles in zijn werkkamer zat in mappen, was gerubriceerd en zat met paperclips aan elkaar. Ze was in eerste instantie naar zijn bureau gegaan, op zoek naar recente correspondentie – en was in zijn bureaula aan het grasduinen geweest toen de deur openging en Lambert binnenstapte.

Ze had zich onmiddellijk, en met een gemak dat uit geoefendheid voortkwam, onder het bureau laten zakken. Ze had zich enkele minuten lang zitten afvragen of ze nu op moest staan of niet. Moest ze zich stilhouden en wachten tot hij weg was? Of zou Lambert misschien een blik op het bureau werpen en haar zien? Het zou in ieder geval beter zijn om hem te verrassen dan om ontdekt te worden terwijl ze ineengedoken onder het meubelstuk zat.

Toen viel het haar op dat Lambert ook niet helemaal op zijn gemak leek. Zijn houding was bijna... achterbaks. Wat stond hij daar te bladeren in Richards archiefkast? Wist Richard ervan? Was er iets waar ze vanaf zou moeten weten? Zo ja, dan had ze er misschien belang bij dat hij wist dat ze hem gezien had. Ze dacht even na en toen, voordat Lambert kon wegglippen, was ze opgestaan, nonchalant in Richards stoel gaan zitten en had gewacht tot hij zich omdraaide. Nu keek ze genietend naar zijn uitpuilende ogen, de blos die vanuit zijn hals omhoog kroop. Er was iets aan de hand. Maar wat?

'Is dit ook jouw werkkamer?' vroeg ze op een toon die bijna onschuldig genoeg klonk om iemand erin te laten trappen. 'Daar had ik geen idee van.'

'Niet echt,' zei Lambert, die zich enigszins herstelde. 'Ik was gewoon even iets aan het nakijken voor de zaak. Voor de zaak,' herhaalde hij iets strijdlustiger. 'Er ligt hier een hoop vertrouwelijke informatie. Ik vraag me af wat jij hier eigenlijk doet.'

'O, ik!' zei Fleur. 'O, ik was gewoon op zoek naar iets wat ik hier gisteravond heb laten liggen.'

'Iets wat je hier hebt laten liggen?' Hij klonk ongelovig. 'Wat was het dan? Kan ik je helpen zoeken?'

'Nee, hoor,' zei Fleur, die opstond en naar hem toe liep. 'Ik heb het al.'

'Je hebt het al,' zei Lambert terwijl hij zijn armen over elkaar sloeg. 'Mag ik vragen wat het was?'

Er volgde een korte stilte en toen deed Fleur haar hand open. Er lag een zwartzijden slipje in.

'Dat lag onder het bureau,' zei ze op vertrouwelijke toon. 'Je raakt zoiets zo gemakkelijk kwijt. Maar ik wilde de werkster niet choqueren.' Ze keek even naar zijn vuurrode gezicht. 'Jij bent toch niet gechoqueerd, hè, Lambert? Je vroeg er zelf om.'

Lambert gaf geen antwoord. Hij scheen moeite met zijn ademhaling te hebben.

'Het is misschien beter om er niets over tegen Richard te zeggen,' zei Fleur terwijl ze dichter bij Lambert ging staan en hem recht in de ogen keek. 'Misschien is hij er een beetje... verlegen onder.' Ze bleef een ogenblik staan, ademde iets sneller dan normaal en boog zich een heel klein beetje naar Lamberts gezicht toe. Hij keek als gehypnotiseerd.

En ineens was ze weg. Lambert bleef stokstijf staan. Hij bleef haar adem op zijn huid voelen, haar stem in zijn oor horen en speelde het tafereel nog een keer in gedachten af. Fleurs ondergoed – haar zwarte zijden ondergoed – lag onder het bureau. Wat betekende dat Richard en zij... Lambert slikte. Richard en zij...

Hij duwde de la van de archiefkast met een klap dicht en wendde zich af. Hij kon zich niet meer concentreren, hij kon zijn aandacht er niet meer bij houden. Hij kon niet denken aan afschriften en saldi. Het enige waar hij aan kon denken, was...

'Philippa!' blafte hij naar beneden. 'Kom eens naar boven!' Het bleef stil. 'Kom naar boven!' herhaalde hij. Na verloop van tijd verscheen Philippa.

'Ik was met Fleur aan het praten,' klaagde ze terwijl ze zich de trap op haastte.

'Dat kan me niet schelen. Kom mee.' Hij pakte Philippa's hand en troonde haar snel mee naar de slaapkamer aan het eind van de gang waar ze altijd sliepen. Het was Philippa's kamer geweest toen ze nog klein was, een sprookjesland met roosjes en konijntjes, maar zodra ze het huis uit was, had Emily het behang eraf gescheurd en het vervangen door een donkergroene Schotse ruit.

'Wat wil je?' Philippa wrikte haar arm uit Lamberts greep.

'Jou. Nu.'

'Lambert!' Ze keek hem ongemakkelijk aan. Hij stond naar haar te staren met een glazige, niets ziende blik in zijn ogen. 'Trek die jurk uit.'

'Maar Fleur...'

'Fleur kan de pot op.' Hij keek toe terwijl Philippa haastig haar jurk over haar hoofd trok, deed zijn ogen dicht en trok haar naar zich toe terwijl hij haar huid pijnlijk tussen zijn vingers kneep. 'Fleur kan de pot op,' herhaalde hij met dikke tong. 'Fleur kan de pot op.'

Toen Richard van zijn bespreking terugkwam, zat Fleur op haar gebruikelijke plekje in de oranjerie.

'Waar zijn Philippa en Lambert?' vroeg hij. 'Hun auto staat op de oprijlaan.' Hij keek op zijn horloge. 'Ons golfpartijtje begint over een halfuur.'

'O, ze zullen wel ergens in de buurt zijn,' mompelde Fleur. 'Ik heb daarstraks nog een glimp van Lambert opgevangen.' Ze stond op. 'Laten we nog even een snel rondje door de tuin maken.'

Terwijl ze liepen, gaf ze Richard een arm en zei terloops: 'Ik neem aan dat Lambert en jij elkaar tamelijk goed kennen. Nu jullie familie zijn.' Ze keek onder het praten aandachtig naar zijn gezicht en zag er een vluchtige trek van afkeer over glijden die meteen omsloeg in een uitdrukking van redelijke, beschaafde verdraagzaamheid.

'Ik heb hem zeker beter leren kennen als persoon,' zei Richard. 'Maar ik zou niet zeggen...'

'Je zou jezelf niet zijn vriend noemen? Dat dacht ik al. Dus je hebt geen lange gesprekken met hem? Je neemt hem niet in vertrouwen?'

'Er is een generatiekloof,' zei Richard verdedigend. 'Het is begrijpelijk.'

'Volkomen begrijpelijk,' zei Fleur en ze beloonde zichzelf met een glimlachje. Wat ze vermoed had, was inderdaad het geval. De twee praatten nooit met elkaar. Wat betekende dat Lambert Richard niet zou aanschieten met verhaaltjes over seks op de vloer van zijn werkkamer. Hij zou haar verhaal niet controleren; ze was veilig.

Wat Lamberts eigen verhaal was, daar had ze geen idee van. Vroeger zou ze zich geroepen hebben gevoeld om erachter te komen. Maar de ervaring had haar geleerd dat er in iedere familie iemand was met een geheim. Er was altijd wel een familielid met een geheime agenda en soms waren er meerderen. Gebruik maken van interne ruzies om er zelf beter van te worden werkte nooit. Familievetes waren altijd irrationeel, altijd oud, en de ruziënde partijen kozen altijd de andere kant zodra iemand anders zich ermee bemoeide. Het was het beste om alle anderen te negeren en haar eigen doel zo snel mogelijk te bereiken.

Ze liepen een paar minuten in stilte verder en toen zei Fleur: 'Was het een prettige bespreking?'

Richard haalde zijn schouders op en wierp haar een gespannen lachje toe.

'Het heeft me aan het denken gezet. Weet je, ik heb nog steeds het gevoel dat er delen van Emily zijn waar ik helemaal niets van wist.'

'Ging de bespreking over Emily?'

'Nee... maar het ging wel over zaken die we voor haar overlijden besproken hadden.' Richard fronste zijn voorhoofd. 'Ik probeerde me haar redenering te herinneren, haar motivatie om bepaalde dingen te doen,' zei hij langzaam. 'En ik realiseerde me dat ik niet wéét waarom ze bepaalde dingen gedaan wilde hebben. Ik denk dat ze het me niet verteld heeft – of dat ik vergeten ben wat ze zei. En ik heb haar karakter nooit goed genoeg gekend om er nu nog uit te komen.'

'Ik kan misschien helpen,' zei Fleur. 'Als je me vertelt waar het allemaal over ging.'

Richard keek haar aan.

'Misschien wel. Maar ik heb het gevoel... dat dit iets is waar ik zelf uit moet komen. Kun je dat begrijpen?'

'Natuurlijk,' zei Fleur luchtig en gaf een liefdevol kneepje in zijn arm. Richard lachte een beetje.

'Het is niet echt belangrijk. Het heeft geen enkele invloed op wat ik doe. Maar...' Hij brak zijn zin af en keek Fleur recht in de ogen. 'Nou, je weet hoe ik over Emily denk.'

'Ze zat vol geheimen,' zei Fleur, die probeerde niet te geeuwen. Hadden ze het nog niet genoeg over dat ellendige mens gehad?

'Geen geheimen,' zei Richard. 'Ik hoop geen geheimen. Gewoon... verborgen kwaliteiten.'

Zodra Lambert klaargekomen was, verdween zijn surrogaatliefde voor Philippa als sneeuw voor de zon. Hij trok zijn lippen terug van haar hals en ging rechtop zitten.

'Ik moet ervandoor,' zei hij.

'Kunnen we niet gewoon een beetje blijven liggen?' vroeg Philippa weemoedig.

'Nee, dat kan niet. Iedereen zal zich afvragen waar we blijven.' Hij stopte zijn overhemd in, streek zijn haar glad en ineens was hij weg.

Philippa hees zich op haar ellebogen omhoog en keek de stille kamer rond. In gedachten was ze Lamberts snelle neukpartijtje al aan het omvormen tot een voorbeeld van zijn passie voor haar, een anekdote om de sprankelende vriendinnen toe te vertrouwen die ze op een dag zou hebben. 'Echt, hij verlangde zó vreselijk naar me... We gingen er gewoon met zijn tweetjes vandoor...' Gegiechel. 'Het was zo romantisch... Lambert is altijd zo, echt een man van het moment...' Nog meer gegiechel. Bewonderende blikken. 'O, Phil, wat ben je toch een geluksvogel!... Ik kan me de laatste keer dat we gevrijd hebben niet eens meer herinneren...'

Maar nu werden de lachende stemmen verdrongen door een andere stem in haar hoofd. De stem van haar moeder. 'Wat een weerzinwekkend meisje ben jij!' Een ijzige, kille blik. Philippa's dagboek dat beschuldigend in de lucht gestoken werd. Haar geheime puberfantasieën, opengeslagen en blootgelegd.

Alsof de afgelopen vijftien jaar niet hadden plaatsgevonden, begonnen de paniek en vernedering die Philippa als tiener gevoeld had weer naar boven te komen. De stem van haar moeder die haar gedachten weer doorsneed. 'Je vader zou geschokt zijn als hij dit zag. Een meisje van jouw leeftijd dat aan seks denkt!'

Seks! Het woord weergalmde choquerend door de kamer, gelardeerd met smerige, verfoeilijke beelden. Philippa's schaamte had zich over haar hele gezicht verspreid en haar longen verstikt. Ze had willen gillen en ze had haar moeder niet durven aankijken. Het daaropvolgende schooljaar had ze zich door verscheidene jongens uit de examenklas van de naburige jongenskostschool achter de bosjes langs het hockeyveld laten nemen. Elke keer was het een pijnlijke en gênante ervaring geweest en had ze stilletjes gehuild terwijl het gebeurde. Maar ja, had ze diepongelukkig gedacht terwijl de ene na de andere zestienjarige zijn bieradem in haar gezicht hijgde, ze verdiende ook niet beter.

Toen Lambert beneden kwam, zag hij Richard en Fleur arm in arm in de hal staan.

'Fleur heeft besloten om met ons over de golfbaan mee te lopen,' zei Richard. 'Is dat geen uitstekend idee?'

Lambert keek hem ontzet aan. 'Wat bedoel je?' riep hij uit. 'Ze kan niet mee! Dit is een zakenrondje.'

'Ik zal jullie niet in de weg lopen,' zei Fleur.

'We voeren vertrouwelijke gesprekken.'

'Op een golfbaan?' zei Fleur. 'Dan kunnen ze ook weer niet zo vertrouwelijk zijn. Ik luister trouwens toch niet.'

'Fleur wil de baan heel graag zien,' zei Richard. 'Ik zie er geen kwaad in.'

'Je vindt het toch niet erg, hè, Lambert?' zei Fleur. 'Ik ben hier nu al vier weken en ik heb tot dusver alleen maar de achttiende green gezien.' Ze glimlachte vanonder haar wimpers naar hem. 'Ik zal muisstil zijn.'

'Misschien kan Philippa ook meegaan,' opperde Richard.

'Ze heeft al afgesproken om thee te drinken met Tricia Tilling,' zei Lambert onmiddellijk. God verhoede, dacht hij, ze wilden geen snaterende groep vrouwen achter zich aan hebben.

'Die lieve Tricia Tilling,' zei Fleur. 'We hebben vanochtend zo'n enig gesprek gehad.'

'Fleur begint zich al helemaal thuis te voelen op de club!' zei Richard terwijl hij vol genegenheid naar haar lachte.

'Ja, dat zal wel,' zei Lambert.

Er kwam een geluid vanaf de trap en ze keken allemaal op. Philippa kwam enigszins geagiteerd de trap af.

'Hallo, Fleur,' zei ze ademloos. 'Ik wilde vragen of je vanmiddag soms zin hebt om mee te gaan naar Tricia. Ik weet zeker dat ze het niet erg zou vinden.'

'Ik heb al iets anders,' zei Fleur. 'Helaas.'

'Fleur loopt met ons mee over de golfbaan,' zei Richard glimlachend. 'Een bijzonder onverwacht genoegen.'

Philippa keek naar Lambert. Waarom vroeg hij haar niet ook mee? Als hij haar meegevraagd had, zou ze de afspraak met Tricia Tilling hebben afgezegd. Ze begon zich het telefoontje voor te stellen dat ze zou plegen. 'Sorry, Tricia, maar Lambert wil zo graag dat ik meega... omdat ik hem geluk zou brengen of zo!' Een vrolijke lach. 'Ik weet het... die mannen van ons – wat een portretten, hè?'

'Philippa!' Ze schrok, en de ontspannen, lachende stemmen in haar hoofd verdwenen. Lambert keek haar ongeduldig aan. 'Ik zei, wil je even bij de golfwinkel langsgaan en vragen of ze die club al gerepareerd hebben.'

'O, goed,' zei Philippa. Ze keek hen na – Richard lachend om iets wat Fleur had gezegd, Lambert die zijn kasjmieren trui over zijn schouder slingerde. Zij gingen een leuke middag tegemoet terwijl zij een hele middag met Tricia Tilling opgezadeld zat. Ze slaakte een diepe zucht van afkeer. Zelfs Gillian had meer plezier dan zij.

Gillian zat in de oranjerie erwtjes te doppen en te kijken hoe Antony een cricketbal repareerde. Hij was altijd goed geweest met zijn handen, dacht ze. Zorgvuldig, methodisch, betrouwbaar. Toen hij drie was, hadden de leidsters van de peuterspeelzaal zich verbaasd over zijn tekeningen – altijd maar één kleur en het blad helemaal vol gekleurd. Nooit meer dan één kleur en nooit een plekje overgeslagen. Grenzend aan het dwangneurotische. Misschien, dacht ze, zouden ze zich tegenwoordig meer zorgen maken dat hij te netjes was voor een driejarige, zouden ze hem naar therapie of workshops sturen. Zelfs toen al had ze een spoor van ongerustheid in de ogen van de leidsters bespeurd. Maar niemand had iets gezegd. Want het was duidelijk geweest dat Antony een kind was dat gekoesterd en goed verzorgd werd.

Gekoesterd. Gillian keek met een felle blik uit het raam. Gekoesterd door iedereen, op zijn eigen moeder na. Zijn eigen oppervlakkige, egoïstische moeder. Een vrouw die vol afschuw ineenkromp bij het zien van haar eigen baby. Die naar het kleine vlekje had gegluurd alsof ze niets anders kon zien, alsof ze niet een perfecte, gezonde baby in haar armen hield voor wie zij en ieder ander eeuwig dankbaar zou moeten zijn.

Natuurlijk had Emily niets tegen de buitenwereld gezegd. Maar Gillian wist het. Ze had gezien hoe Antony een grinnikende, stralende peuter werd die met uitgestrekte armen door het huis rende, klaar om de wereld te omarmen – vol vertrouwen dat die net zo van hem zou houden als hij van alles hield. En toen had ze gezien hoe het kleine jongetje zich er langzaam van bewust werd dat zijn moeder eeuwig met een enigszins afkeurend gezicht naar hem keek, dat ze zo nu en dan voor hem terugdeinsde als er niemand keek, dat ze pas echt ontspande als hij zijn gezicht afgewend hield en ze het hagedisje niet kon zien dat over zijn oog sprong. De eerste dag dat Antony zijn handje naar zijn oog bracht om zijn wijnvlek voor de rest van de wereld te verbergen, had Gillian gewacht tot het avond was en Emily erop aangesproken. Al haar frustraties en woede waren in een huilerige tirade tot uitbarsting gekomen terwijl Emily achter haar kaptafel haar haar zat te borstelen en wachtte. Toen Gillian uitgesproken was, had ze met een koude, minachtende blik achterom gekeken. 'Je bent gewoon jaloers,' had ze gezegd. 'Het is ongezond! Je zou willen dat Antony jouw kind was. Nou, hij is niet van jou, hij is van mij.'

Gillian had Emily ontzet aangekeken, ineens veel minder zeker van zichzelf. Wilde ze echt dat Antony van haar was? Was ze ongezond?

'Je weet dat ik van Antony hou,' was Emily verdergegaan. 'Iedereen weet dat ik van hem hou.' Ze had even gezwegen. 'Richard zegt altijd hoe fantastisch ik met hem ben. En wie maakt zich nou druk over een wijnvlek? Het valt ons niet eens op.' Ze had haar ogen tot spleetjes geknepen. 'Eerlijk gezegd verbaast het me van je, Gillian, dat je het er de hele tijd over hebt. Wij denken dat het het beste is om het te negeren.'

Op de een of andere manier had ze Gillians woorden zo verdraaid dat Gillian in de war was geraakt en aan haar eigen motieven was gaan twijfelen. Begon ze een gefrustreerde, jaloerse oude vrijster te worden? Grensde haar liefde voor Antony aan bezitterigheid? Het was ten slotte Emily die zijn natuurlijke moeder was. En dus had ze ingebonden en niets meer gezegd. En Antony was ten slotte opgegroeid tot een prettig kind zonder problemen.

'Alsjeblieft!' Antony stak haar de cricketbal toe.

'Goed gedaan,' zei Gillian. Ze keek hoe hij opstond en het slaghout uitprobeerde. Hij was nu lang, bijna een volwassene. Maar soms, als ze een glimp opving van zijn stevige armen of gladde hals, dan zag ze weer die blije, mollige baby in hem die haar vanuit zijn ledikantje toelachte, wiens handjes ze vastgehouden had toen hij zijn eerste stapjes deed, van wie ze al sinds zijn geboorte hield.

'Kijk uit,' zei ze knorrig terwijl hij in de richting van een grote, beschilderde bloempot zwaaide.

'Ik kíjk uit,' zei hij geïrriteerd. 'Je zeurt altijd zo.'

Hij maakte nog een paar denkbeeldige slagen. Gillian dopte zwijgend nog een paar erwtjes.

'Wat ga je vanmiddag doen?' vroeg ze ten slotte.

'Weet ik niet,' zei Antony. 'Misschien haal ik een dvd. Of misschien wel een paar. Het is zo saai zonder Will.'

'En de anderen dan? Xanthe. En die nieuwe jongen, Mex. Je zou iets met hen kunnen organiseren.'

'Ja, misschien wel.' Zijn gezicht verstrakte en hij wendde zich af terwijl hij woest met het slaghout door de lucht zwaaide.

'Kijk uit!' riep Gillian uit. Maar het was al te laat. Toen hij het slaghout naar achteren zwaaide, klonk er een krak en vervolgens een klap toen hij een terracotta pot van zijn standaard zwiepte.

'Kijk nou eens wat je gedaan hebt!' 'Ik zei nog zo dat je uit moest kijken!'

'Het spijt me, oké?'

'De hele vloer ligt onder.' Gillian stond op en keek wanhopig naar de stukken terracotta, de kluiten aarde en de vlezige bladeren.

'Het is echt niet zo'n ramp, hoor.' Hij bukte zich en raapte een scherf terracotta op. Er viel een brokje aarde op zijn schoen.

'Ik zal de veger wel halen.' Gillian zuchtte diep en zette de erwten neer.

'Ik doe het wel,' zei Antony. 'Zo moeilijk is het niet.'

'Je doet het vast niet goed.'

'Wel waar! Staat hier niet ergens een bezem?' Antony liet zijn ogen door de oranjerie dwalen en bleef plotsklaps staan toen zijn blik op de deur viel. 'Jezus christus!' riep hij uit. Het stuk terracotta viel uit zijn hand en kletterde op de vloer.

'Antony! Ik heb al eerder gezegd...'

'Kijk!' viel hij haar in de rede. 'Wie is dat?'

Gillian draaide zich om en volgde zijn blik. Aan de andere

kant van de deur stond een meisje met lang, witblond haar, donkere wenkbrauwen en een argwanend gezicht.

'Hoi,' zei ze door de ruit. Ze had een hoge stem en een Amerikaans accent. 'Jullie verwachtten me zeker niet. Ik kom hier wonen. Ik heet Zara. Ik ben Fleurs dochter.'

8

Tegen de tijd dat ze van de achttiende green kwamen, zag Lambert knalrood, hij zweette en trok gezichten van frustratie. Fleur had de hele weg over de golfbaan alle aandacht opgeëist, paraderend naast Richard alsof ze op een theepartijtje was. Ze had het gesprek onderbroken met eindeloze vragen en zich gedragen alsof ze evenveel recht had er te zijn als Lambert zelf. Onbeschofte trut.

Er schoot Lambert ineens een opmerking van zijn oude mentor te binnen. *Ik ben helemaal voor gelijkheid van vrouwen... ze zijn allemaal even inferieur aan mannen!* Het selecte groepje eindexamenkandidaten dat door de oude Smithers met sherry onderhouden werd, had een beetje gegniffeld. Lambert had expres nogal luid gegrinnikt om daarmee duidelijk te maken dat de oude Smithers en hij altijd hetzelfde soort gevoel voor humor hadden gehad. Zijn gezicht verzachtte een beetje en kreeg iets peinzends. Hij betrapte zich erop dat hij heel even wilde dat hij weer in de eindexamenklas zat.

Het was een feit – dat Lambert maar zelden tegenover zichzelf toegaf – dat zijn gelukkigste en succesvolste jaren tot dusver de jaren waren geweest die hij op school had doorgebracht. Hij had op Creighton gezeten – een kleinere en onbekende kostschool in de Midlands – waar al snel was gebleken dat hij een van de slimste, sterkste en machtigste jongens van de school was. Van nature tiranniek, had hij weldra een kringetje van hielenlikkers om zich heen verzameld met wie hij jongere jongens lichtelijk terroriseerde en in groepjes naar de plaatselijke jongelui sneerde. De jongens van Creighton waren voor het grootste deel derderangs ploeteraars die de rest van hun leven nooit meer de superieure status zouden bereiken die hun in dit kleine stadje toebedeeld werd. Daarom haalden ze alles uit de kast: ze paradeerden door de straten in hun opvallende overjassen, luid brallend en ruziezoekend met de jongens die bekend stonden als de dorpelingen. Lambert had maar zelden echt zelf gevochten, maar had naam verworven als de auteur van een groot aantal geringschattende opmerkingen over het 'grauw' die hem uiteindelijk de reputatie hadden bezorgd van een snedig en scherpzinnig persoon. De leraren – zelf kortzichtig, verveeld en teleurgesteld in het leven – hadden hem niet gecorrigeerd, maar stilzwijgend aangemoedigd in die rol. Ze hadden zijn pretentieuze, superieure manier van doen gevoed met knipogen en gegniffel en snobistische zijdelingse opmerkingen. Lamberts bedeesde moeder was apetrots geweest op haar lange, zelfverzekerde zoon met zijn luide stem en uitgesproken standpunten, waaruit tegen de tijd dat hij in de eindexamenklas zat, minachting sprak tegenover bijna iedereen in Creighton – en ook tegenover bijna iedereen daarbuiten.

De uitzondering was zijn vader. Lambert had zijn vader altijd verafgood – een lange man vol bravoure en met een arrogante houding die Lambert nog steeds onbewust nastreefde. De stemmingen van zijn vader waren agressief en onvoorspelbaar, en als kind had Lambert wanhopig naar zijn goedkeuring gesnakt. Als zijn vader de jonge Lambert bespotte vanwege zijn rubberachtige gezicht of hem een te harde draai om zijn oren gaf, dwong Lambert zich om terug te grijnzen en te lachen. Als hij hele avonden tegen Lamberts moeder tekeerging, kroop Lambert naar boven naar zijn kamer terwijl hij zichzelf fel voorhield dat zijn vader gelijk had – zijn vader had altijd gelijk.

Het was Lamberts vader geweest die erop stond dat Lambert naar Creighton School zou gaan, zoals hij dus ook had gedaan. Die hem leerde de andere jongens in het dorp te bespotten, die hem een dagje meenam naar Cambridge en hem trots zijn oude universiteit aanwees. Het was zijn vader, geloofde Lambert, die de wereld kende, die zich bezighield met zijn toekomst, die hem door het leven zou sturen.

Maar toen Lambert vijftien was, kondigde zijn vader aan dat hij een vriendin had, dat hij van haar hield en dat hij wegging. Hij zei dat hij zou terugkomen om Lambert op te zoeken, maar dat had hij nooit gedaan. Later hoorden ze dat hij het maar een halfjaar met die vriendin had uitgehouden, dat hij naar het buitenland was gegaan en dat niemand wist waar hij was.

Vervuld van een radeloos, puberaal verdriet had Lambert zijn woede op zijn moeder gekoeld. Het was haar schuld dat zijn vader weggegaan was. Het was haar schuld dat er nu geen geld meer was voor vakanties, dat er brieven naar de rector van Creighton gestuurd moesten worden om te vragen om een reductie van het schoolgeld. Naarmate hun situatie verslechterde, werd Lamberts bravoure uitgesprokener, zijn minachting voor de dorpskinkels feller – en zijn verafgoding van zijn afwezige vader nog sterker.

Tegen het advies van zijn leraren in probeerde hij een plaatsje op de universiteit van Cambridge – de oude universiteit van zijn vader – te veroveren. Hij mocht komen praten, maar werd afgewezen op grond van het gesprek. Het gevoel van mislukking was voor hem bijna ondraaglijk. Hij kondigde abrupt aan dat hij zijn tijd niet ging verdoen met de universiteit. De leraren kwamen wel met tegenwerpingen, maar niet echt hartstochtelijk – hij was bijna uit hun leven verdwenen en had dus niet meer echt hun belangstelling. Hun aandacht was nu gericht op de jongens die in de lagere klassen zaten, de jongens die Lambert vroeger een pak slaag gegeven had omdat ze zijn toast hadden laten aanbranden. Wat Lambert met zijn leven deed, kon ze niet echt iets schelen. Zijn moeder, die het wel iets kon schelen, werd ronduit genegeerd.

En dus was Lambert rechtstreeks naar Londen gegaan, rechtstreeks naar een baan in computers. Zijn arrogante houding, die in Cambridge misschien afgesleten zou zijn, bleef, evenals zijn gevoel van aangeboren superioriteit. Als anderen met een lagere opleiding door promotie boven hem werden geplaatst, sloeg hij terug door zijn schooldas naar het werk te dragen. Als zijn flatgenoten weekendjes organiseerden zonder hem, sloeg hij terug door naar Creighton te rijden om zijn nieuwste auto aan iedereen te laten zien die maar wilde kijken. Het was ondenkbaar voor Lambert dat de mensen om hem heen hem niet zouden bewonderen en zich niet aan hem zouden onderwerpen. Degenen die het niet deden, deed hij af als te dom om mee om te gaan en degenen die het wel deden, verachtte hij in stilte. Hij was niet in staat om vrienden te maken, niet in staat om een relatie op basis van gelijkwaardigheid te begrijpen. Er waren er maar weinig die zijn gezelschap langer dan een paar uur konden verdragen en het werden er nog minder toen hij naar Richards bedrijf overstapte. En op dat moment onderging zijn leven een transformatie. Hij trouwde met de dochter van de baas en stapte over naar een nieuw niveau en zijn status was, naar zijn idee, voor altijd verzekerd.

Hij wist zeker dat Richard zijn superieure eigenschappen waardeerde – zijn intelligentie, zijn afkomst, zijn talent om beslissingen te nemen – maar niet zo onverdeeld als Emily ze had bewonderd. Philippa was een dom gansje dat vond dat bloemetjes leuker stonden op een stropdas dan de strepen van Creighton School. Maar Fleur... Lambert trok een gezicht en veegde het zweet van zijn voorhoofd. Fleur hield zich niet aan de regels. Ze leek zich totaal niet bewust van zijn rang als Richards schoonzoon en nam de sociale conventies vrijwel nooit in acht. Ze was te glad – hij kon haar niet plaatsen. Hoe oud was ze eigenlijk? Waar kwam haar accent vandaan? Waar paste ze in zijn grote geheel?

'Lambert!' Philippa's stem onderbrak zijn gedachten. Ze kwam vrolijk zwaaiend met haar tasje naar de achttiende green gelopen.

'Philippa!' Hij keek met een ruk op. In zijn staat van frustratie was hij bijna blij om het vertrouwde, enigszins rood aangelopen gezicht van zijn vrouw te zien. Thee met Tricia was duidelijk overgegaan in gin-tonic met Tricia.

'Ik dacht dat ik je wel bij de achttiende zou zien spelen! Maar jullie zijn al klaar! Dat was snel!'

Lambert zei niets. Als Philippa eenmaal op dreef was, melkte ze een onderwerp volledig uit zonder dat er nog ruimte overbleef voor een antwoord.

'Een goed partijtje?'

Lambert keek even achterom. Richard en de twee mannen van Briggs & Co. liepen langzaam een eindje achter hem, allemaal luisterend naar iets wat Fleur zei.

'Het was een klotepartijtje.' Hij stapte van de baan en ging op weg naar de trolleyschuur zonder op de anderen te wachten. Zijn spikes kletterden luidruchtig op het pad.

'Wat is er gebeurd?'

'Dat stomme mens. Ze bleef maar vragen stellen. Om de vijf minuten, verdomme. "Richard, wil je dat nog eens uitleggen aan een heel domme leek?" "Richard, wanneer je cashflow zegt, wat bedoel je daar dan precies mee?" En ik wil proberen indruk op die kerels te maken. Jezus, wat een middag.'

'Misschien is ze gewoon geïnteresseerd,' zei Philippa.

'Natuurlijk is ze niet geïnteresseerd. Waarom zou ze geïnteresseerd zijn? Ze is gewoon een stomme slet die graag in het middelpunt van de belangstelling staat.'

'Nou, ze ziet er in ieder geval heel goed uit,' zei Philippa smachtend terwijl ze zich omdraaide om naar Fleur te kijken.

'Ze ziet er verschrikkelijk uit,' zei Lambert. 'Veel te sexy voor een golfbaan.'

Philippa giechelde.

'Lambert! Je bent verschrikkelijk!' Ze zweeg even en voegde er toen nodeloos fluisterend aan toe: 'We hebben het trouwens vanmiddag over haar gehad. Tricia en ik.' Ze ging nog zachter praten. 'Ze schijnt heel rijk te zijn! Dat heeft Tricia me verteld. Ze heeft een chauffeur en zo! Tricia zei dat ze Fleur super vond.'

Philippa wierp Lambert een fonkelende blik toe. 'Tricia vindt...'

'Tricia is een debiel.' Lambert veegde het zweet weer van zijn voorhoofd en vroeg zich af waarom hij in godsnaam met zijn vrouw over Fleur liep te praten. Hij draaide zich om en keek naar Fleur, die in haar witte jurk voortslenterde en met haar spottende groene ogen naar hem keek. De opwinding waar hij de hele middag tegen gevochten had, begon opeens weer de kop op te steken.

'Jezus, wat een fiasco,' zei hij op ruwe toon. Hij draaide zich weer om en liet een gefrustreerde hand over Philippa's inferieure billen gaan. 'Ik wil een borrel.'

Jammer genoeg hadden de mannen van Briggs & Co. geen tijd voor een borrel. Ze gaven spijtig een hand en stapten met een laatste bewonderende blik op Fleur weer in hun Saab en reden weg. De anderen bleven beleefd op het parkeerterrein staan en keken hoe ze de auto langs rijen blinkende BMW's, een enkele Rolls-Royce, en een handjevol smetteloze Range Rovers navigeerden.

Er ging een steek van teleurstelling door Philippa heen toen hun auto door de poort verdween. Ze had zich erop verheugd kennis met hen te maken, met hen te praten, misschien een beetje te flirten, misschien zelfs een etentje voor hen en hun vrouwen te organiseren. Sinds ze twee jaar eerder met Lambert getrouwd was, had ze maar één etentje gegeven, voor haar ouders en Antony. En dat terwijl ze thuis een elegante eetkamer had met een tafel die groot genoeg was voor tien personen, een keuken vol dure pannen en een boekje vol menu's en tijdbesparende tips voor etentjes die ze ijverig uit tijdschriften overgeschreven had.

Ze had gedacht dat getrouwd zijn met Lambert zou inhouden dat ze 's avonds Lamberts vrienden zou onderhouden: uitgebreide maaltijden voor hen koken, misschien gezellige vriendschappen met hun vrouwen sluiten. Maar nu bleek dat Lambert helemaal geen vrienden had. En als ze eerlijk was, zij ook niet – alleen mensen in Greyworth die de vriendinnen van haar moeder waren geweest, en mensen van haar werk, die altijd naar andere banen leken te vertrekken en bovendien 's avonds nooit vrij schenen te hebben. Haar leeftijdgenoten van de universiteit hadden zich al lang geleden over het hele land verspreid en geen van hen woonde in Londen.

Ineens lachte Fleur om iets wat Richard zei en Philippa keek met een ruk op. Kon Fleur haar vriendin maar worden, dacht ze triest. Haar beste vriendin. Dan zouden ze gaan lunchen en grapjes met elkaar maken die alleen zij begrepen en Fleur zou haar aan al háár vriendinnen voorstellen en dan zou Philippa aanbieden om een etentje voor haar in Londen te organiseren... In gedachten zag Philippa haar eetkamer vol amusante, gezellige mensen. Brandende kaarsen, overal bloemen, al haar huwelijksporselein uit zijn verpakking. Ze zou met beschaafd gelach in haar oren even de keuken binnengaan om te kijken of het goed ging met de zeevruchtenbrochettes. Lambert zou haar achternakomen, zogenaamd om glazen vol te schenken, maar in werkelijkheid om tegen haar te zeggen hoe trots hij op haar was. Hij zou de glazen neerzetten en haar naar zich toetrekken in een trage omhelzing...

'Is dat Gillian?' Fleurs stem, hoog van verbazing, schudde Philippa uit haar dagdroom wakker. 'Wat doet zij hier?'

Iedereen keek op en Philippa probeerde Fleurs blik op te vangen, om de kiem voor hun vriendschap te leggen. Maar Fleur zag haar niet. Fleur keek naar Richard op alsof er niemand anders ter wereld bestond.

Terwijl ze keken hoe Gillian over het parkeerterrein naar hen toe gelopen kwam, trok Richard Fleur geleidelijk naar zich toe totdat ze bijna heup aan heup stonden.

'Ik ben zo blij dat je meegegaan bent,' murmelde hij in haar oor. 'Ik was vergeten hoe eindeloos vervelend die partijtjes kunnen zijn. Vooral als Lambert meedoet.'

'Ik vond het leuk,' zei Fleur terwijl ze ingetogen naar hem lachte. 'En ik heb zeker een hoop geleerd.'

'Zou je misschien golflessen willen?' vroeg Richard onmiddellijk. 'Ik had het eerder moeten voorstellen. We kunnen er gemakkelijk wat voor je regelen.'

'Misschien,' zei Fleur. 'Of misschien zou je het me zelf kunnen leren.' Ze keek op naar Richards gezicht, dat nog steeds een kleur had van de zon en blij stond vanwege zijn overwinning. Ze had hem nog nooit zo ontspannen en gelukkig gezien.

'Hallo, Gillian,' zei Richard toen ze binnen gehoorsafstand kwam. 'Wat een goede timing. We wilden net iets gaan drinken.'

'O,' zei Gillian afwezig. 'Zijn de mensen van Briggs & Co. er nog?'

'Nee, ze moesten ervandoor,' zei Richard. 'Maar we gaan het gewoon onder ons vieren.'

'Vieren?' zei Lambert. 'Wat valt er te vieren?'

'Het voorkeurstarief dat Briggs & Co. ons aangeboden heeft,' zei Richard terwijl er een glimlach om zijn lippen verscheen. 'En dat Fleur hun met haar charme ontlokt heeft.'

'Een voorkeurstarief?' zei Philippa, die Lamberts ongelovige gezicht negeerde. 'Dat is geweldig!' Ze schonk Fleur een warme glimlach.

'Het zou geweldig zijn,' zei Fleur, 'als het niet zulke boeven waren.'

'Wat?' Ze keken haar allemaal met grote ogen aan.

'Vonden jullie niet?' vroeg ze.

'Nou...' zei Richard weifelend.

'Nee, natuurlijk niet!' zei Lambert. 'Die kerels zijn vrienden van me.'

'O,' zei Fleur. Ze haalde haar schouders op. 'Nou, ik wil niemand beledigen, maar ik vond het boeven en als ik jullie was, zou ik geen zaken met ze doen.'

Philippa keek naar Lambert. Hij stond zwaar te ademen en zag nog roder dan tevoren.

'Ze spelen misschien wel een beetje vals met golfen,' zei Richard ongemakkelijk. 'Maar...'

'Niet alleen met golfen,' zei Fleur. 'Geloof me.'

'Jou geloven?' riep Lambert uit omdat hij niet langer zijn mond kon houden. 'Wat weet jij er in godsnaam van?'

'Lambert!' zei Richard op scherpe toon. Hij keek vol genegenheid op Fleur neer. 'Weet je wat, schat. Ik zal erover nadenken. Er is nog niets getekend.'

'Goed zo,' zei Fleur.

'Fleur,' zei Gillian zachtjes. 'Je moet...'

'Wat bedoel je met dat je erover na zult denken?' Lamberts ontzette stem overstemde de hare. 'Richard, je neemt die flauwekul van Fleur toch niet serieus, hè?'

'Het enige wat ik gezegd heb, Lambert,' zei Richard afgemeten, 'is dat ik erover na zal denken.'

'Jezus, Richard. De deal is vrijwel rond!'

'Die kan ongedaan gemaakt worden.'

'Ik kan mijn oren niet geloven!'

'Fleur,' zei Gillian nu op dringender toon. 'Je hebt bezoek thuis.'

'Sinds wanneer wordt Fleur geconsulteerd bij zakelijke beslissingen?' Lamberts gezicht zag nu bijna paars. 'Wiens advies ga je straks nog vragen? Dat van de melkboer?'

'Ik geef maar een mening,' zei Fleur schouderophalend. 'Die kun je ook negeren als je wilt.'

'Fleur!' Gillians stem snerpte nu boven alles uit. Iedereen keek naar haar. 'Je dochter is er.'

Er volgde een stilte.

'O ja?' zei Fleur nonchalant. 'Ach, het is zeker het eind van het schooljaar. Hoe is ze hier terechtgekomen?'

'Je dochter?' zei Richard met een onzeker lachje.

'Ik heb je over mijn dochter verteld,' zei Fleur. 'Toch?'

'Ja?'

'O, misschien ook niet.' Fleur klonk onbekommerd.

'Die vrouw is stapelgek!' mompelde Lambert tegen Philippa.

'Ze stond ineens voor de deur,' zei Gillian op onthutste toon. 'Heet ze Sarah? Ik verstond het niet zo goed.'

'Zara,' zei Fleur. 'Zara Rose. Waar is ze nu?' voegde ze eraan toe, bijna als gedachte achteraf.

'Ze is een eindje gaan wandelen,' zei Gillian alsof dit haar nog het meest verbaasde, 'met Antony.'

Antony keek opnieuw naar Zara en probeerde iets te bedenken wat hij zou kunnen zeggen. Ze liepen nu al tien minuten lang in volkomen stilte. Zara had haar handen in haar zakken, haar schouders waren opgetrokken en ze staarde voor zich uit alsof ze niemands blik wilde trekken. Het waren heel magere schouders, dacht Antony terwijl hij weer naar haar keek. Zara was eerlijk gezegd een van de magerste mensen die hij ooit had gezien. Haar armen waren lang en knokig, haar ribben waren door haar T-shirt heen te zien. Geen tieten om over naar huis te schrijven terwijl ze toch... hoe oud was ze?

'Hoe oud ben je?' vroeg hij.

'Dertien.' Ze klonk Amerikaans en schor en niet bepaald vriendelijk. Ze zwaaide haar lange, witblonde haar achterover en trok haar schouders weer op. Haar haar was geblondeerd, dacht Antony deskundig, ingenomen met zichzelf omdat het hem opgevallen was.

'En... waar zit je op school?' Dit leek er meer op. Koetjes en kalfjes.

'Heathland Meisjesschool.'

'Is het er leuk?'

'Het is een kostschool.' Ze klonk alsof dat voor zich sprak.

'Ben je... Wanneer ben je vanuit Amerika hierheen verhuisd?'

'Dat ben ik niet.' O, ha-ha, dacht Antony.

'Canada dan,' zei hij.

'Ik woon al mijn hele leven in Groot-Brittannië,' zei ze. Ze klonk verveeld. Antony keek haar beduusd aan.

'Maar je accent...'

'Ik heb een Amerikaans accent. Nou en? Dat is mijn keus.' Voor het eerst keerde ze zich naar hem toe. Haar ogen waren heel bijzonder, vond hij – groen als die van Fleur, maar diepliggend en fel.

'Je hebt zomaar besloten om met een Amerikaans accent te praten?'

'Ja.'
'Waarom?'
'Gewoon.'
'Hoe oud was je toen?'
'Zeven.'

Ze liepen een tijdje zwijgend verder. Antony probeerde zich te herinneren hoe hij op zijn zevende was. Zou hij zo'n beslissing hebben kunnen nemen? En zich eraan houden? Hij dacht van niet.

'Je vader is zeker rijk, hè?' Haar stem klonk schor en Antony voelde dat hij bloosde.

'Best wel rijk, ja,' zei hij. 'Ik bedoel, niet zó rijk. Maar je weet wel, welgesteld. Relatief gesproken.' Hij wist dat hij onbeholpen en hoogdravend klonk, maar daar kon hij niets aan doen. 'Waarom wil je dat weten?' was zijn wedervraag.

'Zomaar.' Ze haalde haar handen uit haar zakken en bekeek ze. Antony volgde haar blik. Het waren smalle handen, lichtbruin van de zon, met aan elke hand een enorme zilveren ring. Waarom? dacht Antony plotseling geboeid. Waarom staar je naar je handen? Waarom frons je je voorhoofd? Waar zoek je naar?

Haar handen leken haar plotseling te vervelen en ze stopte ze weer in haar zakken. Ze keek Antony aan.

'Vind je het erg als ik een jointje rook?'

Antony's hart sloeg over. Dit meisje was nog maar dertien. Hoe kon ze nou blowen?

'Nee... dat vind ik niet erg.' Hij hoorde zijn stem steeds een tikje hoger worden, een teken van milde paniek.

'Waar ga jij heen om te blowen? Of blow je niet?'

'Jawel,' zei Antony te snel. 'Maar hoofdzakelijk op school.'

'Oké.' Ze haalde haar schouders op. 'Nou, er is hier vast wel een plekje, met al die bossen.'

'Er is daar een plekje.' Hij troonde haar mee het pad af en het bos in. 'Mensen komen hier om...' Hoe kon dat meisje nog maar dertien zijn? Ze was twee jaar jonger dan hij. Het was ongelooflijk. 'Je weet wel,' eindigde hij zwakjes.

'Om te vrijen.'

'Eh.' Zijn gezicht voelde warm aan; hij had het gevoel dat zijn wijnvlek klopte van gêne. 'Ja.' Ze waren bij een kleine open plek aangekomen. 'Hier is het.'

'Oké.' Ze hurkte, haalde een blikje uit haar zak en begon behendig een joint te rollen.

Terwijl ze hem aanstak en inhaleerde, wachtte Antony tot ze zou opkijken en zeggen: wauw, dit is lekker spul, zoals Fifi Tilling altijd deed. Maar Zara zei niets. Ze had niets van de bravoure die om de drugsgebruikers hing die hij kende. Ze leek zich er zelfs amper van bewust dat hij er was. Ze inhaleerde opnieuw zwijgend en gaf toen de joint aan hem door.

Vanmiddag, dacht Antony, zou ik thuis gaan zitten en een paar waardeloze dvd's kijken. En in plaats daarvan zit ik hier dope te roken met het bijzonderste dertienjarige meisje dat ik ooit ontmoet heb.

'Is jouw familie aardig?' vroeg ze ineens.

'Eh,' zei Antony, weer van zijn stuk gebracht. De feesten die zijn ouders altijd met Kerstmis gaven, kwamen bij hem op. Kerstballen en bisschopswijn; iedereen netjes aangekleed en vrolijk. 'Eh, ja,' zei hij. 'Ik geloof dat we best aardig zijn. Je weet wel. We hebben een heleboel vrienden en zo.'

Zijn woorden stegen op in het stille bos. Zara liet niet merken of ze hem gehoord had of niet. Er vielen vlekkerige schaduwen van de bladeren op haar gezicht en het was moeilijk te zien hoe ze keek. Na een korte stilte zei ze weer iets.

'Wat vinden jullie allemaal van Fleur?'

'Ze is geweldig!' zei Antony oprecht enthousiast. 'Je kunt zo met haar lachen. Ik had nooit gedacht...'

'Laat me raden. Je had niet gedacht dat je vader ooit weer met iemand uit zou gaan,' zei Zara en nam weer een trekje van de joint.

Antony keek haar nieuwsgierig aan. 'Nee,' zei hij. 'Inderdaad. Maar ja, daar denk je ook niet aan, hè? Dat je ouders afspraakjes hebben en zo.'

Zara zweeg.

Er klonk opeens een geluid. Er kwamen voetstappen in hun richting en er stegen onverstaanbare stemmen boven de bomen uit. Met één snelle beweging drukte Zara haar joint uit en begroef hem. Antony leunde nonchalant achterover en steunde op zijn elleboog. Een ogenblik later kwamen Xanthe Forrester en Mex Taylor op de open plek aan. Xanthe had een fles wodka in haar hand, haar wangen zagen rood en haar bloes hing los zodat een roze katoenen beha zichtbaar was. Toen ze Antony en Zara zag, bleef ze stokstijf staan.

'Antony!' zei ze verbouwereerd. 'Ik wist niet dat jij...'

'Hoi Xanthe. Dit is Zara,' zei Antony. Hij keek naar Zara. 'Dit zijn Xanthe en Mex.'

'Hé hallo,' zei Mex en hij knipoogde naar Antony.

'Hoi,' zei Zara.

'Eigenlijk moesten we maar eens gaan,' zei Antony. Hij stond op en stak zijn hand uit om Zara te helpen, maar ze negeerde hem en kwam in één vloeiende beweging vanuit haar kleermakerszit overeind. Xanthe giechelde en hij voelde zijn hand verdedigend naar zijn wijnvlek schieten.

'Antony is altijd zo'n heer, hè?' zei Xanthe met een fonkelende, samenzweerderige blik naar Zara.

'O ja?' zei Zara beleefd en haalde daarmee het grapje omver. Xanthe bloosde een beetje en besloot weer te gaan giechelen.

'Ik ben zo zat!' zei ze. Ze stak Zara de fles toe. 'Neem maar.'

'Ik drink niet,' zei Zara. 'Maar evengoed bedankt.' Ze stak haar handen in haar zakken en trok haar schouders weer op.

'We moeten gaan,' zei Antony. 'Straks is je moeder al thuis.'

'Je moeder?' zei Xanthe onmiddellijk. 'Wie is je moeder?'

Zara wendde haar gezicht af. Ze klonk ineens moe. 'Mijn moeder is Fleur.'

Terwijl ze terugliepen naar The Maples, verdween de zon achter een wolk die een schaduw over de weg wierp. Zara keek onbewogen voor zich uit terwijl ze het gevoel van huilerigheid in haar binnenste onderdrukte met een frons die met elke stap strenger werd. Zo ging het in het begin altijd; na een dag of twee zou het wel weer gaan. Heimwee, noemden ze het op school. Maar ze kon niet echt heimwee hebben, omdat ze geen thuis had om naar terug te verlangen. Ze had de school met zijn geur van poetsmiddel en zijn hockeyvelden en zijn lompe, suffe meisjes en ze had de flat van Johnny en Felix, waar niet echt plaats voor haar was, en dan had ze nog elke willekeurige plek waar Fleur verbleef. Zo was het altijd geweest, zo lang ze zich kon herinneren.

Ze zat al sinds haar vijfde op kostschool. Daarvoor moesten ze toch een soort huis hebben gehad, nam ze aan, maar ze kon het zich niet herinneren en Fleur beweerde dat zij het ook niet meer wist. Dus haar eerste thuis was eigenlijk de Court School in Bayswater geweest, een knus huis vol diplomatenkinderen die met dure teddyberen ingestopt werden. Ze had het er heerlijk gevonden, was stapelgek geweest op alle leraressen, en vooral op mevrouw Burton, het hoofd van de school.

En ze was stapelgek geweest op Nat, haar beste vriend, die ze op haar eerste dag daar ontmoette. Nats ouders werkten in Moskou en, zo had hij haar tijdens de chocolademelk voor het naar bed gaan toevertrouwd, ze hielden helemaal niet van hem, geen zier.

'Mijn moeder houdt ook niet van me,' had ze meteen gezegd.

'Ik denk dat mijn móeder wel van me houdt,' had Nat gezegd, zijn ogen enorm boven de rand van zijn witte aardewerken beker, 'maar mijn vader haat me.'

Zara had een ogenblik nagedacht.

'Ik ken mijn vader niet,' had ze ten slotte bekend, 'maar hij is Amerikaan.'

Nat had haar vol respect aangekeken. 'Is hij een cowboy?'

'Ik geloof het wel,' had Zara geantwoord. 'Hij draagt een heel grote hoed.'

De volgende dag had Nat een tekening gemaakt van Zara's vader met zijn hoed, en hun vriendschap was bezegeld. Ze hadden bij alle lessen naast elkaar gezeten, in het speelkwartier met elkaar gespeeld en hand in hand in de rij gelopen. En soms – ook al was het ten strengste verboden – waren ze 's nachts bij elkaar in bed gekropen en hadden elkaar verhaaltjes verteld.

Maar toen ze zeven was, kwam Zara terug op school na een korte vakantie in een hotelsuite in Kensington waar ze de hele dag aardbeienmilkshakes had gedronken en zag dat Nats bed afgehaald was en dat al zijn spullen uit zijn kast waren verdwenen. Mevrouw Burton was begonnen haar zo vriendelijk mogelijk uit te leggen dat Nats ouders zonder waarschuwing van Moskou naar Washington waren verhuisd en dat ze Nat van school hadden gehaald om hem bij hen te laten wonen – maar voor ze haar verhaal had kunnen afmaken, hadden Zara's kreten van verdriet al weergalmd door de hele school. Nat had haar in de steek gelaten. Zijn ouders hielden toch van hem. En hij was naar Amerika gegaan, waar haar vader cowboy was, en hij had haar niet meegenomen.

Ze had een week lang elke dag gehuild, had geweigerd te eten, geweigerd naar Nat te schrijven, in eerste instantie geweigerd om überhaupt iets te zeggen en toen uiteindelijk alleen met een zogenaamd Amerikaans accent. Ten slotte was Fleur naar school geroepen, en Zara had haar hysterisch gesmeekt om alsjeblieft met haar naar Amerika te gaan om daar te gaan wonen.

Maar in plaats daarvan had Fleur haar onmiddellijk van de Court School gehaald en haar naar een fijne, gezonde kostschool in Dorset gestuurd, waar boerendochters hun eigen pony bereden en honden hielden en geen onnatuurlijke verbintenissen met elkaar aangingen. Zara was er heen gegaan, een excentriekeling uit Londen die snel huilde en vasthield aan haar Amerikaanse accent. Ze was altijd de excentriekeling gebleven.

Ze was ongelooflijk, zoals Fleur ongelooflijk was – maar volkomen anders. Antony liep zwijgend naast Zara, zijn hoofd gonzend van gedachten, zijn lichaam vol van een vage opwinding. De consequenties van Zara's komst begonnen nu pas vorm te krijgen in zijn hoofd. Als ze een tijdje op The Maples bleef, zou hij iemand hebben om mee om te gaan. Iemand om de anderen mee te imponeren. Zoals Xanthe had gekeken toen ze Zara zag. Zelfs Mex had onder de indruk geleken.

Hij hoopte ineens vurig dat zijn pa niets idioots zou doen, zoals het uitmaken met Fleur. Het was leuk om Fleur in huis te hebben. En met Zara erbij zou het nog veel leuker zijn. Ze was niet bepaald de vriendelijkste persoon op aarde, maar dat gaf niet. En misschien zou ze na een tijdje wel loskomen. Hij wierp een steelse blik op Zara's gezicht. Ze had een diepe rimpel in haar voorhoofd, haar kaken waren gespannen en haar ogen glinsterden. Opstandig, dacht Antony. Ze is vast nijdig omdat we gestoord werden voor ze haar joint op had. Doperokers waren altijd een beetje eigenaardig.

En toen gingen ze een bocht om, en het late middagzonlicht viel op Zara's gezicht. Antony's hart maakte een sprongetje. Want in dat korte ogenblik leken haar ingevallen wangen niet hard maar verdrietig, en haar ogen bleken niet te glinsteren van woede, maar van de tranen. En ineens leek ze niet zozeer een doperoker, maar eerder een eenzaam klein meisje.

Tegen de tijd dat ze weer op The Maples waren, had Zara een kamer toegewezen gekregen en zat iedereen op haar te wachten.

'Lieveling!' zei Fleur zodra Antony en zij door de voordeur naar binnen kwamen, voor iemand anders iets kon zeggen. 'Zullen we meteen doorlopen naar je kamer?' Ze glimlachte naar Richard. 'Je vindt het toch niet erg, hè, dat ik even een paar minuten alleen wil zijn met mijn dochter?'

'Absoluut niet! Neem er lekker de tijd voor!' Richard lachte Zara bemoedigend toe. 'Laat me alleen even zeggen dat ik blij ben je te mogen verwelkomen, Zara. Wij allemaal.'

Zara zweeg terwijl ze de trap op gingen en door de gang naar haar kamer liepen. Zodra de deur dicht was, schoot ze tegen haar moeder uit haar slof.

'Je had me niet verteld waar je was.'

'Nee? Ik was het wel van plan, liefje.' Fleur liep naar het raam en duwde het open. 'Zo is het beter.' Ze draaide zich om. 'Kijk niet zo boos, schat. Ik wist dat Johnny je zou vertellen waar ik was.'

'Johnny was er niet.' Ze spuwde elk woord apart benadrukt uit. 'De school was vorige week al uit. Ik heb een kamer in een hotel moeten nemen.'

'O ja?' vroeg Fleur geïnteresseerd. 'Welk?'

Zara's hals werd stijf.

'Het doet er niet toe welk. Je had me moeten laten weten waar je was. Je zei dat je dat zou doen.'

'Ik was het vast van plan, liefje. Maar goed, je bent hier nu. En dat is het belangrijkste.'

Zara ging op een groen bekleed kaptafelkrukje zitten en keek naar Fleurs spiegelbeeld.

'Wat is er met Sakis gebeurd?' vroeg ze.

Fleur haalde haar schouders op.

'Ik ben verdergegaan. Die dingen gebeuren.' Ze maakte een vaag handgebaar.

'Geen geld, hè?' zei Zara. 'Hij leek toch steenrijk.'

Fleur kreeg een kleur van irritatie.

'Sst!' zei ze. 'Straks hoort iemand je nog.'

Zara haalde haar schouders op. Ze haalde een kauwgompje uit haar zak en begon te kauwen.

'En, wie is deze vent?' vroeg ze terwijl ze om zich heen gebaarde. 'Is hij rijk?'

'Hij is heel aardig,' zei Fleur.

'Waar heb je hem ontmoet? Op een begrafenis?'

'Een herdenkingsdienst.'

'Uhuh.' Zara trok een la van de kaptafel open, keek even naar het kastpapier en deed hem weer dicht. 'Hoe lang ben je van plan hier te blijven?'

'Dat hangt ervan af.'

'Uhuh.' Zara kauwde verder. 'Ga je me niet meer vertellen?'

'Je bent nog een kind,' zei Fleur. 'Je hoeft niet alles te weten.'

'Wel!' wierp Zara tegen. 'Natuurlijk wel!'
Fleur kromp ineen. 'Zara, praat eens wat zachter!'
'Luister, Fleur,' siste Zara kwaad. 'Ik moet het wél weten. Ik moet weten wat er gaande is. Vroeger vertelde je het me. Weet je nog? Je vertelde me waar je naartoe ging en wie de mensen waren en wat ik moest zeggen. Nu verwacht je dat ik... dat ik je zomaar vínd. Je zou, zeg maar, wel overal kunnen zitten, maar ik moet je vínden en dan moet ik alle juiste dingen zeggen en mag ik geen fouten maken...'
'Je hoeft niets te zeggen.'
'Ik ben geen tien meer. Mensen praten met me. Ze stellen me vragen. Ik kan niet blijven zeggen dat ik het niet weet of dat ik het me niet kan herinneren.'
'Je bent een intelligente meid. Je kunt zelf nadenken.'
'Ben je niet bang dat ik een fout zal maken?' Zara keek haar vijandig en uitdagend aan. 'Ben je niet bang dat ik alles voor je zal bederven?'
'Nee,' zei Fleur onmiddellijk, 'dat ben ik niet. Omdat je weet dat als je dat doet, je net zo goed in de problemen komt als ik. Het schoolgeld groeit me niet op de rug, weet je, en dat afschuwelijke spul dat je rookt ook niet.' Zara keek met een ruk op. 'Johnny heeft het me verteld,' zei Fleur. 'Hij was geschokt.'
'Johnny kan de pot op.'
Een van Fleurs mondhoeken kroop omhoog.
'Dat is dan een pond voor Felix' vloekenpotje,' zei ze. Onwillekeurig grijnsde Zara naar haar handen. Ze kauwde nog wat en keek naar de enorme zilveren ring aan haar linkerhand, de ring die Johnny haar gegeven had in die afschuwelijke week tussen de Court School en de Heathland Meisjesschool in. Elke keer dat je je rot voelt, had hij tegen haar gezegd, moet je je ring boenen en dan zie je mij naar je glimlachen. En ze had hem geloofd. Dat deed ze nog steeds half en half.
'Johnny wil trouwens dat je hem belt,' zei ze. 'Het is heel dringend.'
Fleur zuchtte. 'Wat is er nu weer?'

Zara haalde haar schouders op. 'Ik weet het niet. Hij wilde het me niet vertellen. Iets belangrijks, denk ik.'

'Een begrafenis?'

'Dat weet ik niet.' Zara klonk geduldig. 'Hij wilde het me niet vertellen. Dat heb ik al gezegd.'

Fleur zuchtte opnieuw en bestudeerde haar nagels. 'Dringend. Wat wil dat zeggen? Hij moet zeker nieuw behang uitkiezen.'

'Of hij heeft een feest en weet niet wat hij aan moet.'

'Misschien is hij zijn stomerijbriefje weer kwijt. Weet je nog?' Fleur keek Zara aan, en voor het eerst glimlachten ze naar elkaar. Dit gebeurt nu altijd, dacht Zara. We kunnen het best met elkaar opschieten als we het over Johnny hebben. Verder kunnen we het wel schudden.

'Nou, tot straks,' zei Fleur abrupt en stond op. 'En aangezien je zo'n belangstelling hebt voor de details, is het misschien goed als ik je vertel dat de overleden vrouw van Richard Favour Emily heette en dat ze lang geleden een vriendin van me was. Maar we praten niet veel over haar.'

'Nee,' zei Zara terwijl ze haar kauwgom in de prullenbak uitspuugde. 'Dat zal wel niet.'

Om acht uur bracht Gillian een kan Pimm's de salon binnen.

'Waar is papa?' vroeg Philippa terwijl ze de kamer binnenkwam en om zich heen keek. 'Ik heb hem vandaag amper gezien en we kunnen niet zo lang blijven.'

'Hij is nog aan het werk,' zei Lambert. 'In zijn werkkamer.' Hij nam het glas aan dat Gillian hem aanbood en nam een paar flinke slokken, met het gevoel dat als hij niet voldoende alcohol binnenkreeg, hij zou overkoken van frustratie. Sinds ze terug waren, was hij zo vaak mogelijk langs de werkkamer geslopen, maar elke keer stond de deur een klein beetje open, was de bureaulamp aan en kon hij door de kier net Richards achterhoofd zien. De klootzak was niet één keer van zijn plaats geweest. Dus zag het ernaar uit dat hij zijn kans gemist had. Hij moest terug naar Londen terwijl hij geen stap dichter bij een oplossing voor zijn probleem met de bank was. Om nog maar te zwijgen van de deal met Briggs & Co., een overeenkomst die al om zes uur ondertekend en gesloten had moeten zijn. Er brandde een gevoel van onderdrukte woede in Lamberts borst. Wat was deze dag een ongelooflijke ramp gebleken. En het kwam allemaal door dat kutwijf, Fleur.

'Lambert, heb jij Zara al ontmoet?' En daar was ze weer, gekleed in een strakke rode jurk waarin ze er uitzag als een hoer, glimlachend alsof het huis van haar was terwijl ze die rotdochter van haar de kamer binnenschoof.

'Hallo, Zara,' zei hij terwijl hij keek naar de welving van Fleurs borsten onder haar jurk. Zara. Wat voor krankzinnige naam was dat nou weer?

'Hallo!' Philippa kwam met fonkelende ogen van enthousiasme op Zara afgestormd. Op weg naar huis was er nog een idee bij haar opgekomen. Ze zou bevriend kunnen raken met Fleurs dochter. Ze zou een oudere-zusfiguur kunnen zijn. Ze zouden met zijn tweeën over kleren en make-up en problemen met vriendjes kunnen praten en het jongere meisje zou haar in vertrouwen nemen en Philippa zou goede raad geven... 'Ik ben Philippa,' zei ze terwijl ze Zara warm toelachte. 'Antony's oudere zus.'

'Hoi Philippa.' Zara klonk vlak en ongeïnteresseerd. Er volgde een korte stilte.

'Wil je misschien limonade, kind?' vroeg Gillian.

'Nee, water graag,' zei Zara.

'We kunnen zo gaan eten,' zei Gillian terwijl ze naar Philippa keek, 'als jullie weg moeten. Zodra je vader beneden komt. Roep hem maar, dan gaan we aan tafel.'

'Oké,' zei Philippa, die een beetje draalde. Ze keek weer naar Zara. Ze had nog nooit iemand gezien, dacht ze, die zo mager was. Ze had wel een model kunnen zijn. Was ze echt pas dertien? Ze zag er eerder uit als...'

'Philippa!' onderbrak Gillians stem haar gedachten.

'O, sorry,' zei Philippa. 'Weer aan het dagdromen!' Ze probeerde al giechelend Zara's blik te vangen, maar Zara staarde onbewogen langs haar heen. Philippa voelde zich meteen gekleineerd. Wie dacht dat meisje wel dat ze was?

Richard verscheen in de deuropening.

'Sorry dat ik jullie heb laten wachten,' zei hij. 'Er waren een paar dingen waar ik aan moest denken.'

Philippa was zich bewust van Lambert die met een ruk opkeek en vervolgens zijn gezicht afwendde. Ze gaf hem een zachte por, met de bedoeling zijn blik te vangen en nadrukkelijk met haar ogen in de richting van Zara te rollen. Maar Lambert negeerde haar. Ze liet een gekwetst snufje horen. Iedereen negeerde haar vanavond, inclusief haar man.

'Maar laten we nu een toost uitbrengen,' vervolgde Richard. Hij pakte het glas dat Gillian hem aanbood en hief het. 'Van harte welkom, Zara.'

'Van harte welkom, Zara,' riepen de anderen gehoorzaam in koor.

Philippa sloeg haar ogen neer en staarde in haar glas. Wanneer was er voor het laatst op haar gedronken? Wanneer was zij voor het laatst ergens welkom geheten? Iedereen negeerde haar, zelfs haar eigen familie. Ze had helemaal geen vrienden. Gillian gaf nu niets meer om haar. Niemand gaf meer om haar. Philippa knipperde een paar maal met haar ogen en kneep hard in de weinige echte emoties die ze had tot er langzaam een traan uit haar oog sijpelde en over haar wang biggelde. Nu hebben ze me aan het huilen gemaakt, dacht ze. Ik huil en er is niemand die het ziet. Er drupte nog een traan op haar wang en ze snufte opnieuw.

'Philippa!' Richards geschrokken stem onderbrak het gesprek. 'Gaat het, schat?'

Philippa keek met trillende lippen op.

'Ja,' zei ze. 'Ik zat alleen te denken... aan mammie. Ik-ik weet niet waarom.'

'O, schat toch.' Richard haastte zich naar haar toe.

'Nee, laat maar,' zei Philippa. 'Het gaat wel, heus.' Ze snufte nog een keer en glimlachte naar haar vader. Ze liet hem zijn arm om haar schouder slaan en zich door hem de kamer uit leiden.

Iedereen zweeg, iedereen keek bezorgd naar haar betraande gezicht. Toen ze vlak bij Zara was, keek Philippa op, klaar om een nieuw gezicht vol mededogen tegenover zich te zien, dapper voor zich uit te kijken en vervolgens haar ogen neer te slaan. Maar zodra Zara haar met haar emotieloze blik aankeek, voelde Philippa een koude rilling over haar rug lopen en haar gezicht betrekken. Tegenover dit meisje voelde ze zich onnozel en doorzichtig, alsof Zara op de een of andere manier precies wist wat ze dacht.

'Ik heb medelijden met je,' zei Zara zachtjes.

'Wat bedoel je?' zei Philippa van haar stuk gebracht.

Zara gaf geen krimp.

'Omdat je je moeder verloren hebt.'

'O. Dank je.' Philippa ademde hoorbaar uit en deed haar best om weer een dappere uitdrukking op haar gezicht te toveren. Maar ze voelde zich niet dapper meer. Haar tranen waren opgedroogd, niemand keek naar haar. Lambert zat nu met Antony over cricket te praten. Het moment was voorbij en het was Zara die het allemaal voor haar bedorven had.

9

Twee weken later keek Richard op van *The Times* en gniffelde.

'Moet je eens kijken!' zei hij en hij wees naar een artikeltje op een van de economiepagina's met de kop 'Accountant geschorst'. Fleurs blik gleed over de paar regels tekst en er verscheen een glimlach om haar lippen.

'Ik zei het toch!' zei ze. 'Ik wist gewoon dat die lui boeven waren.'

'Wat is er gebeurd?' vroeg Gillian, die de kamer binnenkwam.

Richard keek verrukt op. 'Die mensen waar we laatste mee gegolfd hebben, Briggs & Co. Een van de twee is betrapt op het knoeien met de boeken van een ander bedrijf. Het staat in de krant.'

'Jeetje,' zei Gillian beduusd. 'Is dat goed?'

'Nee. Het goede is dat we besloten hadden om niet van hun diensten gebruik te maken. Het goede is dat Fleur hen doorhad.' Richard pakte Fleurs hand en kneep er liefdevol in. 'Fleur is het goede hier in huis,' zei hij. 'Zoals we volgens mij allemaal vinden.' Hij keek naar Gillian op. 'Wat zie je er leuk uit.'

'Ik ga naar mijn bridgeles,' zei Gillian. Ze keek naar Fleur. 'Weet je zeker dat je niet meegaat?'

'Schat, ik raakte vorige week helemaal de draad kwijt. Ik kan maar niet onthouden hoeveel slagen per kleur. Of is het net andersom?' Fleur trok haar neus op naar Gillian, die moest lachen. 'En Tricia wilde heel graag een partner. Dus ga maar. Veel plezier.'

'Eh...' Gillian bleef even staan en streek haar jasje glad over haar heupen. Het was een nieuw lichtblauw linnen jasje dat ze de week ervoor had gekocht tijdens een middagje winkelen met Fleur. Ze droeg er een lange crèmekleurige rok bij die ook nieuw was en de blauwe sjaal die Fleur haar gegeven had. 'Weet je het echt zeker?'

'Absoluut,' zei Fleur. 'En denk eraan dat ik vanavond voor het eten zorg. Dus je hoeft je niet terug te haasten.'

'Goed dan.' Er verscheen een glimlachje op Gillians gezicht. 'Ik geniet echt van die lessen, weet je. Ik had nooit gedacht dat een kaartspel zo verkwikkend kon zijn!'

'Ik genoot ook altijd wel van bridge,' zei Richard, 'maar Emily moest er niet veel van hebben.'

'Je moet je heel erg concentreren,' zei Gillian, 'maar dat vind ik er zo fijn aan.'

'Mooi zo,' zei Richard en hij glimlachte naar haar. 'Het is goed te zien dat je een hobby hebt gevonden.'

Gillian bloosde een beetje. 'Het is gewoon een verzetje,' zei ze. Ze keek naar Fleur. 'Ik ben vast wel op tijd terug voor het avondeten. Het is niet nodig dat jij het doet.'

'Maar ik wil het doen!' zei Fleur. Gillian bleef nog een ogenblik langer staan, hees toen haar tas over haar schouder en liep naar de deur. Daar bleef ze weer staan en keek achterom.

'Volgens mij ligt alles wel in de koelkast,' begon ze.

Richard begon te lachen. 'Gillian, ga!'

Toen ze eindelijk vertrokken was, vervielen ze in een genoeglijke stilte.

'Het verbaast me dat Lambert niet gebeld heeft,' zei Richard plotseling. 'Hij moet de kranten vanochtend toch ook gezien hebben.'

'Hij voelt zich waarschijnlijk opgelaten,' zei Fleur.

'En terecht,' zei Richard, 'maar hij moet jou ook zijn excuses aanbieden.' Hij zuchtte en legde zijn krant neer. 'Ik vrees dat ik moet bekennen dat hoe beter ik Lambert leer kennen, hoe minder ik hem mag. Philippa zal wel van hem houden, maar...' Zijn stem stierf weg en hij haalde zijn schouders op.

'Was je verbaasd toen ze trouwden?' vroeg Fleur.

'Ja,' zei Richard. 'Ik vond ze zelfs wel wat overhaast. Maar ze leken het zelf een prima idee te vinden. En Emily was in de zevende hemel. Zij leek helemaal niet verbaasd.' Hij zweeg even. 'Moederinstinct, neem ik aan.'

'En het vaderinstinct?'

'Tijdelijk buiten dienst, zou ik zeggen.' Hij grinnikte. 'Ik bedoel, ze lijken nu heel gelukkig. Vind je niet?'

'O ja,' zei Fleur. 'Heel gelukkig.' Ze zweeg even en voegde er toen aan toe: 'Maar ik ben het met je eens wat Lambert betreft. Ik schrok nogal van zijn vijandigheid ten opzichte van mij. Bijna... wantrouwig.' Ze keek Richard met een gekwetst gezicht aan. 'Ik gaf alleen maar mijn mening.'

'Ja, natuurlijk!' zei Richard vurig. 'En jij had het volkomen bij het rechte eind! Die Lambert heeft aardig wat op zijn geweten. Als jij er niet was geweest...' Hij brak zijn zin af en keek met meer liefde naar Fleur aan de andere kant van de tafel dan ze ooit eerder bij hem had gezien.

Fleur keek hem een ogenblik aan terwijl ze razendsnel nadacht. Toen riep ze uit: 'O nee!' en sloeg haar hand voor haar mond.

'Wat is er?'

'Niets,' zei Fleur. 'Het doet er niet toe.' Ze zuchtte. 'Ik dacht ineens aan mijn portemonnee. Weet je nog dat ik hem vorige week kwijtgeraakt ben?'

'O?'

'Heb ik je dat niet verteld? Ja, ik ben hem tijdens het winkelen verloren. Ik heb het bij een of andere agent aangegeven, maar je weet hoe ze zijn...'

'Daar had ik geen idee van!' zei Richard. 'Heb je je pasjes geblokkeerd?'

'Ja hoor,' zei Fleur. 'Maar dat is nu net het probleem. Ik heb nog geen nieuwe.'

'Heb je geld nodig?' Richard zocht in zijn zak. 'Schat, dat had je moeten zeggen!'

'Het probleem is dat het wel even zal duren voor ik nieuwe

pasjes heb,' zei Fleur. Ze fronste haar voorhoofd. 'Het is allemaal een beetje ingewikkeld. Je weet dat ik een rekening op de Kaaimaneilanden heb. En natuurlijk in Zwitserland.'

'Nee, dat wist ik niet,' zei Richard, 'maar niets aan jou verbaast me nog.'

'Het zijn over het algemeen prima banken,' zei Fleur, 'maar ze zijn hopeloos met het uitgeven van nieuwe pasjes.'

'Je zou naar een normale bank moeten gaan, zoals iedereen,' zei Richard.

'Je hebt gelijk,' zei Fleur, 'maar om de een of andere reden had mijn accountant me aangeraden om naar een overzeese bank te gaan...' Ze spreidde met een vaag gebaar haar handen.

'Hier is honderd pond,' zei Richard terwijl hij haar wat biljetten toestak.

'Ik heb wel contant geld,' zei Fleur afwezig. 'Het is alleen... ik herinner me net dat Zara volgende week jarig is. Dat was ik straal vergeten!'

'Zara is volgende week jarig?' zei Richard. 'Daar had ik geen idee van.'

'Ik wil iets echt moois voor haar kopen.' Ze trommelde geagiteerd met haar nagels op de armleuning van haar stoel. 'Wat ik nodig heb, is een nieuwe Gold Card. En snel ook.'

'Zal ik ze eens bellen?' vroeg Richard.

'Ik zei je toch al,' zei Fleur, 'ze zijn hopeloos.'

Ze tikte nog een paar keer met haar nagels op de stoel. Toen keek ze ineens op.

'Richard, jij hebt toch een Gold Card, hè? Zou je er voor mij een partnerkaart bij kunnen nemen? Een dezer dagen? Dan kan ik naar Guildford om iets moois voor Zara te kopen – en tegen die tijd zijn mijn nieuwe pasjes er misschien wel. Als ik geluk heb.' Ze keek hem met een ernstig gezicht aan. 'Ik weet dat het veel gevraagd is...'

'Nou, nee hoor,' zei Richard. 'Ik wil je graag helpen. Maar ik denk niet dat we al die moeite hoeven te doen om er een Gold Card bij te nemen. Zal ik je niet gewoon wat geld lenen?'

'Contant geld?' Fleur huiverde. 'Ik heb nooit contant geld bij me als ik winkel. Nooit! Dan heb ik het gevoel dat ik erom vraag om beroofd te worden.'

'Nou, zal ik dan met je meegaan om cadeaus voor Zara te kopen? Dat zou ik heel leuk vinden. Weet je,' Richards gezicht verzachtte, 'ik ben erg gesteld geraakt op Zara. Al zou ik willen dat ze wat meer ging eten.'

'Wat?' Fleur, die tijdelijk afgeleid was, keek hem verrast aan.

'Al die salades en glazen water! Elke keer als ik haar als een vogeltje in haar eten zie pikken, krijg ik een bijna onbedwingbare neiging om een bord eieren met spek voor haar te bakken en haar te dwingen het helemaal leeg te eten!' Richard haalde zijn schouders op. 'Jij hebt vast wel gelijk dat je geen aandacht besteedt aan haar eetgewoonten. En er is vast ook geen sprake van een probleem, maar ze is zo verschrikkelijk mager.' Hij glimlachte. 'Zara kennende zou ze het ook vast niet op prijs stellen als haar verteld werd wat ze moest eten.'

'Nee,' zei Fleur. 'Dat denk ik ook niet.'

'Maar ze krijgt in ieder geval een verjaardagstaart!' Richards ogen begon te stralen. 'We organiseren een feestje voor haar. Misschien kunnen we er een verrassing van maken!'

'Wanneer denk je die partnerkaart voor me te hebben? Voor zaterdag?'

'Fleur, ik heb moeite met het idee van die partnerkaart.'

'O.' Fleur keek hem strak aan. 'Waarom?'

'Het is gewoon... iets wat ik nooit heb gedaan. Een rekening met iemand delen. Het lijkt me onnodig.'

'O. Juist.' Fleur dacht een ogenblik na. 'Had Emily geen partnerkaart?'

'Nee, ze had haar eigen rekeningen. We hielden onze geldzaken altijd gescheiden. Dat leek ons verstandig.'

'Gescheiden?' Fleur keek naar Richard met een gezicht dat, hoopte ze, verbazing uitstraalde in plaats van de irritatie die ze voelde opkomen. Hoe haalde hij het in zijn hoofd om haar liever geen partnerkaart te geven, dacht ze woedend. Wat overkwam haar toch? Was ze het spelletje aan het verleren? 'Maar dat is toch niet natuurlijk!' zei ze nogal luid. 'Jullie waren getrouwd! Wilden jullie niet alles... alles delen?'

Richard wreef over zijn neus.

'Ik wel,' zei hij, 'in het begin. Het idee van een gezamenlijke rekening sprak me wel aan. Ik wilde alles bij elkaar hebben. Maar Emily niet. Ze wilde alles zijn eigen plaatsje geven. Dus had ze haar eigen rekening en creditcards en...' Hij brak zijn zin af en lachte schaapachtig. 'Hoe zijn we eigenlijk op dit onderwerp gekomen? Het is zo slaapverwekkend.'

'Zara's verjaardag,' zei Fleur.

'O ja,' zei Richard. 'Wees maar niet bang – we gaan ervoor zorgen dat Zara een prachtige verjaardag krijgt.'

'En je vindt het niet verstandiger om mij een partnerkaart te geven? Om de winkels mee langs te gaan?'

'Eigenlijk niet,' zei Richard. 'Maar als je wilt, kunnen we er wel een aanvragen die op jouw naam staat.'

'Oké,' zei Fleur luchtig. Ze klemde haar kaken onmerkbaar op elkaar en staarde naar haar nagels. Richard sloeg het sportkatern van *The Times* op. Het was een paar minuten stil. Toen zei Fleur ineens zonder op te kijken: 'Ik moet binnenkort misschien naar een begrafenis.'

'O jee!' Richard keek op.

'Een vriend in Londen heeft me gevraagd hem te bellen. We verwachten al een tijdje slecht nieuws. Ik heb het gevoel dat het hier wel eens om zou kunnen gaan.'

'Ik weet hoe het is,' zei Richard ernstig. 'Die zaken kunnen eindeloos slepen. Weet je, ik denk wel eens dat het beter is...'

'Ja,' zei Fleur terwijl ze *The Times* pakte en de rouwadvertenties opensloeg. 'Ja, ik ook.'

'Hoe lang blijf je bij ons?' vroeg Antony. Hij zat met Zara in een afgelegen hoek van de tuin, waar hij terloops aardbeien plukte en die in zijn mond stak terwijl zij in een dikke glossy zat te lezen. Zara keek naar hem op. Ze had een zonnebril op met ondoorzichtige zwarte glazen, en hij kon de blik in haar ogen niet zien.

'Dat weet ik niet,' zei ze en ze keek weer naar haar tijdschrift.

'Het zou hartstikke fijn zijn als je er nog was als Will thuiskomt,' zei Antony. Hij wachtte tot Zara zou vragen wie Will was of waar hij was. Maar het enige wat ze deed, was een paar keer op haar kauwgom kauwen en de pagina omslaan. Antony nam nog een aardbei en vroeg zich af waarom hij niet gewoon weg-ging om een rondje golf te spelen of zo. Hij hoefde niet op Zara te passen, ze zei bijna nooit iets en ze lachte of glimlachte nooit. Het was ook niet zo dat ze het te gek hadden samen. En toch had ze iets wat hem fascineerde. Eerlijk gezegd, gaf hij tegenover zichzelf toe, zou hij met gemak de hele dag zomaar naar Zara kunnen zitten staren en niets anders doen. Maar tegelijkertijd voelde het verkeerd om in je eentje bij iemand te zitten en niet minstens een poging te doen om een gesprek aan te knopen.

'Waar woon je normaal gesproken?' vroeg hij.

'We gaan van de ene plaats naar de andere,' zei Zara.

'Maar je hebt toch wel een thuis?'

Zara haalde haar schouders op. Antony dacht een ogenblik na.

'Nou... waar was je de vorige vakantie?'

'Bij een vriend,' zei Zara. 'Op zijn jacht.'

'O, oké.' Antony ging verzitten. Jachten vielen buiten zijn referentiekader. Het enige wat hij wist, van mensen op school, was dat je godsgruwelijk rijk moest zijn om er een te hebben. Hij keek met hernieuwd respect naar Zara en vroeg zich af of ze erover uit zou weiden. Maar haar aandacht bleef bij het blad. Antony keek over haar schouder naar de foto's. Het waren allemaal meisjes zoals Zara, mager en jong, met knokige schouders en een ingevallen borst, die met enorme, trieste ogen in de camera keken. Geen van hen zag er ouder uit dan Zara. Hij vroeg zich af of ze zichzelf in de foto's herkende of dat ze gewoon naar de kleren keek. Persoonlijk vond hij iedere outfit nog lelijker dan de vorige.

'Hou jij van merkkleding?' probeerde hij. Hij keek naar het T-shirt dat ze aanhad. Was dat misschien van een beroemde ontwerper? Hij kon het niet zien. 'Je moeder draagt mooie kleding,' voegde hij er beleefd aan toe. Er kwam een beeld bij hem op van Fleur in haar rode jurk, een en al rondingen en glanzend haar en tinkelende lach. Zara leek werkelijk in niets op haar moeder. Toen realiseerde hij zich dat dat misschien ook haar bedoeling was.

'Wat is jouw sterrenbeeld?' Haar schorre stem onderbrak zijn gedachten.

'O. Ram.'

Zonder op te kijken begon ze voor te lezen. 'Planetaire activiteit in Pluto verandert jouw levensrichting. Na de 18e kom je in een meer doelgerichte fase.' Ze sloeg de pagina om.

'Geloof je echt in dat soort dingen?' vroeg Antony voor ze verder kon gaan.

'Het hangt ervan af wat er staat. Als het goed is, geloof ik het.' Ze keek even naar hem op en er verscheen een grijns om haar mond.

'En wat staat er in de jouwe? Wat ben jij?'

'Boogschutter.' Ze smeet het tijdschrift op de grond. 'In de mijne staat dat ik moet gaan leven en ophouden waardeloze horoscopen te lezen.' Ze wierp haar hoofd in haar nek en ademde diep in. Antony dacht snel na. Nu was het moment om een gesprek op gang te brengen.

'Ga je wel eens stappen?'vroeg hij.

'Ja hoor,' zei Zara. 'Als we in Londen zijn. Als ik iemand heb om mee uit te gaan.'

'O, oké.' Antony dacht weer na. 'Woont je vader in Londen?'

'Nee. Hij woont in de Verenigde Staten.'

'O, oké! Is hij Amerikaan?'

'Ja.'

'Cool zeg! Waar woont hij ergens?' Dit was geweldig, vond Antony. Ze konden het hebben over waar ze in de VS waren geweest. Hij kon haar over zijn schoolreisje naar Californië vertellen. Misschien kon hij zelfs zijn foto's erbij halen.

'Dat weet ik niet.' Zara wendde haar gezicht af. 'Ik heb hem nooit gezien. Ik weet niet eens hoe hij heet.'

'Wat?' Antony, die er helemaal klaar voor zat om zijn kennis van San Francisco te spuien, voelde dat hij in plaats daarvan scherp uitademde. Had hij haar wel goed gehoord? 'Weet je niet hoe je vader heet?' vroeg hij terwijl hij zijn best deed om geïnteresseerd te klinken in plaats van geschokt.

'Nee.'

'Heeft je...' Wat hij ook zei, het zou allemaal stom klinken. 'Heeft je moeder je dat niet verteld?'

'Ze zegt dat het er niet toe doet hoe hij heet.'

'Weet je niets van hem?'

'Nee.'

'Hoe weet je dan dat hij in de VS woont?'

'Dat is het enige wat ze me verteld heeft. Een eeuwigheid geleden, toen ik klein was.' Ze trok haar knieën op naar haar borst. 'Ik dacht altijd...' Ze keek op en het zonlicht weerkaatste tegen haar zonnebril. 'Ik dacht vroeger altijd dat hij een cowboy was.'

'Dat is hij misschien ook wel,' zei Antony. Hij keek naar Zara, ineengedoken en mager, en stelde zich haar ontspannen en lachend voor, op een paard vóór een gebruinde, heldhaftige cowboy. Het leek zomaar mogelijk.

'Waarom wil je moeder het je niet vertellen?' vroeg hij onomwonden. 'Is dat niet bij de wet verboden?'

'Misschien wel,' zei Zara. 'Al zou Fleur daar niet mee zitten.' Ze zuchtte. 'Ze wil het me niet vertellen omdat ze niet wil dat ik hem probeer te vinden. Zoiets van... hij is haar verleden, niet het mijne.'

'Maar hij is je vader!'

'Dat weet ik,' zei Zara. 'Hij is mijn vader.' Ze duwde haar zonnebril omhoog, uit haar gezicht, en keek Antony recht in de ogen. 'Maar ik ga hem heus wel zoeken, hoor,' zei ze.

'Hoe dan?'

'Als ik zestien ben,' zei Zara. 'Dan gaat ze me vertellen wie hij is. Ze heeft het beloofd.' Antony keek haar aan. Haar ogen fonkelden een beetje. 'Nog tweeëneenhalf jaar. Dan ga ik naar de Verenigde Staten. Ze kan me niet tegenhouden.'

'Tegen die tijd ben ik van school af,' zei Antony gretig. 'Dan zou ik met je mee kunnen!'

'Oké,' zei Zara. Ze keek hem weer aan, en voor het eerst lachte ze oprecht naar hem. 'Dan gaan we samen.'

Later kwamen ze samen binnengeslenterd, warm en verbrand door de zon, en zagen Richard alleen in de keuken zitten met een glas bier voor zich. Het was er stil en het vroege avondlicht stroomde door het raam naar binnen over zijn gezicht. Antony deed de koelkast open en haalde er een paar blikjes uit.

'Heb je vandaag gegolft?' vroeg hij aan zijn vader.

'Nee. Jij wel?'

'Nee.'

'Ik dacht dat jullie echt verslaafd waren aan golf,' zei Zara.

Richard glimlachte. 'Is dat wat je moeder je verteld heeft?'

'Het ligt er duimendik bovenop,' zei Zara. 'Jullie wonen nota bene op een golfbaan.'

'Nou, ik golf wel graag, ja,' zei Richard. 'Maar er is nog veel meer in het leven.'

'Waar is Fleur?' vroeg Zara.

'Dat weet ik niet,' zei Richard. 'Ze is zeker ergens naartoe gegaan.'

Richard kromp niet langer ineen als hij Zara haar moeder 'Fleur' hoorde noemen. Hij vond het soms zelfs wel een beetje aandoenlijk. Hij keek hoe Antony en Zara met hun drinken in het zitje bij het raam gingen zitten – genoeglijk, als twee katten. Zara had een light drankje, zag hij – en hij vroeg zich weer af hoeveel ze woog. Toen berispte hij zichzelf. Ze was zijn dochter niet en hij moest zich niet gaan gedragen alsof ze dat wel was.

Maar toch. De woorden van Oliver Sterndale galmden weer door zijn hoofd. Wat zou er gebeuren als je, zeg maar, zou hertrouwen?

'Tja, wat?' zei Richard hardop. Antony en Zara keken op. 'Let maar niet op mij,' voegde hij eraan toe.

'Oké,' zei Antony beleefd. 'Vind je het goed als we de tv aanzetten?'

'Ja hoor,' zei Richard. 'Ga je gang.'

Terwijl de stilte in de keuken gevuld werd met het gebabbel van de tv, nam hij een slok van zijn bier. Het geld stond nog steeds op een spaarrekening te wachten tot hij een besluit genomen had. Een klein fortuin dat tussen zijn twee kinderen verdeeld zou worden. Het had zo'n voor de hand liggende stap geleken toen hij het met Emily had besproken. Het beeld had compleet geleken; het aantal deelnemers had vastgestaan.

Maar nu waren er nog eens twee spelers op het toneel verschenen. Fleur. En de kleine Zara. Richard leunde achterover en deed zijn ogen dicht. Had Emily ooit gedacht dat hij na haar dood zou hertrouwen? Of had ze, net als hij, geloofd dat hun liefde nooit vervangen kon worden? De mogelijkheid van hertrouwen was nooit, maar dan ook nooit, bij hem opgekomen. Zijn verdriet had te hevig, zijn liefde te sterk geleken. En toen had hij Fleur ontmoet en was alles gaan veranderen.

Wilde hij met Fleur trouwen? Hij wist het niet. Op het moment genoot hij nog steeds van de losse, vrijblijvende aard van hun bestaan samen. Niets was afgebakend, er was geen druk van buitenaf, de dagen gleden aangenaam voorbij.

Maar het lag niet in Richards aard om eindeloos te blijven glijden, om problemen te negeren in de hoop dat ze vanzelf over zouden gaan. Problemen moesten aangepakt worden. In het bijzonder het probleem van... het probleem van... Richard schoof ongemakkelijk heen en weer. Zoals gewoonlijk wilden zijn gedachten op de loop gaan voor het onderwerp. Maar ditmaal riep hij ze terug, ditmaal ging hij in gedachten de confrontatie met het woord zelf aan. Van de seks. Het probleem van de seks.

Fleur was een begripvolle vrouw, maar ze zou niet altijd begripvol blijven. Waarom zou ze ook, als Richard het zelf niet eens begreep? Hij aanbad Fleur. Ze was mooi en begeerlijk en alle mannen benijdden hem. En toch, wanneer hij haar slaapkamer binnenkwam en haar in bed zag liggen, waar ze uitnodigend naar hem opkeek met die hypnotiserende ogen, werd hij overvallen door een schuldig angstgevoel dat zijn begeerte ondergroef en dat hem deed verbleken en trillen van frustratie.

Hij had tot dusver gedacht dat deze factor alleen al voldoende obstakel zou blijken voor een huwelijk met Fleur. Hij had zich al neergelegd bij het feit dat ze zich binnen afzienbare tijd zou verontschuldigen en weg zou fladderen als een exotisch insect, op weg naar een andere, vruchtbaardere bloem. Maar ze leek geen haast te hebben om weg te gaan. Het was bijna alsof ze iets wist wat hij niet wist. En dus was Richard zich gaan afvragen of hij het probleem niet op de verkeerde manier bekeek. Hij had zichzelf voorgehouden dat het gebrek aan seks een huwelijk in de weg stond. Maar kon het niet zo zijn dat het gebrek aan een huwelijk de seks in de weg stond? Kon het niet zo zijn dat hij pas wanneer hij zich volledig aan Fleur overgaf, de schaduw van Emily zou kunnen afwerpen? En had Fleur – die schrandere Fleur – dit al beseft? Begreep ze hem beter dan hij zichzelf kende?

Terwijl hij nog een slok van zijn bier nam, nam Richard zich voor om het er diezelfde avond nog met Fleur over te hebben. Hij zou niet de fout maken die hij bij Emily gemaakt had, om de dingen ongezegd te laten tot het te laat was. Bij Fleur zou het anders worden. Bij Fleur zouden er geen verborgen gedachten zijn. Bij Fleur, dacht Richard, zou niets een geheim zijn.

10

Fleur bleef maar zelden stilstaan bij fouten of pech. Terwijl ze snel en met grote stappen over de paden van het landgoed Greyworth stapte en met haar ogen knipperde tegen de verblindende avondzon die haar vol in het gezicht scheen, stond ze zichzelf niet toe om te denken dat de afgelopen paar maanden met Richard Favour haar wellicht geen enkel financieel gewin zouden bieden. In plaats daarvan richtte ze zich alweer helemaal op de toekomst. De volgende begrafenis, de volgende herdenkingsdienst, de volgende verovering. Positief denken was Fleurs specialiteit. Ze zou Johnny bellen om te vragen of hij nog een paar begrafenissen wist, en Richard Favour zou weer gewoon een naam uit het verleden worden.

Eerlijk gezegd, dacht ze bij zichzelf terwijl ze tegen een boom leunde om op adem te komen, was het helemaal niet slecht voor haar geweest om een tijdje op The Maples te verblijven, geld of geen geld. Ten slotte hadden maar weinig mannen wier gastvrijheid ze in het verleden genoten had, haar toegestaan om zo weinig te doen als Richard Favour. De eisen die hij aan haar stelde, hadden niets te betekenen. Ze hoefde zich niet in te spannen in de slaapkamer. Ze hoefde zich niet in te spannen in de keuken. Ze hoefde niet als gastvrouw op te treden bij uitgebreide ceremonies of feesten, of de namen van mensen te onthouden of genegenheid voor kleine kinderen of dieren tentoon te spreiden.

Deze tijd met Richard was een tijd geweest om weer op te laden. Praktisch een rustkuur. Ze zou er verfrist en herboren uit tevoorschijn komen, klaar voor de volgende uitdaging. En het was onrealistisch om te denken dat ze zonder ook maar een cent uit The Maples weg zou gaan. Het zou haar wel lukken om een paar duizend pond in haar zak te steken voor ze wegging, misschien wel meer. Ze zou het niet echt stelen – domweg de wet overtreden was niet Fleurs stijl. Maar de wet naar haar hand zetten om haar doel te bereiken was precies haar stijl, net als beoordelen hoeveel ze een man precies kon ontfutselen zonder dat hij de achtervolging inzette.

Ze was bij The Meadows aangekomen – een afgelegen hoek van het landgoed die aan de natuur was overgelaten en maar zelden bezocht werd. Ze keek om zich heen of er niemand in de buurt was die haar zou kunnen horen, haalde haar gsm uit haar tas, zette hem aan en toetste Johnny's nummer in.

'Johnny.'

'Fleur! Eindelijk!'

'Wat bedoel je met eindelijk?' zei Fleur met een lichte frons.

'Heeft Zara niet gezegd dat je moest bellen?'

'O ja,' zei Fleur, die het zich weer herinnerde. 'Ja, inderdaad. Ze zei dat je over je toeren was.'

'Ja, dat klopt. En het is allemaal jouw schuld.'

'Mijn schuld? Johnny, waar heb je het over?'

'Het gaat er niet om over wát ik het heb,' zei Johnny met een stem waar het melodrama van afdroop. 'Het gaat erom over wíe ik het heb.'

Fleur zag hem zomaar bij de schouw in zijn salon in Chelsea staan, nippend van zijn sherry en genietend van elk moment van hun gesprek.

'Goed, Johnny,' zei ze geduldig. 'Over wie heb je het?'

Er volgde een perfect getimede stilte en toen zei Johnny:

'Hal Winters. Over hém heb ik het.'

'O godallemachtig.' Van haar stuk gebracht hoorde Fleur zichzelf luider snauwen dan haar bedoeling was geweest. 'Niet weer dat oude verhaal. Ik heb toch gezegd, Johnny...'

'Hij is in Londen.'

'Wat?' Fleur voelde de kleur uit haar wangen wegtrekken. 'Wat doet hij in Londen?'

'Naar jou zoeken.'

'Hoe kan hij naar mij zoeken? Hij zou niet weten waar hij moest beginnen.'

'Hij is bij ons begonnen.'

'Juist.' Fleur staarde enkele ogenblikken voor zich uit terwijl de gedachten door haar hoofd tolden. Een avondbriesje ging ritselend door de bomen en speelde met haar haar, warm en zacht. Hier in Greyworth leek Londen wel een ander land. En toch was het maar een uur rijden. Hal Winters was minder dan een uur van haar verwijderd.

'En wat heb je tegen hem gezegd?' vroeg ze ten slotte. 'Ik hoop dat je hem weggestuurd hebt.'

'We hebben hem aan het lijntje gehouden,' zei Johnny.

'En dat houdt in?'

'Dat houdt in dat hij over een paar dagen weer bij ons op de stoep staat en wil weten of we al iets ontdekt hebben.'

'Dan zeg je gewoon nee,' zei Fleur gedecideerd.

'Nee.'

'Wat?' Fleur keek vol ongeloof naar haar telefoon.

'Felix en ik hebben het erover gehad. We vinden dat je erin moet toestemmen om hem te zien.'

'Nou, dan kunnen jullie allebei opsodemieteren!'

'Fleur...'

'Ik weet het. Een pond in die verrekte vloekenpot.'

'Fleur, luister naar me.' Ineens was de dramatiek uit Johnny's stem verdwenen. 'Je kunt niet voor altijd blijven weglopen.'

'Ik loop niet weg.'

'Hoe noem je je leven dan?'

'Ik... Wat bedoel je? Johnny, waar gaat dit over?'

'Je kunt Hal Winters niet behandelen zoals je al die anderen behandelt. Je kunt niet voor hem weglopen. Dat is niet eerlijk.'

'Wie ben jij om me te vertellen wat eerlijk is en wat niet?' zei Fleur woedend. 'Jij hebt er niets mee te maken. En als jij Hal Winters vertelt waar ik ben...'

'Dat zou ik niet doen zonder jouw toestemming,' zei Johnny. 'Maar ik vraag je om van gedachten te veranderen. Als je zijn gezicht had kunnen zien, dan zou je het begrijpen. Hij is radeloos.'

'Waarom moet hij me zo nodig zien?' zei Fleur op scherpe toon. 'Hij weet nergens van.'

'Maar hij weet het wél!' zei Johnny. 'Daar gaat het nu net om! Hij weet het wél!'

Fleur voelde haar benen slap worden.

'Hij weet het?'

'Hij weet het niet precies,' gaf Johnny toe. 'Maar hij heeft duidelijk iets ontdekt. En nu wil hij het hele verhaal.'

'Nou, hij kan ook opsodemieteren.'

'Fleur, word eens volwassen! Hij verdient het om de waarheid te weten. Dat weet je zelf ook. En Zara verdient het om kennis te maken met haar vader.'

Toen Gillian van haar bridgeles thuiskwam, zat Richard aan zijn derde glas bier, zaten Antony en Zara aan de buis gekluisterd, was er geen spoor van Fleur te bekennen en nergens iets wat op avondeten leek.

'Wat heeft iedereen gedaan?' vroeg ze kortaf terwijl ze haar tas met een klap op de tafel zette en de koelkast opendeed. Alle gerechten en pakjes die ze voor Fleur apart gezet had, stonden er nog onaangeroerd.

'Niets,' zei Richard nonchalant. 'Zomaar zitten.' Hij keek op en glimlachte naar Gillian. Ze glimlachte half en half terug, maar op haar gezicht was het begin van een frons te zien. Richard keek langs haar naar de koelkast en realiseerde zich ineens wat er gebeurd was.

'Gillian! Het eten! O, het spijt me zo. Snel, Antony, laten we Gillian helpen.' Hij sprong overeind en Antony volgde langzaam zijn voorbeeld.

'Wat is er?' zei hij, met zijn ogen op de tv gericht terwijl hij zich als een zombie door de keuken bewoog.

'Nou, Fleur...' Richards stem stierf ongemakkelijk weg. 'O jee. O Gillian, het spijt me verschrikkelijk.'

'Het geeft niet,' zei Gillian terwijl ze somber naar de losse ingrediënten voor zich keek.

'Fleur had toch beloofd om het eten klaar te maken?' Zara's stem sneed door de keuken.

'Nou ja, ze heeft wel iets in die richting gezegd,' zei Richard zwakjes. 'Ik heb geen idee waar ze heen is.'

Zara sloeg haar ogen ten hemel.

'Wat ik zou doen,' zei ze, 'is een afhaalmaaltijd bestellen en haar ervoor laten betalen. Vergeet al dit spul.' Ze gebaarde naar de tafel. 'Laten we iets gemakkelijks en duurs nemen. Hebben jullie een telefoonboek?'

'Het gaat net zo snel als ik het zelf doe,' zei Gillian terwijl ze met een zucht haar jasje uittrok. 'En het staat nu allemaal al klaar.'

'Ja, dus zetten we het weer terug. En bellen we even. En bezorgen ze het eten. Hoe snel is dat? Sneller dan een berg wortelen schrappen.' Zara haalde haar schouders op. 'Je moet het zelf weten. Maar ik zou voor de afhaalmaaltijd gaan. Dit spul blijft toch wel goed?'

'Eh, ja,' zei Gillian met tegenzin. 'Het meeste wel.'

'Welke dingen niet? Als je het ons precies vertelt, dan eten we die gewoon op. Is het, zeg maar, saladeachtig spul?' Zara grinnikte naar Antony. 'Je hoort zeker wel dat ik altijd onvoldoendes voor huishoudkunde heb?' Ze wendde zich weer tot Gillian. 'Wat blijft er niet goed?'

'Ik... ik zal even kijken.'

Gillian wendde zich van Zara af en prikte in een zakje sla. Het was belachelijk – het meisje was nog maar een kind. Maar door Zara's vlotte analyse van de situatie voelde ze zich ineens niet meer zeker van zichzelf. Een vertrouwde brok weerzin had zich alweer in haar binnenste opgebouwd, er lag gemopper op haar lippen en haar gezicht was klaar om een frons van slachtofferachtige somberheid aan te nemen. Dat was de rol die ze kende, dat was de rol die iedereen verwachtte. Iedereen, op Zara na.

'Ik moet er wel aan toevoegen dat ik Indiaas vreselijk vind,' voegde Zara eraan toe terwijl ze een slok uit haar blikje nam. 'En we willen ook geen oubollige pizza. Hebben jullie een redelijk Thais afhaalrestaurant in de buurt?'

'Ik heb geen idee,' zei Richard, die begon te lachen. 'We zijn niet echt "afhaal"-mensen. Hè, Gillian?'

'Ik weet het niet,' zei Gillian. Ze ging met knikkende knieën zitten. Antony zette haar gerechten en plastic doosjes voorzien van etiket al terug in de koelkast. Zara bestudeerde de Gouden Gids. Het moment voor terechte verontwaardiging was voorbij, was zomaar opgelost. Ze voelde zich vreemd beroofd en tegelijkertijd opgevrolijkt.

'Ik geloof niet dat ik ooit eerder Thais gegeten heb,' zei ze behoedzaam.

'O, maar dan moeten we absoluut Thais nemen,' zei Zara onmiddellijk. 'Thais eten is echt het lekkerst.' Ze keek met een levendig gezicht op. 'Die vrienden van ons in Londen, die wonen precies boven een Thais restaurant. Het is vrijwel het enige wat ik eet als ik bij hen logeer. Antony, hoe werkt dit stomme boek? Zoek de pagina met Thaise afhaalmaaltijden eens voor me.'

'O, oké.' Antony kwam gehoorzaam aangehold, ging naast Zara staan en begon de pagina's door te bladeren. Richard ving Gillians blik en ze kreeg ineens de neiging om te gaan giechelen.

'Oké,' zei Zara. 'Laten we deze maar eens proberen.' Ze pakte de telefoon en toetste vlot het nummer in. 'Hallo? Kunt u me misschien uw menu toefaxen? Ik zal u het nummer geven.'

'Gillian, neem maar lekker iets te drinken,' zei Richard zachtjes. Zijn ogen fonkelden. 'Voor het avondeten wordt blijkbaar gezorgd.'

'Cool,' zei Zara terwijl ze ophing. 'Het menu komt zo. Zal ik kiezen?'

'Ik help je wel,' zei Antony. 'Pap, mogen we de sleutel van je werkkamer? We moeten bij de fax kunnen.'

'Vinden jullie het goed als ik voor iedereen bestel?' vroeg Zara.

'Doe maar wat je goeddunkt,' zei Richard. Hij overhandigde

de sleutel van de werkkamer aan Antony en keek hoe Zara en hij zich de keuken uit haastten.

'Ik begon me zorgen te maken over Zara's eetgewoonten,' merkte hij op tegen Gillian toen de twee buiten gehoorsafstand waren. 'Ik geloof dat ik me druk gemaakt heb om niets. Ik heb haar nog nooit zo levendig gezien.'

Hij stond op, rekte zich uit en liep naar de provisiekast.

'Maar het spijt me, Gillian,' zei hij terwijl hij met een fles wijn terugkwam. 'Van Fleur, bedoel ik. Het is niets voor haar om mensen te laten zitten.'

'Dat weet ik,' zei Gillian. 'Er is misschien iets gebeurd waardoor ze opgehouden is.'

'Ik hoop niet dat er iets gebeurd is.' Richard fronste zijn voorhoofd en gaf Gillian een glas wijn. 'Ik zal zo het clubhuis maar eens bellen. Misschien is ze gaan zwemmen.'

'Goed idee,' zei Gillian. Ze haalde diep adem. 'En je hoeft je niet te verontschuldigen. Wat doet een maaltijd er nou toe? Het is maar eten.'

'Nou ja,' zei Richard verlegen, 'maar toch.'

'Ik weet dat ik de neiging heb om dit soort dingen te serieus op te vatten.' Gillian beet op haar lip. 'Ik raak... hoe zou Antony dat zeggen? Gestrest. Door stomme, kleine dingetjes.' Ze zuchtte. 'En dat spijt *míj*.'

'Onzin!' zei Richard. 'Lieve hemel, Gillian...'

Ze negeerde hem.

'Maar ik geloof dat ik aan het veranderen ben.' Ze leunde achterover, nam een slokje wijn en keek Richard over de rand van haar glas aan. 'Fleur is me aan het veranderen.'

Richard liet een hoffelijk lachje horen.

'Onze charmante Gillian veranderen? Dat hoop ik niet!'

'Richard!' Gillians stem had een nijdige bijklank. 'Wees alsjeblieft niet beleefd tegen me. Zeg dat ik in mijn voordeel verander.' Ze nam een flinke slok wijn. 'Ik weet dat jij en ik meestal niet met elkaar praten op dit... op dit...'

'Dit niveau.' Richard keek ineens serieus.

'Precies. Op dit niveau.' Ze slikte. 'Maar je realiseert je natuurlijk net zo goed als ik dat sinds Fleur hier is alles anders gaat. Fleur heeft iets...' Haar stem stierf weg en ze knipperde een paar keer met haar ogen.

'Dat weet ik,' beaamde Richard. 'Dat is zo.'

'Fleur is vriendelijk voor me zoals mijn eigen zus nooit is geweest,' zei Gillian met een stem die enigszins trilde.

'Emily?' Richard keek haar ongelovig aan.

'Emily was een dierbare zus van me, maar ze had haar tekortkomingen. Ze deed dingen die ondoordacht en onvriendelijk waren.' Gillian hief haar hoofd en keek Richard recht in de ogen. Haar blauwe ogen glinsterden. 'Misschien zou ik je dit nu niet moeten vertellen,' zei ze. 'Maar het is de waarheid. Emily was onaardig tegen me. En Fleur is aardig. Dat is alles.'

Fleur was in The Maples aangekomen en rechtstreeks naar boven naar haar kamer gegaan. Nu zat ze voor de spiegel in haar slaapkamer, met haar zwarte hoed met voile op, naar haar spiegelbeeld te staren. Ze zat daar al een halfuur zonder te bewegen, wachtend tot het onbekende gevoel van ongerustheid wegtrok. Maar ze bleef zich gespannen voelen, ze had rimpels in haar voorhoofd en Johnny's stem bleef maar in haar oren weerklinken, boos en hardnekkig hamerend als een specht. 'Waarom wil je hem niet zien? Waarom wil je je verleden niet onder ogen zien? Wanneer hou je nu eens op met weglopen?'

Ze had Johnny nooit eerder zo streng, zo recalcitrant gehoord.

'Wat verwacht je dat ik doe? Hem uitnodigen om te blijven slapen?' had ze gezegd, in een poging luchthartig te klinken. 'Hem aan Richard voorstellen? Kom op, Johnny. Wees reëel.'

'Ik verwacht van je dat je zijn bestaan erkent,' zei Johnny. 'Je zou in Londen met hem kunnen afspreken.'

'Dat kan ik niet. Ik heb geen tijd.'

'Jij hebt geen tijd.' Johnny klonk snerend. 'Nou, misschien heeft Zara wel tijd.'

'Ze mag haar vader nog niet leren kennen! Ze... ze is er niet klaar voor! Ze moet voorbereid worden!'

'En dat ga jij doen, zeker?'

Er volgde een stilte.

'Oké, Fleur, jij je zin,' zei Johnny ten slotte. 'Laat me weten wanneer Zara er klaar voor is om haar vader te ontmoeten en ik zal hem voorlopig even afhouden. Maar dat is alles wat ik doe.'

'Johnny, je bent een schat...'

'Geen begrafenissen meer,' zei Johnny. 'Geen uitnodigingen meer. Niet meer zomaar voor de deur staan en verwachten dat je onze logeerkamer mag gebruiken.'

'Johnny!'

'Ik ben niet blij met je, Fleur.

Terwijl ze ongelovig naar de telefoon had zitten staren, had hij opgehangen, en er was een kille brok ontzetting in haar maag neergedaald. Alles ging ineens fout. Richard wilde haar geen Gold Card geven, Johnny was kwaad op haar, Hal Winters was in het land.

Hal Winters. Zelfs de naam irriteerde haar. Hij had al genoeg problemen veroorzaakt in haar leven en nu was hij er weer, uit het niets opgedoemd, en dreigde alles te bederven, haar vrienden tegen haar op te zetten. Johnny tegen haar op te zetten. Fleur was even in paniek. Als ze Johnny kwijtraakte, wie had ze dan nog? Wie was er verder voor haar?

Fleur had zich nooit echt eerder gerealiseerd hoe afhankelijk ze was van Johnny en Felix. Twintig jaar lang had ze Johnny's flat tot haar beschikking gehad. Twintig jaar lang had ze hem in vertrouwen genomen, met hem geroddeld, met hem gewinkeld. Het was voor haar heel vanzelfsprekend geweest. Desgevraagd zou ze hun vriendschap hebben omschreven als vrijblijvend. Maar nu diezelfde vriendschap gevaar liep, leek het plotseling veel meer dan dat. Fleur deed haar ogen dicht. Johnny en zij hadden nooit eerder een meningsverschil gehad over iets serieuzers dan de kleur van een bank. Hij had in het verleden vaak genoeg op haar gemopperd, maar altijd met een twinkeling in zijn ogen.

Nooit serieus, nooit als dit. Dit nam hij heel serieus op. Ditmaal was het menens. En dat allemaal vanwege een man die Hal Winters heette.

Fleur keek boos naar haar spiegelbeeld. Ze zag eruit als een elegante vrouw van de wereld. Ze kon wel de partner van een ambassadeur zijn. Van een prins. En Hal Winters was... wat? Een artsenbezoeker uit Scottsdale, Arizona. Een goedkope artsenbezoeker die veertien jaar geleden nerveus met haar gecopuleerd had achter in zijn Chevy en die na afloop zijn haar keurig achterover had gekamd zodat zijn moeder niets zou merken. Die haar gevraagd had in het openbaar afstand te bewaren en alsjeblieft niet te vloeken waar zijn familie bij was.

Fleur vroeg zich weer verbitterd af hoe ze zo stom had kunnen zijn. Hoe ze die gemelijke onzekerheid voor onbeholpen charme had kunnen aanzien. Hoe ze hem haar lichaam had kunnen laten binnendringen en een stukje van zijn tweederangs zelf in haar laten planten. Ze had hem één keer in haar leven toegelaten – nooit meer. Een man als Hal Winters kon niet erkend worden als onderdeel van haar bestaan. Kon nooit toestemming krijgen om een deel van haar leven te claimen. En als dat betekende dat ze Johnny zou kwijtraken, dan moest dat maar.

Fleur hief resoluut haar kin. Ze zette snel de hoed met de voile af en verving hem door een andere. Een zwarte clochehoed, een mooie, serieuze hoed. Ze zou wel een herdenkingsdienst vinden waar ze hem volgende week kon dragen. Dus Johnny wilde haar niet meer voorzien van geschikte begrafenissen. Nou, én? Ze had Johnny niet nodig. Ze kon heel goed haar eigen boontjes doppen. Op de kaptafel lagen drie krantenknipsels. Drie herdenkingsdiensten in Londen. Drie kansen op een nieuw begin. En ditmaal zou ze geen weken blijven rondhangen en haar leven verdoen. Ze zou meteen toeslaan. Als Richard Favour geen rijke vrouw van haar ging maken, dan deed iemand anders het wel.

Ze beet op haar lip en pakte snel een andere hoed, een andere afleiding. Deze was van zwarte zijde en bestrooid met piepkleine viooltjes. Een heel mooie hoed, vond Fleur terwijl ze haar spiegelbeeld bewonderde. Bijna te mooi voor een begrafenis, bijna een hoed voor een bruiloft.

Terwijl ze haar hoofd alle kanten op draaide, hoorde ze een klop op de deur.

'Hallo?'

'Fleur! Mag ik binnenkomen?' Het was Richard. Hij klonk opgewonden.

'Natuurlijk!' riep ze terug. 'Kom erin!'

De deur ging met een zwaai open en Richard stapte binnen.

'Ik snap niet waar ik het vanochtend vandaan haalde,' zei hij gehaast. 'Natuurlijk mag jij een Gold Card. Je mag verdorie hebben wat je maar wilt! Mijn allerliefste Fleur...' Het was ineens net alsof hij haar voor het eerst zag en hij brak zijn zin af. 'Die...die hoed,' stamelde hij.

'Vergeet die hoed!' Fleur rukte hem van haar hoofd en smeet hem op de vloer. 'Richard, je bent een schat!' Ze keek op met een stralende glimlach. Hij bleef doodstil staan en staarde naar haar alsof hij haar nog nooit eerder had gezien.

'Richard?' vroeg ze. 'Is er iets?'

Hij had niet echt verwacht haar in haar slaapkamer aan te treffen. Hij was van plan geweest om te zien hoe de jongelui vorderden met de afhaalbestelling, daarna de fitnessclub te bellen en te vragen of Fleur daar was. Maar toen hij langs haar deur liep, kwam het ineens in zijn piekerende hoofd op dat hij net zo goed kon aankloppen, want je wist maar nooit. Hij had het een beetje halfslachtig gedaan, met zijn gedachten ergens anders, ongemakkelijk om dat nieuwe, onverwerkte feit omtrent Emily heen draaiend.

Emily was onaardig tegen Gillian geweest. Hij vond het pijnlijk om de gedachte in zijn hoofd te vormen. Zijn eigen lieve, timide Emily, onaardig tegen haar eigen zus. Het was een verbijsterende beschuldiging, een beschuldiging die hij maar moeilijk kon geloven. Maar niet – en dit zat hem het meest dwars – niet onmogelijk. Want terwijl Gillian het hem nog maar aan het vertellen was, was er te midden van de onmiddellijke tegenwerpingen en kreten van ontkenning in zijn hoofd, een heel klein nuchter stukje van hem geweest dat niet verbaasd was, dat het misschien altijd geweten had.

Toen hij de keuken uit liep, voelde hij een steek in zijn borst en een hernieuwd verdriet om Emily – de Emily van wie hij gehouden had. Een lief, afstandelijk wezen met verborgen eigenschappen. Eigenschappen die hij zo dolgraag had willen ontmaskeren. Was onaardigheid een van die eigenschappen? Je wilde het weten, hield hij zichzelf verbitterd voor terwijl hij de trap op liep. En nu weet je het. Al die tijd was er achter dat zachtaardige uiterlijk een stiekeme onaardigheid schuilgegaan, waaronder Gillian zwijgend, zonder te klagen, geleden had. Hij kon de gedachte bijna niet verdragen.

En ineens had hij bovenal Fleur willen zien. Die warme, liefhebbende Fleur die geen onaardig botje in haar lichaam had. Fleur die Gillian gelukkig maakte en hem gelukkig maakte en iedereen gelukkig maakte. Toen hij haar onverwacht antwoord hoorde geven nadat hij had aangeklopt, was er een gevoel van liefde in hem opgestegen waar hij bijna om moest huilen, een allesomvattende emotie die hem de kamer binnen dreef en woorden over zijn lippen duwde.

En toen zag hij haar voor de kaptafel zitten met een hoed op. Net zo'n hoed als Emily op hun trouwdag had gedragen, een hoed net als degene die ze losgemaakt had op het moment dat hij de kille, stalen deuren ontdekte die voor altijd tussen hen in zouden staan. Ergens had hij verwacht dat Fleur hetzelfde zou doen als Emily toen gedaan had. Haar hoed afzetten, hem zorgvuldig naast zich leggen, dwars door hem heen kijken en vragen: 'Hoe laat gaan we eten?'

Maar in plaats daarvan had ze hem met een zwaai neergegooid alsof ze alles verachtte dat tussen hen in kon staan. Zij tweeën. Fleur en hij. Nu stak ze haar armen naar hem uit. Warm en open en liefdevol.

'Fleur, ik hou van je,' hoorde hij zichzelf zeggen. 'Ik hou van je.' Er viel een traan uit zijn oog. 'Ik hou van je.'

'En ik van jou.' Ze sloeg uitbundig haar armen om hem heen. 'Lieve, lieve man.'

Richard begroef zijn gezicht in Fleurs blanke hals en voelde ineens de tranen uit zijn ogen stromen. Tranen die treurden om het verlies van zijn perfecte Emily, om de ontdekking van haar feilbaarheid die het eind van zijn onschuld betekende. Zijn mond was nat en smaakte naar zout toen hij hem ten slotte naar die van Fleur hief. Hij trok haar naar zich toe omdat hij ineens haar warme huid tegen de zijne wilde voelen, omdat hij alle barrières tussen hen wilde wegnemen.

'Waarom heb ik gewacht?' mompelde hij terwijl hij zijn handen koortsachtig over het lichaam liet gaan dat ze hem al wekenlang aanbood. 'Waarom heb ik in 's hemelsnaam gewacht?'

Zich uit zijn kleren worstelen, haar blote huid gedeeltelijk tegen de zijne voelen was een kwelling. Toen ze haar handen licht over zijn rug liet dwalen, begon hij vol gretige verwachting te trillen, bijna bang dat nu hij zich over de rand gestort had, hij de andere kant nooit zou halen.

'Kom hier.' Haar stem klonk diep en melodieus in zijn oren, haar vingers waren warm en zelfverzekerd op zijn lichaam. Hij was niet in staat om iets terug te doen, niet in staat om iets anders te doen dan te rillen van genot. En toen nam ze hem langzaam in haar mond, en hij voelde een ongelooflijke extase die hij met geen mogelijkheid onder controle kon krijgen, die hij met geen mogelijkheid kon begrenzen, die hem deed kreunen en kreten liet slaken tot hij ontladen en uitgeput in haar armen viel.

'Ik...'

'Sst.' Ze legde haar vinger op zijn lippen, en hij zweeg. Hij lag tegen haar aan en luisterde naar haar hartslag. Hij voelde zich weer een kind, naakt en kwetsbaar en berustend.

'Ik zal je alles geven,' fluisterde hij ten slotte. 'Alles wat je maar wilt.'

'Het enige wat ik wil, is jou,' zei Fleur zachtjes. Hij voelde hoe haar vingers zich met zijn haar vervlochten. 'En ik heb jou, hè?'

11

Een paar dagen later bracht de post een pakketje voor Fleur. Er zat een glimmend gouden kaart van American Express in.

'Cool!' zei Antony toen ze het aan de ontbijttafel openmaakte. 'Een Gold Card. Pa, waarom krijg ik er niet een? Sommige jongens op school hebben er ook een.'

'Dan zijn hun ouders niet alleen heel dom, maar ook heel rijk,' zei Richard grinnikend. 'Goed, wie heeft er een pen? Je moet er meteen maar je handtekening op zetten, Fleur. Het zou heel vervelend zijn als hij in verkeerde handen kwam.'

'Ik zal heel voorzichtig zijn,' zei Fleur terwijl ze naar hem glimlachte. Ze kneep in zijn hand. 'Het is heel lief van je, Richard. Nu zal ik iets echt supermooois voor Zara kunnen kopen.'

'Zara?' Antony keek op.

'Zara is van de week jarig,' zei Richard.

'Jarig?' echode Antony.

'Woensdag. Ja toch, Fleur?'

'Ja,' zei ze terwijl ze zwierig haar handtekening op de Gold Card zette. 'Ik ga vanochtend naar Guildford.'

'Zou ze het leuk vinden als ik een taart bak, denk je?' vroeg Gillian.

'Dat weet ik wel zeker,' zei Fleur en glimlachte naar Gillian.

'Hoe oud wordt ze?' vroeg Antony.

'Veertien,' zei Fleur na een korte aarzeling.

'O, oké,' zei Antony met een lichte frons, 'ik dacht dat het nog een tijdje zou duren voor ze veertien werd.'

'Nu al liegen over haar leeftijd!' zei Fleur. 'Antony, je moet je gevleid voelen!'

Antony bloosde licht en keek naar zijn bord.

'Enne...' zei Gillian aarzelend. Ze keek even naar Richard en vervolgde toen: 'En Zara's vader? Wil hij misschien... langskomen?' Ze bloosde. 'Misschien had ik het niet moeten zeggen. Ik dacht alleen, als het haar verjaardag is...'

'Gillian, dat is heel vriendelijk van je,' zei Fleur. Ze nam een slokje koffie. 'Helaas is Zara's vader dood.'

'Dood?' Antony keek met een ruk op. 'Maar ik dacht... Ik dacht dat Zara's vader in Amerika woonde. Ze vertelde me...'

Fleur schudde verdrietig haar hoofd.

'Het kost Zara veel moeite om de dood van haar vader te verwerken,' zei ze en ze nam nog een slokje koffie. 'In haar gedachten leeft hij nog. Ze heeft veel verschillende fantasieën over hem. De huidige is dat hij ergens in Amerika woont.' Ze zuchtte. 'Er is me verteld dat het het beste is om maar gewoon met haar mee te doen.'

'Maar...'

'Ik verwijt het mezelf,' zei Fleur. 'Ik had er meer met haar over moeten praten. Maar het was voor mij ook een pijnlijke tijd.'

Ze zweeg en keek Antony met grote, meelijwekkende ogen aan. Richard pakte haar hand en kneep erin.

'Dat wist ik niet,' zei Antony zwakjes. 'Ik dacht...'

'Ze komt eraan,' zei Gillian snel. 'Hallo Zara,' riep ze vrolijk toen Zara de oranjerie binnenkwam. 'We hadden het net over je verjaardag.'

'Mijn verjaardag?' echode Zara, die in de deuropening stil bleef staan. Haar behoedzame blik dwaalde over het tafereel en viel op de Gold Card die naast de envelop op de tafel lag te blinken. Ze keek op naar Fleur en toen weer naar de Gold Card. 'O ja,' zei ze. 'Mijn verjaardag.'

'We willen er woensdag een heel bijzondere dag van maken voor je, schat,' zei Fleur. 'Met een taart en kaarsjes en...' Ze spreidde vaag haar handen.

'Feestknallers,' zei Zara toonloos.

'Feestknallers! Wat een goed idee!'

'Ja,' zei Zara.

'Nou, dat is dan afgesproken,' zei Richard. 'Nu moet ik even wat gaan bellen.' Hij stond op.

'Als je een lift naar Guildford wilt,' zei Gillian tegen Fleur, 'ik wilde er ook eens even heen gaan.'

'O fijn,' zei Fleur.

'En wat gaan jullie jongelui doen?' vroeg Richard aan Antony.

'Ik weet het niet,' zei Antony. Zara haalde haar schouders op en wendde haar gezicht af.

'Nou,' zei Richard bemoedigend. 'Jullie zullen vast wel iets leuks bedenken.'

Terwijl Zara zat te ontbijten, hield ze haar ogen neergeslagen en meed Antony's blik. Woede en teleurstelling brandden in haar borst – ze wist dat ze elk moment in tranen kon uitbarsten. Fleur had een Gold Card bemachtigd en dat betekende dat ze weer verder zouden trekken. Zodra Fleur alles opgeruimd had, zouden ze weg zijn.

Het was net zoiets als een bal laten stuiteren, had Fleur haar een paar jaar ervoor uitgelegd terwijl ze in een of ander vliegveldrestaurant op hun vlucht zaten te wachten.

'Je neemt wat geld met de Gold Card op en de volgende dag stort je het weer terug. Dan neem je weer wat geld op en je stort het weer terug. En je blijft maar doorgaan, alsmaar hoger stuiterend tot je het hoogste punt bereikt hebt – en dan neem je al het geld op en verdwijn je!' Ze had gelachen en Zara had met haar mee gelachen.

'Waarom neem je het niet allemaal meteen in het begin op?' had ze gevraagd.

'Dat valt te veel op, schat,' had Fleur gezegd. 'Je moet er langzaam naartoe werken, zodat het niemand opvalt.'

'En hoe weet je wanneer je het hoogste punt bereikt hebt?'

'Dat weet je niet. Je probeert zoveel mogelijk uit te vinden voor je begint. Is hij rijk? Is hij arm? Hoeveel kan hij zich permitteren kwijt te raken? Maar het blijft gissen. En dat is onderdeel van het spelletje. Tweeduizend? Tienduizend? Vijftigduizend? Wie weet waar de grens ligt?'

Fleur had opnieuw gelachen en Zara had meegedaan. Indertijd had het wel leuk geleken. Een leuk spelletje. Maar nu werd Zara misselijk van het hele idee.

'Heb je zin om te zwemmen?' onderbrak Antony haar gedachten.

'O.' Met een enorme inspanning hief Zara haar hoofd om Antony aan te kijken. Hij keek naar haar met een eigenaardige uitdrukking op zijn gezicht, bijna alsof hij haar gedachten kon lezen. Bijna alsof hij in de gaten had wat er gaande was.

Zara raakte even in paniek en haar gezicht werd waakzaam. In al die jaren van de schijn ophouden had ze zich nog nooit versproken. Ze mocht niet slordig worden. Als ze Antony de waarheid zou vertellen, zou Fleur haar dat nooit vergeven. Fleur zou het haar nooit vergeven en dan zou ze nooit haar vader leren kennen.

'Ja,' zei ze schouderophalend terwijl ze zichzelf dwong om nonchalant te klinken, 'waarom niet?'

'Oké.' Hij bleef haar vreemd aankijken. 'Dan ga ik mijn spullen halen.'

'Oké,' zei ze. En ze sloeg haar ogen neer naar haar bord cornflakes en keek pas weer op toen hij weg was.

Oliver Sterndale was op kantoor, liet de receptioniste Richard door de telefoon weten, maar hij stond op het punt om op vakantie te gaan.

'Dit duurt niet lang,' zei Richard monter. Terwijl hij wachtte tot hij de stem van Oliver hoorde, liet hij zijn blik door zijn saaie, ordelijke werkkamer gaan en vroeg zich af waarom hij er nooit aan gedacht had hem opnieuw te laten inrichten. De muren waren gewoon wit, dat niet onderbroken werd door prints of schilderijen, en op de grond lag leigrijs tapijt. Er bevond zich in het hele vertrek geen enkel voorwerp dat mooi kon worden genoemd.

Dingen als de kleur van muren hadden er voor hem nooit echt toe gedaan. Maar nu keek hij naar de wereld door Fleurs ogen. Nu zag hij mogelijkheden waar hij eerder alleen feiten had gezien. Hij zou niet langer in dit saaie vertrek gaan zitten. Hij zou Fleur vragen zijn werkkamer opnieuw voor hem in te richten.

'Richard!' Hij schrok van Olivers stem. 'Ik sta net op het punt om weg te gaan.'

'Dat weet ik. Op vakantie. Dit duurt niet lang, hoor. Ik wilde je alleen maar laten weten dat ik een beslissing heb genomen over het beheerde vermogen voor de kinderen.'

'O ja?'

'Ja, ik wil het doorzetten.'

'Juist. En mag ik vragen waarom?'

'Ik heb me gerealiseerd dat ik écht wil dat Philippa en Antony financieel onafhankelijk zijn,' zei Richard. 'Zonder verplichtingen tegenover wie dan ook, zelfs niet...' Hij zweeg even en beet op zijn lip. 'Zelfs niet tegenover een lid van hun eigen familie. Maar ik wil ze vooral het gevoel geven dat ze de controle over hun eigen leven hebben.' Hij fronste zijn voorhoofd. 'Ik wil ook... een hoofdstuk in mijn leven afsluiten. Met een schone lei beginnen.'

'Met een schone lei beginnen betekent meestal geld uitgeven,' zei Oliver.

'Ik heb geld,' zei Richard ongeduldig. 'Een hoop geld. Oliver, we hebben het hier al over gehad.'

'Oké. Nou ja, het is jouw beslissing. Maar ik kan er een week lang niets aan doen.'

'Het heeft geen haast. Ik wilde het je alleen maar laten weten. Ik wil je niet langer ophouden. Een fijne vakantie. Waar ga je heen?'

'Naar de Provence. Vrienden van ons hebben daar een huis.'

'O, heerlijk,' zei Richard automatisch. 'Prachtig landschap in dat deel van de...'

'Ja, ja,' viel Oliver hem ongeduldig in de rede. 'Zeg, Richard.'

'Ja?'

'Luister eens. Dat met een schone lei beginnen van jou. Hoort daar ook trouwen met je vriendin Fleur bij?'

'Dat hoop ik van harte,' zei Richard terwijl hij naar de telefoon glimlachte.

Oliver zuchtte.

'Richard, kijk alsjeblieft uit...'

'Oliver, niet weer...'

'Denk nu eens even na over de consequenties van een huwelijk. Ik heb bijvoorbeeld begrepen dat Fleur een schoolgaande dochter heeft.'

'Zara.'

'Zara. Juist. Heeft haar moeder wel het geld om Zara te onderhouden? Of is dat een rol die jij geacht wordt op je schouders te nemen?'

'Fleur heeft het geld om haar naar de Heathland Meisjesschool te sturen,' zei Richard droog. 'Is dat voldoende geld om haar te onderhouden wat jou betreft?'

'Nou goed – maar weet je zeker dat ze het schoolgeld zelf betaalt? Weet je zeker dat het niet afkomstig is uit een of andere bron van inkomsten die stopt als ze hertrouwt?'

'Nee, dat weet ik niet zeker,' zei Richard geprikkeld. 'Ik heb nog niet de brutaliteit gehad ernaar te vragen.'

'Nou, als ik jou was, zou ik dat wel doen. Gewoon om een idee te krijgen.'

'Oliver, je doet bespottelijk! Wat maakt het uit? Je weet heel goed dat ik het me zou kunnen veroorloven om een heel weeshuis naar een dure kostschool te sturen als ik dat wilde. Met of zonder het potje voor de kinderen.'

'Het gaat om het principe,' zei Oliver, op zijn beurt geërgerd. 'Eerst gaat het om schoolgeld, dan zijn het onderneminkjes die failliet gaan en voor je het weet...'

'Oliver!'

'Ik probeer alleen maar je belangen veilig te stellen, Richard. Trouwen is een bijzonder serieuze aangelegenheid.'

'Heb jij Helen al die vragen gesteld voor je haar ten huwelijk vroeg?' wierp Richard tegen. 'Dan boft ze maar.'
Oliver moest lachen.
'*Touché*. Zeg, Richard, ik moet nu echt gaan. Maar we hebben het erover zodra ik terug ben.'
'Veel plezier.'
'*Au revoir, mon ami*. En denk aan wat ik gezegd heb.'

Zara en Antony liepen zwijgend voort met hun zwemspullen over hun schouder. Zara keek recht voor zich uit en Antony had een bedremmelde uitdrukking op zijn gezicht. Na een tijdje barstte hij uit:
'Waarom heb je me niet verteld dat je volgende week jarig bent?'
'Ik hoef je niet alles te vertellen.'
'Wilde je niet dat ik zou weten hoe oud je bent?' Hij riskeerde een glimlachje.
'Ik ben dertien,' zei Zara op vlakke toon. 'Ik word veertien.'
'Aanstaande woensdag word je veertien,' verbeterde Antony haar.
'Het zal wel.'
'Wat wil je graag hebben?'
'Niks.'
'Kom op, zeg. Er moet toch wel iets zijn?'
'Nee.'
Antony zuchtte.
'Zara, de meeste mensen verheugen zich op hun verjaardag.'
'Nou, ik niet.' Er volgde een korte stilte.
Antony gluurde naar Zara's gezicht om er een of andere reactie van af te lezen. Die was er niet. Hij had het gevoel alsof hij met een katapult terug naar het begin was geschoten en dat hij Zara totaal niet kende.
Toen kwam het bij hem op dat dat zwijgen misschien wel te maken had met haar vader en... dat soort dingen. Hij slikte en voelde zich ineens volwassen en begripvol.

'Als je ooit over je pa wilt praten,' zei hij, 'dan ben ik er.' Hij zweeg en voelde zich onnozel. Natuurlijk was hij er – waar zou hij anders kunnen zijn? 'Dan ben ik er voor je,' verbeterde hij zichzelf.

'Wat valt er te praten?'

'Nou, je weet wel...'

'Nee. Dat is het probleem. Ik weet niks van hem.'

Antony zuchtte.

'Zara, je moet de waarheid onder ogen zien.'

'Wat voor waarheid? Denk je dat ik hem niet zal vinden?'

'Zara...' Ze draaide haar hoofd een kwartslag en keek hem eindelijk aan.

'Wat is er? Waarom kijk je zo naar me?'

'Je moeder heeft het ons verteld.'

'Heeft jullie wat verteld?'

'Dat je vader dood is.'

'Wát?' Haar schrille kreet steeg hoog in het bos op en een kraai klapwiekte luidruchtig een boom uit. Antony keek haar geschrokken aan. Haar gezicht zag wit, haar neusvleugels trilden en haar kin was vooruitgestoken. 'Fleur heeft wát gezegd?'

'Ze heeft ons alleen over je vader verteld. Zara, ik vind het heel erg. Ik weet hoe het is om...'

'Hij is niet dood!'

'O, God. Sorry, ik had niets moeten zeggen.'

'Hij is niet dood, goed?'

Tot Antony's ontsteltenis rolde er een traan over Zara's wang.

'Zara! Ik wilde niet...'

'Dat weet ik.' Ze hield haar ogen neergeslagen. 'Luister, het is jouw schuld niet. Dit is gewoon iets... waar ik uit moet komen.'

'O,' zei Antony onzeker. Hij voelde zich niet meer volwassen en begripvol. Integendeel, hij had het gevoel dat hij er een zooitje van gemaakt had.

Fleur kwam bedolven onder de cadeaus terug uit Guildford, niet alleen voor Zara, maar ook voor Richard, Antony en Gillian.

'Zara moet tot woensdag wachten,' zei ze opgewekt tegen Richard terwijl ze een zwierige zijden stropdas tevoorschijn haalde. 'Maar jij hoeft dat niet. Doe hem eens om! Eens kijken hoe hij staat. Ik heb vrij veel uitgegeven,' voegde ze eraan toe terwijl Richard de stropdas omdeed. 'Ik hoop dat je kaart het aankan. Sommige creditcardmaatschappijen worden een beetje huiverig als je meer dan vijftig pond uitgeeft.'

'Daar zou ik me maar geen zorgen over maken,' zei Richard terwijl hij de das knoopte. 'Mooi, hoor, Fleur! Dank je.' Hij wierp een blik op de plastic tassen die door de hele hal lagen. 'Dus je bent geslaagd, neem ik aan?'

'Fantastisch,' zei Fleur stralend. 'Ik heb ook een cadeau voor de hele familie.' Ze wees naar een van de pakjes die de taxichauffeur naar binnen gebracht had. 'Het is een camcorder.'

'Fleur! Wat buitengewoon gul van je!'

'Daarom vroeg ik om die creditcard,' zei Fleur guitig. 'Hij was nogal duur.'

'Dat zal vast wel,' zei Richard. 'Allemachtig...'

'Maar maak je geen zorgen. Ik heb mijn bank op de Kaaimaneilanden al gevraagd om geld naar je rekening over te maken. Dat kunnen ze blijkbaar wel van het ene moment op het andere, al schijnt het toesturen van een chequeboek hun mogelijkheden te boven te gaan.' Fleur sloeg haar ogen ten hemel en grinnikte toen. 'Wat zullen we hier een lol mee kunnen hebben, hè? Ik heb nog nooit iets met een camcorder gedaan.' Ze begon aan de verpakking te scheuren.

'Ik ook niet,' antwoordde Richard die toekeek. 'Ik heb geen flauw idee hoe je ermee om moet gaan.'

'Dat weet Antony vast wel. Of Zara.'

'Ja, misschien wel.' Richard fronste een beetje. 'Fleur, we hebben het nooit over geld gehad, hè?'

'Nee,' zei Fleur. 'Inderdaad. En nu moet ik er ineens aan denken...' Ze keek naar hem op. 'Zou je het heel erg vinden als ik een betaling doe op jouw Gold Card? Ik verwacht wat geld en geloof het of niet, maar het zou op dit moment het beste uitkomen als het op die rekening stond.' Ze rolde met haar ogen en scheurde nog wat aan de verpakking van de camcorder.

'O,' zei Richard. 'Nee, natuurlijk zou ik het niet erg vinden. Om hoeveel gaat het?'

'Niet zo heel veel,' zei Fleur nonchalant. 'Zo'n twintigduizend pond. Ik weet niet of jouw rekening aan dat soort transacties gewend is.'

'Nou, niet dagelijks,' zei Richard, die begon te lachen. 'Maar hij kan het wel aan, denk ik. Weet je zeker dat je geen meer voor de hand liggende plek voor het geld hebt?'

'Het is maar voor even,' zei Fleur. 'Terwijl ik mijn algemene bankzaken op orde maak. Je vindt het toch niet erg, hè?' Ze gaf een laatste rukje en tilde de camera uit zijn doos. 'O, mijn god, kijk eens naar al die knopjes! Ze zeiden dat hij gebruiksvriendelijk was!'

'Misschien is het gemakkelijker dan het lijkt. Waar is de handleiding?'

'Die moet hier ergens zitten. Het punt is,' voegde ze eraan toe terwijl ze de doos doorzocht, 'dat dit geld nogal onverwacht vrijkomt. Uit een beheerd fonds. Je weet hoe die familiefondsen in elkaar zitten.'

'Ik begin erachter te komen,' zei Richard.

'En ik heb nog niet besloten waar ik het voor zal gebruiken. Ik zou een heleboel schoolgeld voor Zara's school vooruit kunnen betalen en in dat geval wil ik het ergens hebben waar ik er meteen bij kan. Of ik zou iets anders kunnen doen. Misschien investeren. Daar hebben we 'm! Gebruiksaanwijzing.' Ze staarden allebei naar de dikke, glanzende pocket. 'En dit is het supplement voor een upgrade,' voegde Fleur eraan toe terwijl ze nog een boekwerk pakte. Ze begon te giechelen.

'Ik dacht eigenlijk meer aan een foldertje,' zei Richard. 'Een dun foldertje.' Hij pakte de handleiding en bladerde er een paar keer doorheen. 'Dus jij betaalt Zara's schoolgeld zelf?'

'Ja, natuurlijk,' zei Fleur. 'Wie dacht je anders?'

'Ik dacht dat de familie van Zara's vader misschien aangeboden had...'

'Nee,' zei Fleur. 'We gaan eigenlijk niet met elkaar om.'

'O jee. Dat wist ik niet.'

'Maar ik heb wat eigen geld. Genoeg voor Zara en mij.'

Ze keek hem met heldere ogen aan, en Richard had plotseling het gevoel dat hij wel zeer persoonlijk terrein betrad. Wat voor recht had hij om haar te ondervragen over geldzaken terwijl hij haar nog niet eens ten huwelijk gevraagd had? Wat zou ze niet van hem denken?

'Vergeef me mijn nieuwsgierigheid,' zei hij haastig. 'Het gaat me niets aan.'

'Kijk!' Fleur keek hem stralend aan. 'Ik geloof dat ik de zoomfunctie gevonden heb!'

Antony en Zara kwam van het zwemmen terug en troffen Fleur en Richard in de hal aan, waar ze nog de instructies aan het lezen waren.

'Gaaf, zeg,' zei Antony meteen. 'We hebben er op school ook zo een. Zal ik eens even?' Hij pakte de camcorder, deed een paar stappen achteruit en richtte hem op de anderen. 'Kijk eens naar het vogeltje. Lachen, pap! Lachen, Zara!'

'Ik heb geen zin om te lachen,' zei ze en ze liep stampend de trap op.

'Ik geloof dat ze een beetje uit haar doen is,' zei Antony verontschuldigend tegen Fleur, 'over haar vader.'

'Juist,' zei Fleur. 'Misschien kan ik beter eens even met haar gaan praten.'

'Oké,' zei Antony, die alweer op de display keek. 'Pa, je moet een beetje natúúrlijk kijken.'

Zara zat in haar kamer met haar armen om haar knieën geslagen op het bed.

'Dus mijn vader is dood, hè?' zei ze zodra Fleur de kamer binnenkwam. 'Fleur, wat ben je toch een trut.'

'Ik wil niet dat je zo tegen me praat!'

'Want anders?'

Fleur keek haar een ogenblik aan. Toen schonk ze Zara onverwacht een meelevende glimlach.

'Ik weet dat het op het moment moeilijk voor je is, schat. Het is volkomen normaal op jouw leeftijd om uit je humeur te zijn.'

'Ik ben niet uit mijn humeur! En ik ben woensdag verdomme helemaal niet jarig.'

'Maar daar ga je toch zeker niet over klagen? Extra cadeautjes, een feestje... En het is ook niet zo dat je dit voor het eerst meemaakt.' Fleur tuurde naar haar spiegelbeeld en wreef met haar duim een wenkbrauw glad. 'Je klaagde ook niet toen je voor de tweede keer tien werd.'

'Dat kwam omdat ik tien was,' zei Zara. 'Ik was jong. Ik was stom. Ik vond het niet belangrijk.'

'Dat is het ook niet.'

'Dat is het wél! Ik wil een gewone verjaardag net als ieder ander.'

'Tja, we willen allemaal wel iets wat we niet kunnen krijgen, vrees ik.'

'En wat wil jij?' Zara's stem klonk droog en vijandig. Ze keek Fleur in de spiegel aan. 'Wat wil jij, Fleur? Een groot huis? Een grote auto?'

'Schat...'

'Want wat ik wil, is dat we hier blijven. Bij Richard en Gillian en Antony. Ik wil blijven.' Haar stem sloeg een beetje over. 'Waarom kunnen we niet blijven?'

'Het is allemaal heel ingewikkeld, lieveling.' Fleur haalde een lippenstift tevoorschijn die ze zorgvuldig begon op te brengen.

'Nee, niet waar! We zouden hier kunnen blijven als je wilde! Richard houdt van je. Dat weet ik. Jullie zouden kunnen trouwen.'

'Je bent toch nog zo'n kind.' Fleur legde de lippenstift neer en glimlachte vol genegenheid naar Zara. 'Ik weet dat je altijd bruidsmeisje hebt willen zijn. Wanneer hebben we die schattige roze jurk voor je gekocht?'

'Toen ik negen was! Jezus!' Zara sprong gefrustreerd overeind.

'Schat, stil een beetje.'

'Begrijp je het nou niet?' Ineens rolden er twee dikke tranen over Zara's wangen, en ze veegde ze ongeduldig weg. 'Nu wil ik gewoon... ik wil gewoon een huis om in te wonen. Je weet wel, als mensen vragen: "Waar woon je?" moet ik altijd zeggen: "Soms in Londen, soms ergens anders."'

'Wat is daar mis mee? Het klinkt heel glamourachtig.'

'Niemand woont "ergens anders". Ze hebben allemaal een thuis!'

'Lieveling, ik weet dat het niet meevalt voor je.'

'Het valt niet mee omdat jij het zo moeilijk maakt!' riep Zara uit. 'Als je wilde, zouden we gewoon ergens kunnen blijven. We zouden een thuis kunnen hebben.'

'Dat krijgen we op een dag ook, schat. Dat beloof ik. Zodra we lekker in de slappe was zitten, gaan we ergens vast wonen, gewoon met zijn tweetjes.'

'Nee, niet waar,' zei Zara verbitterd. 'Je hebt gezegd dat we ons eigen huis zouden hebben tegen de tijd dat ik tien was. En kijk eens, nu ben ik dertien – oeps, sorry, veertien. En we wonen nog steeds bij iemand met wie jij toevallig neukt.'

'Zo is het genoeg geweest!' siste Fleur kwaad. 'Nu moet je eens even goed naar me luisteren! Nog afgezien van je afschuwelijke taalgebruik dat we nu maar even zullen laten voor wat het is, mag ik je erop wijzen dat je nog maar een heel jong meisje bent dat niet weet wat het beste voor haar is? Dat ik je moeder ben? Dat het leven voor mij ook niet gemakkelijk is geweest? En dat je wat mij betreft een heerlijk leven hebt gehad, vol mogelijkheden en opwindende dingen waar andere meisjes van jouw leeftijd een moord voor zouden doen?'

'Sodemieter op met je mogelijkheden!' riep Zara uit. Er begonnen nog meer tranen over haar wangen te stromen. 'Ik wil hier blijven. En ik wil niet dat je tegen mensen zegt dat mijn vader dood is!'

'Dat was ongelukkig,' zei Fleur met een lichte frons. 'Dat spijt me.'

'Maar de rest niet,' schokschouderde Zara. 'Van de rest heb je geen spijt.'

'Schat.' Fleur liep naar haar toe en veegde teder de tranen van Zara's gezicht. 'Kom op, kleintje! Zullen we morgen met zijn tweetjes gaan lunchen? En naar de nagelstudio gaan? Gewoon met zijn tweetjes. Dat is leuk.'

Zara haalde zwijgend en snikkend haar schouders op. De tranen stroomden nu over haar wangen in haar hals en maakten vlekken op haar T-shirt.

'Ik kan me niet voorstellen dat je een heuse tiener bent,' zei Fleur liefdevol. 'Soms zie je eruit alsof je nog maar tien bent.' Ze trok Zara naar zich toe en gaf haar een kus op haar hoofd. 'Maak je geen zorgen, liefje. Het komt allemaal goed. We zullen iets van ons leven maken.' Er liep een nieuwe tranenvloed over Zara's gezicht en het kostte haar moeite om iets te zeggen.

'Je bent moe,' zei Fleur. 'Je hebt je vast veel te druk gemaakt. Ik denk dat ik je maar het beste met rust kan laten. Ga lekker in bad, dan zie ik je straks wel beneden.' Ze nam liefdevol een van Zara's lange blonde lokken tussen haar vingers, hield hem tegen het licht en liet hem vallen. Toen, zonder Zara nog een blik waardig te keuren, pakte ze haar lippenstift, wierp even een blik op haar spiegelbeeld en liep de kamer uit.

12

Philippa begon zich zorgen te maken om Lambert. De afgelopen paar weken had hij voortdurend lopen mopperen, zich voortdurend aan haar geërgerd. En nu verslechterde zijn stemming van chagrijnig tot snauwerig en kwaad. Niets wat ze zei, deugde, en ze kon niets goed doen.

Het was allemaal begonnen met het fiasco met Briggs & Co. De dag van het golfpartijtje was al erg genoeg geweest. Maar toen zijn vriend in de pers ontmaskerd werd als een schurk, was Lambert in een enorme woede ontstoken die voornamelijk tegen Philippa gericht leek. Philippa had het vermoeden dat haar vader op het werk een hartig woordje met Lambert gewisseld had, wat de feestvreugde bepaald niet verhoogd had. Nu begroette hij elke ochtend met een diepongelukkige somberte en kwam elke avond fronsend thuis en snauwde tegen haar als ze hem probeerde op te monteren.

In eerste instantie had ze het helemaal niet erg gevonden. Ze had de gelegenheid om haar Echtgenoot in Moeilijke Tijden Bij te Staan bijna verwelkomd. 'In voor- en tegenspoed, in rijkdom en armoede' had ze verscheidene keren per dag bij zichzelf gemompeld. 'Om lief te hebben en te koesteren.' Al leek Lambert haar niet bepaald te willen liefhebben of koesteren. Hij leek haar überhaupt niet om zich heen te willen hebben.

Ze had tijdschriftartikelen geraadpleegd over het onderwerp relaties, en boeken in de bibliotheek doorgebladerd, waarna ze geprobeerd had enkele suggesties uit te voeren. Ze had nieuwe recepten uitgeprobeerd voor het avondeten, ze had geprobeerd voor te stellen om samen een nieuwe hobby te nemen, ze had geprobeerd hem serieus te vragen of hij erover wilde praten, ze had getracht hem te verleiden tot seks. En op elk van haar pogingen had hij met een frons van misnoegen gereageerd.

Er was niemand met wie ze erover kon praten. De meiden op het werk spraken openlijk genoeg over hun echtgenoten en vrienden, maar Philippa had zich er altijd verre van gehouden. In de eerste plaats had ze van nature een soort terughoudendheid die haar ervan weerhield om bij het koffieapparaat over bedgeheimen te praten. En verder – en als ze eerlijk was, was dit de ware reden – leek Lambert zo anders dan de echtgenoten van alle anderen dat ze het te gênant vond om de anderen de waarheid te vertellen. Ze leken allemaal getrouwd met vrolijke snuiters die van voetbal, de pub en seks hielden, die op kantoorfeestjes verschenen en, ook al kenden ze de anderen helemaal niet, toch onmiddellijk een gemeenschappelijke, vrolijke mannengrondslag vonden. Maar zo was Lambert niet. Hij volgde het voetbal niet, hij ging ook niet naar de pub. Soms had hij zin in seks, maar soms leek hij er bijna van te walgen. En op kantoorfeestjes zat hij altijd apart van alle anderen, rookte sigaren en keek verveeld. Na afloop, in de auto, deed hij spottend de accenten na van iedereen met wie ze werkte, en dan liet Philippa triest het idee varen om een paar leuke stelletjes voor een etentje thuis uit te nodigen.

Ze waren sinds de dag van het golfdebacle niet meer teruggeweest op The Maples. Elke keer dat ze het voorstelde, trok Lambert een gezicht en zei dat hij geen tijd had. En hoewel ze alleen naar huis had kunnen gaan, wilde ze dat niet. Ze wilde niet dat iemand zou gissen dat er iets niet goed zat. En dus zat ze elke avond met Lambert thuis tv te kijken en romannetjes te lezen. In de weekends, wanneer alle andere stellen plannen hadden, deden Lambert en zij niets. Ze stonden op en Lambert ging naar zijn werkkamer om de krant te lezen en dan was het tijd voor de lunch en dan ging Philippa wel eens winkelen. En elke dag voelde ze zich eenzamer.

Toen, zonder enige waarschuwing, belde Fleur.

'Philippa, met Fleur. Ik ben vrijdag in Londen voor een herdenkingsdienst. Heb je zin om met me te gaan lunchen?'

'Lunch? O jeetje!' Philippa voelde dat ze een kleur kreeg, en haar hart begon te bonzen alsof ze voor een afspraakje gevraagd werd. 'Dat lijkt me enig!'

'Ik weet dat je moet werken,' zei Fleur, 'anders zou ik voorstellen om wat eerder af te spreken en nog wat te gaan winkelen.'

'Ik neem wel een vrije dag,' hoorde Philippa zichzelf zeggen. 'Ik heb nog een massa vrije dagen.'

'Bofferd! Nou, waarom kom je me niet van de trein halen? Ik laat je wel weten welke. En dan kunnen we daarna verder zien.'

Toen Philippa ophing, was ze vervuld van een zweverige lichtheid. Fleur wilde haar vriendin zijn. Er drong zich onmiddellijk een beeld aan haar op van hen tweeën, al giechelend terwijl ze een maaltijd in een duur restaurant bestelden of elkaar uitdaagden om extravagante kledingstukken te passen. Een nieuwe afspraak maakten. Philippa sloeg opgewonden haar armen om zichzelf heen. Fleur was haar vriendin!

'Ik ga vrijdag met Fleur lunchen,' riep ze naar Lambert op quasi-nonchalante toon. 'Dan is ze in Londen.'

'Zij blij.'

'Ze gaat naar een herdenkingsdienst,' zei Philippa, die haar blije woordenvloed niet kon stuiten. 'Ik vraag me af van wie? Iemand van haar familie, denk ik. Of misschien een kennis. Ze zal er vast heel mooi uitzien. Wat zal ik eens aantrekken? Zal ik iets nieuws kopen?'

Terwijl Philippa doorratelde, was Lambert met zijn gedachten ergens anders. Voor hem lag weer een brief in straffe bewoordingen van de bank waarin gevraagd werd om solide garanties dat hij zijn aanzienlijke, niet goedgekeurde lening zou kunnen afbetalen. Hij moest aan geld zien te komen, en snel ook. Wat betekende dat hij weer een trip naar The Maples zou moeten maken om Richards werkkamer binnen te gaan. Maar het was riskant. Vooral omdat hij op het moment niet in een goed blaadje stond bij Richard. Lambert trok een gezicht. Die ouwe gek had hem op de zaak bij zich op kantoor geroepen en hem op zijn kop gegeven omdat hij Fleur beledigd had. Op zijn kop gegeven! En het deed er zeker niet toe dat Fleur hun spel volkomen bedorven had, dat ze geen flauw idee had hoe ze zich op een golfbaan diende te gedragen. Maar er viel momenteel natuurlijk geen zinnig woord met Richard te praten. Hij was in de ban van Fleur geraakt en er zat niets anders op dan wachten tot het overging en bij voorkeur The Maples mijden tot Richard bij zinnen gekomen was.

'Wat ik echt nodig heb, is een korte broek,' zei Philippa in de kamer ernaast, alsof ze dacht dat hij nog steeds luisterde. 'Voor de weekends. Wel op maat gemaakt, maar ook weer niet te chic...'

Het probleem was dat hij niet kon wachten tot Richard weer bij zinnen was. Hij had snel geld nodig. Lambert nam een slok bier uit de zwaar verzilverde bierkroes op zijn bureau en staarde weer naar de brief. Met vijftigduizend zou hij de bank rustig krijgen. Dat wist hij zeker. En het lag op The Maples op hem te wachten. Als hij er maar zeker van kon zijn dat hij het niet zou bederven, dat hij niet betrapt zou worden... Er kwam spontaan een herinnering bij hem naar boven van Fleurs stem achter hem waar hij zo van was geschrokken toen hij in Richards boeken aan het snuffelen was, en hij voelde weer het koude zweet in zijn nek. Natuurlijk had ze niets in de gaten gehad, waarom zou ze? Maar als het Richard was geweest...

Philippa's stem drong ineens tot zijn bewustzijn door.

'Schijnbaar is papa die dag weg omdat hij een vergadering heeft,' zei ze, 'en Gillian moet naar bridgeles.' Lamberts hoofd kwam met een ruk omhoog. 'Anders zou Fleur vast voorgesteld hebben dat zij ook mee zouden gaan. Maar toch vind ik het heel aardig, vind je niet? Gewoon met zijn tweetjes? Zoiets van, je weet wel, een band smeden of zo?'

Lambert stond op en liep met grote stappen de kamer ernaast binnen.

'Wat zei je? Heeft je vader vrijdag een vergadering?'

'Ja. Hij moet schijnbaar naar Newcastle.'

'Daar weet ik niks van.'

'O jee. Heeft hij je niet meegevraagd?' Philippa beet op haar lip. 'Jij zou met Fleur en mij mee kunnen gaan lunchen,' zei ze sceptisch. 'Als je wilt.'

'Doe niet zo stom. Ik gaan lunchen met een stel van die giechelmeiden?'

Philippa giechelde, blij met het idee van Fleur en zijzelf als een stel giechelmeiden. In een opwelling van grootmoedigheid grijnsde Lambert terug.

'Gaan jullie dames maar lekker lunchen,' zei hij. 'Ik heb belangrijker dingen te doen.'

Woensdag brak onbewolkt en warm en blauw aan. Tegen de tijd dat Zara beneden kwam, was de ontbijttafel in de tuin gedekt. Er stond een enorm boeket naast haar bord, een zilveren heliumballon zweefde aan een draadje dat aan de rugleuning van haar stoel was vastgemaakt, en haar bord stond vol kaarten en pakjes.

'Wel gefeliciteerd!' riep Antony zodra hij haar uit de oranjerie zag komen. 'Gillian, Zara is er! Haal gauw de Buck's fizz! Dat was mijn idee,' zei hij tegen Zara. 'Buck's fizz bij het ontbijt. En pannenkoeken.'

Zara zei niets, maar staarde naar de versierde tafel alsof ze nog nooit zoiets gezien had.

'Is dat allemaal voor mij?' zei ze ten slotte met schorre stem.

'Ja, natuurlijk! Je bent jarig! Ga zitten,' voegde hij er op een gastherentoon aan toe. 'Neem wat aardbeien.'

Fleur kwam het gazon op met een cafetière en glimlachte lief naar Zara.

'Wel gefeliciteerd, schat. Heb je zin in koffie?'

'Nee,' zei Zara.

'Dan moet je het zelf maar weten,' zei Fleur schouderophalend.

'Maar je moet wel een aardbei nemen,' drong Antony aan. 'Ze zijn heerlijk.'

Zara ging zitten en keek naar de kaarten die op haar bord lagen opgestapeld. Ze leek een beetje ondersteboven.

'Coole ballon, hè?' zei Antony blij. 'Die is van Xanthe en Mex.'

'Wat?' Ze keek op om te zien of hij een grapje maakte.

'Ze hoorden dat je jarig was. Ik geloof dat er ook nog een kaart van hen is. En ik heb gezegd dat we later misschien nog wat met ze gaan drinken. Maar het hangt er vanaf wat jij wilt doen.'

'Ze hebben me een ballon gestuurd,' zei Zara onthutst. Ze trok aan het touwtje en keek hoe hij weer opsteeg. 'Maar ik ken ze nauwelijks.' Ze keek naar hem op. 'En ik dacht dat je hen haatte.'

'Xanthe valt wel mee.' Antony grijnsde schaapachtig naar haar. 'Nou vooruit, maak eens wat pakjes open.'

'Wacht even!' riep Richard vanuit de oranjerie. 'Ik wil dit opnemen!'

'O godallemachtig,' zei Antony. 'We hebben de hele dag nog.'

Gillian kwam de tuin in met een blad vol glazen gevuld met jus d'orange en champagne.

'Van harte gefeliciteerd, Zara!' riep ze uit. 'Wat een prachtige dag!'

'Dank je,' mompelde Zara.

'Oké?' riep Richard. 'Ik ben aan het filmen. Je kunt beginnen met het openmaken van je pakjes.'

'Eerst die van mij,' zei Antony opgewonden. 'Die met die rode strepen.'

Zara pakte het pakje en keek er enkele ogenblikken naar zonder iets te zeggen.

'Dat ziet er leuk uit,' zei Fleur opgewekt. Zara keek even naar Fleur en wendde haar gezicht weer af. Toen begon ze, bijtend op haar onderlip, het pakpapier los te scheuren. Er viel een kleine ingelijste print op haar schoot.

'Dat is Amerika,' zei Antony. 'Het is een kaart van Amerika. Voor als je... als je erheen gaat.'

Zara keek naar hem op. Haar kin trilde.

'Dank je, Antony,' zei ze en ze barstte in huilen uit.

'Zara!'

'Wat is er, liefje?'

'Vind je het niet mooi?' vroeg Antony bezorgd.

'Ik vind het prachtig,' fluisterde Zara. 'Sorry. Maar...'

'Maar je moet eens een lekkere slok Buck's fizz en een paar pannenkoeken nemen,' zei Gillian gedecideerd. 'Weet je, het valt niet mee om veertien te worden. Ik herinner het me nog goed. Kom, Zara.' Ze klopte Zara op haar blote, magere schouder. 'Kom me maar helpen de ontbijtspullen naar buiten te brengen, dan laten we de rest van de pakjes nog even liggen.'

'Vind je je verjaardag niet leuk?' vroeg Antony wat later. Ze zaten achter in de tuin in een beschut zonnig hoekje naar het gestamp uit Zara's nieuwe iPod te luisteren.

'Jawel.'

'Je kijkt niet erg blij.'

'Ik voel me prima, nou goed?' snauwde ze.

Antony wachtte enkele minuten. Toen zei hij voor de vuist weg: 'Zara, wat voor sterrenbeeld ben jij?'

'Boo...' begon ze en stopte toen. 'Ik geloof niet in al dat gelul.'

'Jawel. Je zat pas nog de horoscoop te lezen.'

'Dat wil niet zeggen dat ik er ook in geloof. Jezus, als je elke keer dat je een horoscoop las...'

'Maar je weet dan toch nog altijd wat voor sterrenbeeld je bent?' viel Antony haar in de rede. 'Het is niet Boogschutter. Dat kan niet. Wat is het dan wel?'

'Waarom wil je dat weten?' Ze kwam overeind en stootte haar light drankje om over haar jasje. 'Shit,' zei ze. 'Ik ga even een doekje halen.'

'Nee, helemaal niet! Niet van onderwerp veranderen! Zara, wat voor sterrenbeeld ben jij?'

'Kijk, eikel, mijn jasje is doorweekt.'

'Nou en? Dat heb je expres gedaan. God, je moet wel denken dat ik helemaal achterlijk ben.' Ze wilde opstaan, maar hij stak zijn hand uit en drukte haar pols tegen de grond. 'Zara, wat voor sterrenbeeld ben je? Zeg het!'

'Jezus Christus!' Ze keek hem minachtend aan en zwaaide haar haar achterover. 'Oké,' zei ze. 'Het is Schorpioen.'

'Fout.' Hij leunde achterover. 'Het is Leeuw.'

'Nou en?' snauwde Zara. 'Schorpioen. Leeuw. Wat dondert het?'

'Zara, wat is er gaande?'

'Dat moet je mij niet vragen. Jij bent degene die zich als een eikel gedraagt.'

'Je bent vandaag niet echt jarig, hè?'

'Natuurlijk wel.' Ze wendde haar gezicht af en haalde een reepje kauwgom uit haar zak.

'Niet waar! Je bent jarig tussen 22 november en 21 december. Ik heb Boogschutter opgezocht.' Hij schoof over het gras totdat hij haar gezicht kon zien en keek haar smekend aan. 'Zara, wat is er aan de hand? Wat het ook is, ik zal het niemand vertellen, dat beloof ik. Zara, ik ben toch je vriend?'

Ze haalde zwijgend haar schouders op en stopte de kauwgom in haar mond.

Antony keek een tijdje naar haar. Toen zei hij: 'Ik geloof niet dat je vader dood is.' Hij praatte langzaam, zonder zijn blik van haar gezicht af te keren. 'Ik denk dat hij nog leeft. Ik denk dat je moeder daar ook over gelogen heeft.'

Zara kauwde snel, bijna wanhopig, terwijl ze langs hem heen naar de bomen staarde.

'Vertel het me,' smeekte Antony. 'Ik zal het niemand vertellen. Aan wie zou ik het trouwens moeten vertellen? Ik ken niemand aan wie ik het zou kunnen vertellen.'

Zara liet een kort lachje horen.

'Je kent hele volksstammen mensen aan wie je het zou kunnen vertellen,' zei ze. 'Je vader... Gillian...'

'Maar ik zou het niet doen!' riep Antony uit. Hij dempte zijn stem. 'Wat het ook is, ik zal het hun niet vertellen. Maar ik wil de waarheid weten. Ik wil weten wanneer je echt jarig bent. En waarom je doet alsof het vandaag is. En... en alles.'

Er viel een lange stilte. Toen keek Zara hem aan.

'Oké, luister,' zei ze zachtjes. 'Als je aan iemand anders doorvertelt wat ik je nu ga vertellen, dan zeg ik dat je geprobeerd hebt me te verkrachten.'

'Wát?' Antony keek haar vol afschuw aan.

'Dan zeg ik dat je me gevraagd had om mee de tuin in te gaan en dat je me tegen de grond gedrukt hield. Bij mijn polsen.' Ze zweeg en keek naar Antony's hand, die haar enkele minuten geleden nog tegen de grond gedrukt had gehouden. Zijn wangen werden knalrood. 'En dan zeg ik dat je geprobeerd hebt me te verkrachten.'

'Wat ben jij een kleine...'

'Ze dienen waarschijnlijk geen aanklacht in. Maar je zult wel verhoord worden. Dat zal niet zo leuk zijn. En sommige mensen zullen denken dat je het gedaan hebt. Dat doen sommige mensen altijd.'

'Ik kan gewoon niet geloven...' Hij staarde licht hijgend langs haar heen.

'Weet je, ik meen het,' zei Zara nadrukkelijk. 'Je mag het niet doorvertellen. Als je ook maar iets tegen je vader of Gillian of wie dan ook zegt – dan ga ik naar de politie. En dan zit jij in de problemen.' Ze spoog haar kauwgom uit. 'Nou, wil je het weten of niet?'

Richard had het gevoel dat zijn leven eindelijk op zijn plaats viel. Hij zat in zijn stoel naar Fleur te kijken, die in een boek met behangpatronen zat te bladeren, en vroeg zich af hoe hij wat hij met Emily gehad had, kon hebben aangezien voor ware liefde. Hij kon het nauwelijks verdragen om aan al die verspilde jaren terug te denken, jaren die hij in sombere schakeringen antraciet had doorgebracht. Nu leefde hij in felle, solide kleuren, in levendige kleurspatten die van de pagina afsprongen en het oog verrasten.

'Je zult moeten beslissen of je gesausde muren of behang in je werkkamer wilt,' zei Fleur. Ze keek hem over haar zonnebril aan. 'En je zult me een budget moeten geven.'

'Ik geef je alles wat je maar wilt,' zei Richard. Hij keek haar aan en ze wierp hem een heerlijk, dubbelzinnig lachje toe. Als reactie voelde hij zijn huid onder zijn overhemd een beetje tintelen, in afwachting van opnieuw een nacht vol genot.

Fleur sliep niet langer in haar eigen slaapkamer. Ze sliep nu elke nacht bij hem, haar lichaam tegen hem aan genesteld, haar haar over zijn kussen uitgespreid. Elke ochtend werd hij opgewacht door haar glimlach, elke ochtend maakte zijn hart een sprongetje zodra hij haar weer zag. Ze praatten nu meer dan ze ooit gedaan hadden, en Richard voelde zich gelukkiger dan hij zich ooit had gevoeld, en Fleurs ogen fonkelden meer dan ze ooit hadden gedaan. Ze leek op het moment te gloeien van geluk en opwinding, vond Richard, en ze had haast iets verends in haar tred dat er niet eerder was geweest. Iets verends – er verscheen een wat gegeneerd glimlachje om zijn mond – dat hij er ingebracht had.

En zodra hij haar ten huwelijk vroeg, zou alles compleet zijn. Zodra Oliver van zijn vakantie terug was, zodra hij het geld voor de kinderen geregeld had, zodra hij eindelijk het hoofdstuk met Emily afgesloten had. Hij zou een geschikt moment uitzoeken, een geschikte plek, een geschikte ring... Een rustige, geschikte bruiloft. En dan uitbundige, luidruchtige, vreugdevolle wittebroodsweken. De wittebroodsweken waar hij heel zijn leven op had gewacht.

Toen Zara klaar was met haar verhaal, liet Antony zich achterover in het gras vallen en staarde naar de blauwe lucht.

'Ik kan het niet geloven,' zei hij. 'Ze doet al die moeite alleen maar om een Gold Card te pakken te krijgen?'

'Je kunt een hoop schade berokkenen met een Gold Card,' zei Zara.

'Maar ik bedoel...' Hij brak fronsend zijn zin af. 'Ik begrijp het niet. Wat heeft de vraag of je vader dood is of niet er dan mee te maken?'

'Ze heeft je vader verteld dat ze weduwe is. Ik denk dat ze dacht dat het haar aantrekkelijker zou maken.'

Antony zweeg enkele ogenblikken. Toen zei hij langzaam: 'Dus al die tijd zit ze alleen maar achter zijn geld aan.' Hij ging rechtop zitten. 'Dat is idioot! Zo rijk zijn we nu ook weer niet.'

'Misschien heeft ze zich vergist. Of misschien zijn jullie rijker dan je denkt.'

'God, arme pa. En hij heeft geen flauw idee! Zara, ik moet het hem vertellen.'

'Toen drukte hij me tegen de grond, edelachtbare,' begon Zara toonloos op te dreunen. 'Ik probeerde me te verzetten, maar hij was sterker dan ik.'

'Oké!' zei Antony geïrriteerd. 'Ik zal niets zeggen. Maar ik bedoel, jezusmina! Mijn vader kan het zich niet veroorloven om bergen geld kwijt te raken!'

'Je moet het als betaling zien,' zei Zara. 'Dat doet Fleur altijd.'

'Wat, heeft ze dit al eerder gedaan?' Antony keek Zara vol ongeloof aan. 'Alleen vanwege hun geld met mannen meegaan?'

Zara haalde haar schouders op en wendde haar gezicht af. Het was niet zo moeilijk geweest om Antony een beknopte, geredigeerde versie van de waarheid te geven, een waarheid die, al zou hij zijn mond toch voorbijpraten, niet alles zou bederven voor Fleur. Ze had Fleur afgeschilderd als een wat dommige vrouw met een gat in haar hand, die dolgraag een Gold Card wilde hebben, die Richards geld zou uitgeven aan hoge hakken en de kapper. En dat schokte hem al. Wat zou er gebeuren als ze hem de ware feiten vertelde? Als ze hem vertelde dat haar moeder een cynische, harteloze oplichtster was? Die het leven van mensen binnenstapte omdat ze kwetsbaar en wanhopig waren, die met gemak de dans ontsprong dankzij hun schaamte en gekrenkte trots?

De waarheid zat binnen in haar. Ze had het gevoel alsof die slechts door een dun gordijn voor de rest van de wereld verborgen werd. Als hij zijn hand uitstak en er een rukje aan gaf, zou de dunne stof naar beneden komen dwarrelen en zou hij alle bedrog, de lelijke leugens en verhalen zien die als slangen in haar hoofd opgerold lagen. Maar hij zou zijn hand niet uitsteken. Hij dacht dat hij haar de waarheid al ontfutseld had. Het zou nooit bij hem opkomen dat er meer was.

'Dus in wezen is ze gewoon een prostituee!' zei hij.

'Ze neemt gewoon wat ze waard is,' snauwde Zara terug. 'Heeft jouw pa het de laatste paar maanden niet naar zijn zin gehad?'

Antony keek haar aan. 'Maar hij denkt echt dat ze van hem houdt. Ik ook. Ik dacht dat ze van hem hield!'

'Nou, misschien doet ze dat ook wel.'

'Mensen die van elkaar houden, zijn niet in geld geïnteresseerd!'

'Natuurlijk wel,' zei Zara geringschattend. 'Zou jij niet liever een vriendin hebben die je een Porsche zou kunnen geven? En als je nee zegt, lieg je.'

'Ja, maar echte liefde is anders!' protesteerde Antony. 'Dat gaat om het innerlijk van de mens.'

'Het gaat om alles,' wierp Zara tegen. 'Het gaat eerst om geld, dan om uiterlijk en als je wanhopig bent om persoonlijkheid.'

'God, wat ben jij verknipt! Geld heeft er niets mee te maken! Ik bedoel... stel dat je met een heel rijk iemand trouwt en er komt een beurskrach en hij raakt al zijn geld kwijt?'

'Stel dat je met een heel aardig iemand trouwt en die krijgt een auto-ongeluk en die is zijn hele persoonlijkheid kwijt? Wat is het verschil?'

'Het is niet hetzelfde! Je weet dat het niet hetzelfde is.' Hij gluurde naar haar. 'Waarom verdedig je je moeder?'

'Dat weet ik niet!' riep Zara krampachtig uit. 'Omdat ze mijn moeder is, denk ik! Ik heb nog nooit eerder met iemand over haar gepraat. Ik wist niet...' Ze brak haar zin af. 'O, verdomme! Ik wou dat ik het je nooit had verteld!'

'Ik ook! Wat een zooitje.'

Ze keken elkaar woedend aan.

'Moet je horen,' zei Zara na een tijdje, 'je vader is niet op zijn achterhoofd gevallen. Hij zou zich door haar toch niet helemaal een poot uit laten draaien, hè?' Ze dwong zichzelf om hem recht in de ogen te kijken.

'Nee,' zei Antony. Hij ademde langzaam uit. 'Dat denk ik niet.'

'En je vind het leuk om haar in huis te hebben, hè?'

'Ja natuurlijk! Ik vind het fantastisch om haar in huis te hebben. En ik vind het ook leuk... ik vind het ook leuk om jou in huis te hebben.'

'Fijn,' zei Zara. Ze glimlachte langzaam naar hem. 'Want ik vind het ook leuk om hier te zijn.'

Later slenterden ze terug naar het huis, waar Fleur en Richard goedmoedig aan het kibbelen waren over behang.

'Antony!' riep Fleur uit. 'Praat eens even verstandig met je vader. Eerst geeft hij me *carte blanche* om zijn kantoor opnieuw in te richten en nu zegt hij dat hij niets anders wil dan strepen of Franse lelies.'

'Ik weet niet wat Franse lelies zijn,' zei Antony. Hij keek Fleur strak aan. Zijn beeld van haar was in zijn gedachten veranderd nu hij de waarheid kende. Op weg naar huis had hij echt verwacht dat ze er anders uit zou zien. Meer... als een monster. Hij merkte dat hij er verschrikkelijk tegenop zag om haar aan te kijken. Maar daar stond ze, nog precies dezelfde, warm en mooi en vriendelijk. En nu glimlachte ze naar hem, en hij grijnsde terug, en ineens merkte hij dat hij zich afvroeg of alles wat Zara over haar gezegd had wel echt waar kon zijn.

'Weet je wat?' zei Richard tegen Fleur. 'Waarom haal je niet nog meer behangboeken als je in Londen bent? Ik weet zeker dat we tot een compromis kunnen komen. Denk er alleen aan dat ik degene ben die in die kamer moet zitten en moet proberen te werken.' Hij grijnsde naar Antony en Zara. 'Fleur voelt erg veel voor oranje muren.'

'Niet oranje. Terracotta.'

'Wanneer ga je naar Londen?' vroeg Zara.

'Vrijdag,' zei Fleur. 'Overmorgen.'

'Je moeder moet naar een herdenkingsdienst,' zei Richard.

Zara verstarde en werd bleek.

'Ga je naar een herdenkingsdienst?' zei ze.

'Inderdaad,' zei Fleur.

'Een herdenkingsdienst?' herhaalde Zara vol ongeloof. 'Je gaat naar een herdénkingsdienst?'

'Ja schat,' zei Fleur ongeduldig. 'En maak er alsjeblieft niet zo'n punt van.' Haar ogen boorden zich in die van Zara. 'Ik blijf maar een dagje weg. Het is voor die arme Hattie Fairbrother,' voegde ze er terloops aan toe. 'Je herinnert je je Hattie toch nog wel, schat?'

Zara kromp ineen en wendde zich af.

'Zara!' Ze werden onderbroken door Gillian. 'Er is telefoon voor je! Ene Johnny.'

'Johnny?' Zara keek met een ruk op. 'Johnny aan de telefoon? Oké, ik kom eraan! Ik kom eraan! Laat hem niet ophangen!' En zonder achterom te kijken, stormde ze het huis binnen.

'Wil je cola light?' riep Antony, maar ze luisterde niet. 'Ik ga... even kijken of ze cola light wil,' zei hij tegen de anderen en ging haar achterna.

Richard keek naar Fleur. 'Zara leek nogal uit haar doen over het idee dat je naar een herdenkingsdienst gaat,' zei hij.

'Ja, ik weet het,' zei Fleur. 'Sinds het overlijden van haar vader raakt ze overstuur van alles wat met de dood te maken heeft.' Ze keek verdrietig. 'Ik probeer er maar geen punt van te maken.'

'Natuurlijk,' zei Gillian. 'Het is heel begrijpelijk.'

'Arm kind,' zei Richard. Zijn ogen twinkelden een beetje. 'En wie is Johnny? Een speciale vriend van Zara?'

'Een vriend van ons allebei,' zei Fleur. Haar gezicht verstrakte een beetje. 'Ik ken hem al jaren.'

‘Je moet hem eens uitnodigen,’ opperde Richard. ‘Ik zou wel eens vrienden van jou willen ontmoeten.’
‘Misschien,’ zei Fleur en ze veranderde van onderwerp.

Zara was in het kleine kamertje verdwenen waar niets anders stond dan een telefoon, een stoel en een tafeltje met pen en papier. Toen ze naar buiten kwam, stond Antony op haar te wachten. Hij keek haar strak aan. Haar ogen fonkelden en ze keek ineens weer vrolijk.
‘En, wie is Johnny?’ vroeg hij. Het was eruit voor hij er erg in had. ‘Je vriend?’
‘Doe niet zo achterlijk!’ zei Zara. ‘Ik heb helemaal geen vriend. Johnny is gewoon een vriend. Een heel goede vriend.’
‘O ja?’ zei Antony terwijl hij zijn best deed om luchthartig en plagerig te klinken. ‘Dat heb ik eerder gehoord.’
‘Antony, Johnny is zesenvijftig!’
‘O,’ zei Antony, die zich onnozel voelde.
‘En hij is homo!’ voegde Zara eraan toe.
‘Homo?’ Hij gaapte haar aan.
‘Ja, homo!’ Ze giechelde. ‘Nu tevreden?’ Ze ging op weg naar de tuin.
‘Waar ga je heen?’ riep Antony terwijl hij achter Zara aan holde.
‘Ik heb een boodschap van Johnny voor Fleur.’
Ze kwamen samen hijgend op het gazon aan.
‘Oké, Johnny zegt dat hij hoopt dat je van gedachten veranderd bent en of je hem wilt bellen als het zo is,’ verkondigde Zara.
‘Over wat?’ vroeg Fleur.
‘Hij zei dat je wel wist waar hij het over had. En… hij zei ook dat hij me misschien mee zou nemen naar New York! Als een speciaal cadeautje voor mijn veertiende verjaardag!’ Ze wierp een triomfantelijke blik in Fleurs richting.
‘New York!’ riep Antony uit. ‘Fantastisch!’
‘Leuk, hoor,’ zei Fleur zuur.

'In ieder geval, dat is de boodschap.' Zara haalde een reep kauwgom uit haar zak en begon opgewekt te kauwen. 'En, ga je hem bellen?'

'Nee,' zei Fleur terwijl ze het behangboek met een klap dichtsloeg. 'Dat ga ik niet.'

13

Op vrijdagochtend vertrok Richard al vroeg naar zijn vergadering, en Fleur slaakte een zucht van verlichting. Ze vond zijn voortdurende aanwezigheid een beetje verstikkend. Naarmate het weer zomerse perfectie bereikte, nam hij steeds langere periodes vrij – vakantiedagen die hij al lang te goed had, had hij uitgelegd – en bracht ze allemaal thuis door. De eerste keer dat hij het woord 'vakantie' gebruikte, had Fleur innig geglimlacht en zich afgevraagd of ze hem zou kunnen overhalen om samen naar Barbados te gaan. Maar Richard wilde niet weg. Als een verliefde puber wilde hij alleen maar bij haar zijn. Hij lag de hele nacht bij haar in bed, zat de hele dag bij haar – ze kon niet aan hem ontkomen. De dag tevoren had ze zelfs geopperd om samen te gaan golfen. Alles om de monotonie maar te verbreken. We moeten uitkijken, dacht ze terwijl ze het laatste restje ontbijtkoffie opdronk, anders vervallen we in een sleur.

Toen kwam ze abrupt overeind. Ze zou niet in een sleur vervallen met Richard, omdat ze niet bij Richard zou blijven. Om drie uur die middag zou ze bij de herdenkingsdienst zijn van Hattie Fairbrother, echtgenote van de gepensioneerde zakenmagnaat Edward Fairbrother, en tegen de tijd dat de receptie voorbij was, zou ze wel eens geheel nieuwe plannen kunnen hebben.

Ze stond op, keek of er geen kreukels in haar zwarte mantelpakje zaten en ging naar boven. Toen ze langs de deur van de werkkamer liep, bleef ze even staan. Ze had nog steeds geen kans gezien om Richards zaken te bekijken. Nu ze officieel zijn werkkamer aan het herinrichten was, had het gemakkelijk moeten zijn. Ze kon in en uit lopen wanneer ze maar wilde, rondneuzen, laden open- en dichtdoen, alles omtrent Richards zaken uitzoeken wat ze maar wilde. Maar toch, met Richard in voortdurende aanbidding aan haar zij, was het lastiger dan ze gedacht had om een moment te vinden dat ze er alleen kon zijn. Bovendien was ze er vrijwel zeker van dat hij toch niet zo'n grote jongen was als ze gehoopt had. Johnny had het fout gehad. Richard Favour was niet meer dan een redelijk welgestelde man wiens Gold Card haar hooguit vijftien-, misschien twintigduizend pond zou opleveren. Het was bijna niet de moeite waard om daarvoor die saaie boekjes van hem door te spitten.

Maar de macht der gewoonte dreef haar naar de deur van de werkkamer. Over een paar minuten zou haar taxi komen om haar naar het station te brengen, maar er was nog tijd voor een snelle blik tussen zijn recente correspondentie. En ze werd geacht om zijn kamer opnieuw in te richten. Ze liet zichzelf binnen met de sleutel die hij voor haar had laten bijmaken, liet haar blik over de kale muren dwalen en huiverde. Haar blik viel op het grote raam achter het bureau, en in gedachten zag ze er weelderige diepgroene gordijnen hangen. Ze zou voor bijpassend diepgroen tapijt zorgen. En aan de muren een serie antieke golflitho's. Die zou ze misschien op een veiling voor hem op de kop kunnen tikken.

Alleen zou ze natuurlijk helemaal niet iets dergelijks doen. Fleur beet op haar lip terwijl ze in Richards stoel ging zitten en zomaar wat heen en weer draaide. Ze kon vanuit het raam net de tuin zien: het gazon, de perenboom, het badmintonnet dat Antony en Zara hadden laten hangen van de avond tevoren. Het waren vertrouwde beelden. Te vertrouwd. Het zou nog verrassend moeilijk worden om er weg te gaan. En als ze eerlijk tegen zichzelf was, zou het ook verrassend moeilijk worden om bij Richard weg te gaan.

Maar het leven was nu eenmaal verrassend moeilijk. Fleurs

kin verstrakte en ze tikte, ongeduldig over zichzelf, met haar nagels op het gepolitoerde hout van het bureau. Ze had haar doel nog niet bereikt. Ze was nog geen rijke vrouw. Daarom moest ze verder, ze had geen keus. En het had geen zin om hier eindeloos rond te blijven hangen voor de laatste kleine beetjes. Richard was niet het soort man dat in een opwelling een hoop geld uitgaf aan een haute-couturejapon of een diamanten armband. Zodra ze erachter was hoeveel hij kon missen, zou ze zijn Gold Card tot de limiet leeghalen en ervandoor gaan. Als ze precies het juiste bedrag nam – zoals ze zou doen – dan zou hij de kaart stilletjes aanvullen, niets zeggen, in stilte zijn wonden likken en zichzelf voorhouden dat het een les was geweest. Dat deden ze altijd. En tegen die tijd zat ze weer bij een andere familie, in een ander huis, misschien zelfs in een ander land.

Zuchtend trok ze Richards 'In'-bakje naar zich toe en begon zijn recente correspondentie door te bladeren. Haar vingers voelden loom en onwillig aan, haar gedachten waren er maar half bij. Wat ze zocht, wist ze eigenlijk niet. De opwinding van de jacht leek verdwenen, haar gedrevenheid ontkracht. Ooit zou ze elke brief aandachtig bestudeerd hebben, op zoek naar aanwijzingen, naar mogelijkheden voor financieel gewin. Nu viel haar blik lusteloos op elke pagina, ving hier een paar woorden op, daar een paar woorden, en ging dan weer verder. Er was een kort briefje over de huur van Richards flat in Londen. Er was een verzoek om giften van een liefdadigheidsorganisatie voor kinderen. Er was een bankafschrift.

Toen ze het uit de envelop haalde, kreeg Fleur wel iets verwachtingsvols. Dit zou in ieder geval interessant blijken te zijn. Ze sloeg het velletje open en haar ogen flitsten meteen naar het saldo terwijl ze in gedachten al inschatte wat voor soort bedrag ze te zien zou krijgen. En toen, terwijl haar ogen zich op het bedrag richtten en ze zich realiseerde waar ze naar keek, voelde ze een schok door haar hele lichaam gaan. Haar handen werden klam, haar keel werd droog, ze snakte naar adem.

Nee, dacht ze, terwijl ze haar best deed om rustig te blijven.

Dat kon niet kloppen. Dat kon gewoonweg niet kloppen. Of wel? Ze was duizelig van verbazing. Las ze de cijfers wel goed? Ze deed haar ogen dicht, slikte, haalde diep adem en deed ze weer open. Hetzelfde getal stond nog steeds idioot groot in de creditkolom. Ze staarde ernaar, verslond het met haar gedachten. Kon het echt kloppen? Keek ze echt naar...

'Fleur!' riep Gillian van beneden. Fleur schrok en haar ogen vlogen naar de deur. 'Je taxi is er!'

'Dank je!' riep Fleur terug. Haar stem klonk hoog en onnatuurlijk. Ze besefte plotseling dat haar hand trilde. Ze keek nog eens naar het getal en voelde zich een beetje slap. Wat was er in godsnaam aan de hand? Niemand maar dan ook níemand had zo'n bedrag zomaar op een bankrekening staan. Tenzij hij of zij erg stom was – en dat was Richard niet – of heel, heel erg rijk...

'Fleur! Straks mis je je trein!'

'Ik kom!' Fleur stopte het afschrift snel terug waar ze het gevonden had voor Gillian besloot haar te komen halen. Ze moest hierover nadenken. Ze moest hier echt heel zorgvuldig over nadenken.

Philippa had een volledig nieuwe outfit gekocht voor haar dagje uit met Fleur. Ze voelde zich bij de draaihekjes op Waterloo Station nogal opvallend in haar lichtroze pakje, en ze vroeg zich af of ze niet beter iets gewoners had kunnen aantrekken. Maar toen ze Fleur zag, maakte haar hart een sprongetje van opluchting. Fleur zag er nog gekleder uit dan zij. Ze droeg hetzelfde mantelpakje dat ze had gedragen toen Philippa haar voor het eerst had gezien, tijdens de herdenkingsdienst, samen met een prachtige zwarte hoed, bezaaid met paarse bloemetjes. Mensen keken haar na terwijl ze door de stationshal liep en Philippa voelde zich gloeien van trots. Deze goedverzorgde, elegante schoonheid was haar vriendin. Haar vriendin!

'Schat!' Fleurs kus was meer voor de show dan warm, maar Philippa vond het niet erg. Ze stelde zich in een vlaag van opwinding voor hoe ze er samen bij stonden in hun mantelpakjes –

de een roze, de ander zwart. Twee glamourachtige vrouwen die samen gingen lunchen. Als ze gisteren zoiets gezien had, zou ze vervuld zijn geraakt van een weemoedige afgunst, maar vandaag zág ze er zo uit. Ze wás een van die glamourachtige vrouwen.

'Waar zullen we eerst heen gaan?' vroeg Fleur. 'Ik heb een tafeltje bij Harvey Nichols gereserveerd voor halfeen, maar we zouden ergens anders kunnen beginnen. Waar zou je willen winkelen?'

'Ik weet het niet!' riep Philippa opgewonden uit. 'Laten we eens op de plattegrond kijken. Ik heb een metroabonnement...'

'Ik dacht eerder aan een taxi,' viel Fleur haar vriendelijk in de rede. 'Als het enigszins kan, neem ik nooit de metro.' Philippa keek op en voelde een opgelaten rood over haar wangen kruipen. Eén afschuwelijk moment lang had ze het gevoel dat de dag misschien nu al bedorven was. Maar Fleur begon ineens te lachen en gaf Philippa een arm.

'Ik moet niet zo kieskeurig zijn,' zei ze. 'Ik neem aan dat jij altijd de metro neemt, of niet, Philippa?'

'Elke dag,' zei Philippa. Ze dwong zichzelf om Fleur toe te lachen. 'Maar ik ben meer dan bereid met die gewoonte te breken.'

Fleur lachte. 'Goed zo, meid.'

Ze begonnen in de richting van de taxistandplaats te lopen en Philippa liet haar arm om die van Fleur. Ze voelde zich bijna duizelig van opwinding, alsof ze op het punt stond aan een of andere liefdesaffaire te beginnen.

In de taxi keerde Philippa zich verwachtingsvol naar Fleur, wachtend op het begin van een of andere hilarische, intieme roddel. Ze voelde achter in haar keel al een lach borrelen, ze had zelfs al een liefdevol gebaar klaar. 'O Fleur!' zou ze op het juiste moment uitroepen. 'Je bent me er eentje!' En ze zou in Fleurs arm knijpen, als een oude, vertrouwde vriendin. De taxichauffeur zou in zijn spiegel naar hen kijken en denken dat ze al van kinds af aan bevriend waren. Of misschien zelfs zussen.

Maar Fleur zat stilletjes uit het raampje te staren naar het verkeer. Ze had een lichte rimpel in haar voorhoofd en ze beet op haar lip en ze zag eruit, dacht Philippa ongemakkelijk, alsof ze niet gestoord wilde worden. Alsof ze over iets aan het nadenken was, alsof ze hier eigenlijk helemaal niet wilde zijn.

Toen keerde ze zich ineens naar Philippa.

'Zeg, zijn Lambert en jij gelukkig samen?' vroeg ze. Philippa schrok. Ze wilde vandaag niet aan Lambert denken. Maar Fleur wachtte op antwoord.

'O ja,' zei ze en ze wierp Fleur een vrolijke glimlach toe. 'We hebben een heel gelukkig huwelijk.'

'Een gelukkig huwelijk,' echode Fleur. 'Wanneer spreek je eigenlijk van een gelukkig huwelijk?'

'Nou,' zei Philippa aarzelend. 'Je weet wel.'

'O ja?' zei Fleur. 'Dat vraag ik me eigenlijk af.'

'Maar jij bent toch ook getrouwd geweest?' zei Philippa. 'Met Zara's vader.'

'O ja,' zei Fleur vaag. 'Ja natuurlijk. Maar niet gelukkig.'

'O nee? Dat wist ik niet,' zei Philippa. Ze keek Fleur ongemakkelijk aan terwijl ze zich afvroeg of ze over haar ongelukkige huwelijk wilde praten, maar Fleur maakte een wegwerpgebaar met haar hand.

'Wat ik in feite bedoel, is: waarom trouw je eigenlijk?' Ze keek Philippa aan. 'Wat heeft jou doen besluiten om met Lambert te trouwen?'

Er ging een huivering door Philippa heen, alsof ze overhoord werd over het verkeerde keuzevak. Er gleden snelle, positieve beelden van Lambert en haarzelf door haar hoofd: met zijn tweeën op hun trouwdag, hun huwelijksreis naar de Malediven, Lambert gebruind en aanhankelijk, middagen van seks onder een klamboe.

'Nou, ik hou van Lambert,' hoorde ze zichzelf zeggen. 'Hij is sterk en hij zorgt voor me...' Ze keek even naar Fleur.

'En?' zei Fleur.

'En we hebben plezier samen,' zei Philippa aarzelend.

'Maar hoe wist je dat hij de juiste man voor je was?' drong Fleur aan. 'Hoe wist je dat het tijd was om op te houden met zoeken en... en je voor de rest van je leven vast te leggen?'

Philippa voelde een blos opkomen.

'Ik wist het gewoon,' zei ze met een stem die te hoog en verdedigend klonk.

En ineens flitste er een herinnering aan haar moeder door haar hoofd, een herinnering waarvan ze dacht dat ze die voorgoed verdrongen had. Haar moeder die in bed zat, die Philippa met haar ijskoude blauwe ogen aankeek en zei: 'Je zegt ja tegen Lambert, Philippa, en je bent dankbaar. Welke andere man zou een meisje als jij willen?'

'Jim wilde me,' had Philippa met trillende stem gezegd.

'Jim?' had haar moeder gesnauwd. 'Je vader veracht Jim! Hij zou je nooit met Jim laten trouwen. Je kunt maar beter Lambert nemen.'

'Maar...'

'Niks te maren. Dit is je enige kans. Moet je jezelf eens zien! Je bent niet mooi, je bent niet charmant, je bent niet eens maagd. Welke andere man zou jou nou willen?'

Terwijl ze naar haar moeder luisterde, was Philippa zich misselijk gaan voelen, alsof ze fysiek in stukken werd gescheurd. Nu voelde ze zich ineens weer misselijk.

'"Je wist het gewoon".' Fleur klonk ontevreden. 'Maar ik wist gewoon dat dit de hoed voor me was.' Ze gebaarde naar haar hoofd. 'Maar nadat ik hem gekocht had, zag ik een nog mooiere.'

'Het is een prachtige hoed,' zei Philippa zwakjes.

'Het punt is,' zei Fleur, 'dat je meer dan één hoed kunt hebben. Je kunt twintig hoeden hebben. Maar je kunt geen twintig echtgenoten hebben. Ben je nooit eens bang dat je te snel gekozen hebt?'

'Nee!' zei Philippa ogenblikkelijk. 'Lambert is perfect voor me.'

'Nou, goed,' zei Fleur. Ze glimlachte naar Philippa. 'Ik ben blij voor je.'

Philippa staarde naar Fleur en voelde haar stralende glimlach vervagen. Ze wilde ineens, voor het eerst in haar leven, dat ze eerlijker geweest was. Ze had Fleur in vertrouwen kunnen nemen, ze had haar zorgen met haar kunnen delen en om goede raad kunnen vragen. Maar in een eerste reactie had ze een roze, romantisch beeld van zichzelf geschetst – een beeld dat Fleur zou waarderen en waar ze haar, heel misschien, om zou benijden. En nu was haar kans om de waarheid te vertellen verkeken.

Lambert kwam kort nadat Gillian naar haar bridgeles gegaan was op The Maples aan. Hij parkeerde zijn auto, liet zichzelf binnen en bleef in de hal staan luisteren of hij stemmen hoorde. Maar het was stil in huis, zoals hij verwacht had. De avond tevoren had hij opgebeld en terloops tegen Gillian opgemerkt dat hij tussen twee vergaderingen door misschien even langs zou komen.

'Maar dan is er niemand,' had ze gezegd. 'Richard gaat naar Newcastle, ik ga bridgen en Antony gaat waarschijnlijk met Zara oefenen voor de Club Cup.'

'Ik wip toch even binnen,' had Lambert terloops gezegd, 'aangezien ik toch langsrijd.'

Nu ging hij zonder aarzeling op weg naar Richards werkkamer. Het zou weinig moeite kosten om de informatie te vinden die hij nodig had en vervolgens, zodra hij thuiskwam, een geschikt bedrag naar zijn eigen rekening over te maken. Hij kon dan binnen een week een cheque voor de bank klaar hebben die hem een paar maanden respijt zou geven. En dan, tegen Kerstmis, zou Philippa negenentwintig zijn en het beheerde vermogen nog dichterbij, en zijn lastige financiële problemen zouden voorgoed verleden tijd zijn.

Toen hij de werkkamer binnenkwam, bukte hij zich toch even om onder het bureau te kijken. Alsof hij niet wist dat Fleur in Londen was met zijn eigen vrouw. Naar weer een herdenkingsdienst. Had dat mens niets beters te doen dan naar die vervloekte herdenkingsdiensten gaan? Hij keek fronsend naar het stoffige tapijt, kwam overeind en liep naar de dossierkast. Hij trok de derde la open, de la waar hij de laatste keer niet aan toegekomen was. En daar, als beloning, hingen rijen mappen met Richards bankafschriften.

'Bingo,' mompelde hij bij zichzelf. Hij knielde en haalde een willekeurige map tevoorschijn waar 'Huishouden' op stond. De afschriften waren keurig aan elkaar vastgeniet, en terwijl hij erdoorheen bladerde, bekroop hem door een gevoel van verwachting. Hier lag Richards financiële leven voor hem uitgespreid. De rijkdom die op een dag van Philippa en hem zou zijn. Al was er op dit afschrift weinig bewijs van rijkdom te zien. Het saldo leek nooit boven de drieduizend pond uit te komen. Wat had hij daar nou aan?

Hij stopte de map ongeduldig terug en haalde een andere, ietwat beduimelde, tevoorschijn waar 'Kinderen' op stond. Zakgeld, dacht Lambert geringschattend en hij liet de map op de grond vallen, waar hij openviel. Zijn blik viel er toevallig op toen hij zijn hand uitstak naar een andere map. Hij verstijfde van schrik van wat hij zag. Het bovenste afschrift was van de voorgaande maand en het saldo liep tegen de tien miljoen.

'Hoeveel gangen zullen we nemen?' zei Philippa terwijl ze naar de menukaart tuurde. 'Drie?'

'Tien miljoen,' zei Fleur afwezig.

'Wat?' Philippa keek op.

'O, niets.' Fleur glimlachte. 'Sorry, ik was met mijn gedachten heel ergens anders.' Ze zette haar hoed af en schudde haar roodgouden haar achterover. In de hoek van het restaurant keek een jonge ober bewonderend toe.

'Tien miljoen kilometer verderop,' zei Philippa en lachte hartelijk. De dag was tot dusver nog beter verlopen dan ze had verwacht. Fleur en zij waren van winkel naar winkel geslenterd, hadden kleren gepast, elkaar bespoten met parfum, vrolijk gelachen en als twee paradijsvogels aandacht getrokken. De bladen hadden het allemaal mis, dacht Philippa. Ze zeiden allemaal dat omgaan met iemand die lelijker was dan jij de Manier was om de Juiste Man te Pakken te Krijgen. Maar dat was niet waar. Fleur was veel mooier dan zij, ook al was ze veel ouder – maar vandaag had Philippa in plaats van het gevoel te hebben dat ze tekortschoot, zich verheven gevoeld tot Fleurs status. En de mensen hadden haar anders behandeld. Ze hadden naar haar geglimlacht, en mannen hadden de deur voor haar opengehouden, en jonge kantoormeisjes die haastig voorbijliepen, hadden naar haar gekeken met afgunst in hun ogen. En Philippa had van ieder moment genoten.

'O, ik weet het niet,' zei Fleur plotseling. 'Het is allemaal zo moeilijk. Waarom kan het leven niet ongecompliceerd zijn?' Ze zuchtte. 'Laten we een cocktail nemen.' Ze wenkte de jonge ober, die met grote stappen op hen af kwam.

'Een Manhattan, graag,' zei Fleur glimlachend tegen hem.

'Maak er maar twee van,' zei Philippa. De ober grijnsde naar haar terug. Hij was, vond Philippa, buitengewoon knap. Eigenlijk leek al het personeel in dure winkels knap.

'Pardon, dames.' Een andere ober kwam op hun tafeltje af. Hij hield een zilveren blad in zijn handen met daarop een fles champagne. 'Deze is besteld en vooraf betaald voor u.'

'Nee!' Fleur barstte in een schaterlach uit. 'Champagne!' Ze keek naar de fles. 'Heel goede champagne zelfs. Wie heeft die voor ons besteld?' Ze keek om zich heen. 'Mogen we het weten?'

'Het is net een film,' zei Philippa opgewonden.

'Ik heb een kaartje met een boodschap voor ene mevrouw Daxeny,' zei de hoofdkelner.

'Aha!' zei Fleur. 'Dus ze weten hoe we heten!'

'Lees voor!' zei Philippa.

Fleur scheurde het envelopje open.

'"Geniet van jullie lunch, mijn schatten",' las ze voor, '"en ik wou dat ik erbij kon zijn, Richard".' Fleur keek op. 'Het is van je vader,' zei ze. Ze klonk verrast. 'Je vader heeft ons champagne gestuurd.'

'Ik dacht dat het van een stille bewonderaar was,' zei Philippa teleurgesteld. 'Hoe wist papa dat we hier zouden zijn?'

'Ik heb het hem zeker verteld,' zei Fleur langzaam. 'Hij wist het zeker nog en heeft dit telefonisch voor ons besteld in de hoop dat we onze lunchplannen niet zouden veranderen. En al die tijd heeft hij er niets over gezegd.'

'Zal ik de fles openmaken?' vroeg de hoofdkelner.

'Ooo ja!' zei Philippa.

'Ja graag,' zei Fleur. Ze pakte het kaartje en keek er enkele ogenblikken naar. 'Wat is je vader een buitengewoon attente man.'

'Eerlijk gezegd denk ik dat ik toch een Manhattan neem,' zei Philippa. 'En daarna ga ik over op de champagne. Ik hoef niet te rijden!' Ze keek vrolijk naar Fleur op. 'Alles goed?'

'Prima,' zei Fleur met een lichte frons. 'Ik zat alleen... na te denken.'

Ze keken allebei toe terwijl de hoofdkelner de champagne met de lichtst denkbare plop openmaakte en een glas volschonk. Hij overhandigde het glas zwierig aan Fleur.

'Weet je, het lukt mannen niet vaak om me te verrassen,' zei ze, als tegen zichzelf. 'Maar vandaag...' ze nam een slokje. 'Dit is heerlijk.'

'Vandaag ben je verrast,' zei Philippa triomfantelijk.

'Vandaag ben ik verrast,' beaamde Fleur. Ze nam nog een slokje en keek peinzend naar haar glas. 'Tweemaal.'

Lambert schrok van het geluid van de sleutel van de werkster in het slot van de voordeur. Hij frommelde alle bankafschriften terug in de mappen in de dossierkast, haastte zich de werkkamer uit en slenterde de trap af. Hij glimlachte de werkster opgewekt toe terwijl hij haar in de hal voorbijliep, maar zijn hart ging als een bezetene tekeer en hij had nog last van tintelingen in zijn rug van de schrik.

Tien miljoen aan liquide middelen. Dat moest het geld voor het beheerde fonds zijn, maar het was niet in een beheerd fonds ondergebracht, het stond nog op Richards rekening. Wat was er gaande? Hij kwam bij zijn auto aan en bleef lichtelijk hijgend staan terwijl hij zijn best deed zich niet door paniek te laten overvallen. Het geld was niet ondergebracht in een fonds. Wat betekende dat Philippa niet de miljonaire was die hij dacht dat ze was. En hij stond ontzettend rood en had geen andere middelen om zijn rekening aan te vullen dan via haar.

Hij deed het portier open, stapte in en legde zijn klamme voorhoofd op het stuur. Hij snapte er niets van. Had Emily tegen hem gelógen? Ze had hem beloofd dat Philippa rijk zou worden. Ze had tegen hem gezegd dat ze het meteen gingen regelen. Ze had gezegd dat het geld op Philippa's naam zou komen te staan, dat het van haar zou zijn zodra ze dertig werd. En waar stond het nu? Het stond nog steeds op Richards naam. Zo te zien was Richard al maanden bezig zijn geld toegankelijker te maken. Hij was duidelijk van plan iets met het geld te gaan doen. Maar wat? Het aan Philippa geven? Of het verdomme over de balk smijten? Niets kon Lambert meer verbazen. En het ergste was dat hij er helemaal niets aan kon doen.

Toen het dessert gebracht werd, boog Philippa zich over tafel en keek Fleur recht in de ogen. Fleur keek terug. Philippa had twee Manhattans en minstens de helft van de champagne op en was steeds spraakzamer en steeds minder samenhangend geworden. Haar wangen zagen rood, haar haar zat in de war en ze scheen iets belangrijks te zeggen te hebben.

'Ik heb tegen je gelogen.' Haar woorden kwamen er over elkaar buitelend uit, en Fleur keek haar verrast aan.

'Neem me niet kwalijk?'

'Nee, neem míj niet kwalijk. Ik bedoel, je bent mijn beste vriendin en ik heb tegen je gelogen. Je bent mijn beste vriendin,' herhaalde Philippa met wankele nadruk. 'En ik heb tegen je gelogen.' Ze pakte Fleurs hand en knipperde een paar tranen weg. 'Over Lambert.'

'O echt? Wat heb je me over Lambert verteld?' Fleur trok haar hand weg en pakte haar lepel. 'Eet je toetje.'

Philippa pakte gehoorzaam haar lepel en brak het korstje van haar crème brûlée. Toen keek ze op.

'Ik heb je verteld dat ik van hem hield.'

Fleur werkte op haar gemak haar mondvol chocolademousse weg.
'Je houdt niet van Lambert?'
'Soms denk ik van wel – maar,' Philippa huiverde, 'niet heus.'
'Ik kan het je niet kwalijk nemen.'
'Ik zit vast in een liefdeloos huwelijk.' Philippa keek Fleur met bloeddoorlopen ogen aan.
'Nou, stap er dan uit.' Fleur nam nog een hap chocolademousse.
'Vind je dat ik bij Lambert weg moet gaan?'
'Als hij je niet gelukkig maakt, moet je bij hem weggaan.'
'Je vindt niet dat ik misschien een verhouding met een ander zou moeten beginnen?' vroeg Philippa hoopvol.
'Nee,' zei Fleur gedecideerd. 'Absoluut niet.'
Philippa nam een hapje crème brûlée, at halfhartig en nam er toen nog een. Er rolde een traan over haar wang.
'Maar stel dat ik bij Lambert wegga en me... en me dan realiseer dat ik eigenlijk toch van hem hou?'
'Ja, nou, dan weet je het.'
'Maar als hij me dan niet terug wil? Dan ben ik alleen!'
Fleur haalde haar schouders op.
'Nou en?'
'Nou en? Ik zou het vreselijk vinden om alleen te zijn!' Philippa's stem steeg boven het geroezemoes in het restaurant uit. 'Weet je wel hoe moeilijk het tegenwoordig is om met andere mensen in contact te komen?'
'Ja,' zei Fleur. Ze stond zichzelf een glimlachje toe. 'Je moet alleen op de juiste plaatsen kijken.'
'Ik zou het vreselijk vinden om alleen te zijn,' zei Philippa koppig.
Fleur zuchtte ongeduldig. 'Nou, dan blijf je bij hem. Philippa, je hebt een hoop gedronken...'
'Nee, je hebt gelijk,' viel Philippa haar in de rede. 'Ik ga bij hem weg.' Ze huiverde. 'Hij is afstotelijk.'
'Ik kan niet anders dan het met je eens zijn,' zei Fleur.

‘Ik wilde helemaal niet met hem trouwen,’ zei Philippa. Een nieuwe tranenvloed viel op de tafel.

‘En nu ga je bij hem weg,’ zei Fleur terwijl ze een geeuw onderdrukte. ‘Dus komt het toch weer goed. Zullen we om de rekening vragen?’

‘En jij helpt me er doorheen?’

‘Natuurlijk.’ Fleur hief haar hand en twee obers met identieke blonde kapsels kwamen meteen aangesneld.

‘Onze rekening graag,’ zei ze.

Philippa keek op haar horloge. ‘Jij moet naar je dienst, hè?’ zei ze lodderig. ‘Je herdenkingsdienst.’

‘Nou, weet je, misschien ga ik toch maar niet naar de herdenkingsdienst,’ zei Fleur langzaam. ‘Ik weet het niet...’ Ze zweeg even. ‘Hattie was niet zo’n heel goede vriendin van me. En ik ben er ook niet echt voor in de stemming. Het is... een nogal lastige situatie.’

Philippa luisterde niet.

‘Fleur?’ zei ze terwijl ze over haar ogen veegde. ‘Ik mag je heel graag.’

‘O ja, schat?’ Fleur glimlachte haar vriendelijk toe. Hoe, vroeg ze zich af, had iemand als Richard in vredesnaam zo’n karakterloze bonk zelfmedelijden weten voort te brengen?

‘Ga je met papa trouwen?’ snufte Philippa.

‘Hij heeft me niet gevraagd,’ zei Fleur snel terwijl ze Philippa een stralende glimlach schonk.

De rekening zat in een leren map, en zonder ernaar te kijken stopte Fleur Richards Gold Card erin. Ze keken allebei zwijgend toe terwijl hij door een van de identieke obers weggehaald werd.

‘Maar als hij je vraagt,’ zei Philippa. ‘Als hij je vraagt. Doe je het dan?’

‘Nou,’ zei Fleur langzaam. Ze leunde achterover. Tien miljoen, dacht ze. Het idee draaide in haar gedachten rond als een enorme, glimmende kogellager. Tien miljoen pond. Onbetwistbaar een fortuin. ‘Wie weet?’ zei ze ten slotte en ze dronk haar glas leeg.

'En, denk je dat je moeder met mijn vader zal trouwen?' vroeg Antony terwijl hij zich met een plof op het smetteloze groen van de putting green liet vallen.

'Dat weet ik niet,' zei Zara geïrriteerd. 'Hou toch op me ernaar te vragen. Ik kan me niet concentreren.' Ze trok haar neus op, haalde diep adem en gaf een tik met haar putter tegen de golfbal. Hij kroop een paar centimeter in de richting van de hole en bleef toen liggen. 'Hè! Kijk nou wat je doet. Dat was waardeloos.'

'Nee hoor,' zei Antony. 'Je leert heel snel.'

'Niet waar. Stom spelletje.' Ze sloeg boos met haar putter op de grond en Antony keek nerveus om zich heen om te zien of iemand het gezien had. Maar er waren niet veel mensen. Ze stonden op de putting green voor de junioren, een verscholen oefenterrein dat afgeschermd werd door naaldbomen en dat meestal verlaten was. Antony was de halve ochtend zijn slagen aan het oefenen geweest als voorbereiding op de Club Cup, het belangrijkste golfevenement van de zomer. De andere helft van de ochtend was hij bezig geweest met het terughalen van de golfballen waarvan Zara maar niet leek te kunnen voorkomen dat ze om de paar minuten over de heg vlogen.

'Het putten hoort, zeg maar, heel beheerst te gaan,' zei hij. 'Je moet je gewoon voorstellen...'

'Er valt niets voor te stellen,' snauwde Zara. 'Ik weet wat ik moet doen. Ik moet die klotebal in dat gat zien te krijgen. Ik kan het gewoon niet!' Ze smeet haar putter op de grond en ging naast Antony zitten. 'Ik snap niet hoe je dat stomme spelletje kunt spelen. Je verbrandt er niet eens calorieën mee.'

'Je raakt er een beetje aan verslaafd,' zei Antony. 'Trouwens, je hoeft helemaal niet af te vallen.'

Zara negeerde hem en trok haar schouders op. Ze zeiden een tijdje geen van beiden iets.

'Hé,' zei Antony ten slotte. 'Hoe komt het dat je zo uit je humeur bent?'

'Dat ben ik niet.'

'Jawel. Je bent al de hele dag in een rothumeur. Sinds je moeder vanochtend wegging.' Hij zweeg even. 'Komt het omdat...' Hij brak onbeholpen zijn zin af.

'Wat?'

'Nou, ik vroeg me af of je de persoon naar wiens herdenkingsdienst ze gaat misschien kende. En of je daarom misschien een beetje...'

'Nee,' onderbrak Zara hem. 'Nee, dat is het niet.' Ze keerde zich een beetje van hem af en haar gezicht stond feller dan ooit.

'Het zal wel fantastisch zijn als je naar New York gaat,' zei Antony opgewekt.

'Als ik ga.'

'Natuurlijk ga je! Je vriend Johnny neemt je toch mee?'

Zara haalde haar schouders op. 'Op de een of andere manier zie ik het nog niet gebeuren.'

'Waarom niet?'

Ze haalde opnieuw haar schouders op. 'Gewoon.'

'Je voelt je gewoon een beetje akelig,' zei Antony vol begrip.

'Ik voel me niet ákelig. Ik zou alleen wel eens willen...'

'Wat?' vroeg Antony gretig. 'Wat zou je wel eens willen?'

'Ik zou wel eens willen weten wat er gaat gebeuren. Oké? Ik zou het gewoon willen weten.'

'Tussen jouw moeder en mijn vader?'

'Ja.' Haar gemompel was bijna onverstaanbaar.

'Ik denk dat ze gaan trouwen.' Antony's stem borrelde over van enthousiasme. 'Ik durf te wedden dat pap haar binnenkort ten huwelijk vraagt. En dan al dat gedoe met die Gold Card...' Hij ging iets zachter praten. 'Nou, dat doet er dan niet meer toe, hè? Ik bedoel, dan is ze zijn vrouw! Dan delen ze al hun wereldse goederen toch!'

Zara keek hem aan. 'Je hebt het in je hoofd allemaal keurig op een rijtje, hè?'

'Tja.' Hij kleurde een beetje en plukte aan het kort gemaaide gras.

'Antony, je bent zo godvergeten fatsóenlijk.'

'Niet waar!' wierp hij boos tegen.

Zara moest ineens lachen. 'Het is niet érg om het te zijn.'

'Je laat het klinken alsof ik heel bekrompen ben,' protesteerde hij. 'Maar dat ben ik niet. Ik heb heel veel... dingen gedaan.'

'Wat heb je dan gedaan?' zei Zara plagerig. 'Winkeldiefstal?'

'Nee. Natuurlijk niet!'

'Gokken dan?' vroeg Zara. 'En hoe zit het met seks?'

Antony bloosde en Zara kroop dichter naar hem toe. 'Ben jij wel eens met iemand naar bed geweest, Antony?'

'Jij?' pareerde hij.

'Doe niet zo stom. Ik ben nog maar dertien.'

Antony voelde zich ineens opgelucht.

'Nou ja, hoe moet ik dat nou weten?' zei hij uitdagend. 'Het had gekund. Ik bedoel, je blowt toch ook?'

'Dat is anders,' zei Zara. 'Trouwens,' voegde ze eraan toe, 'als je te jong aan seks begint, krijg je baarmoederhalskanker.'

'Wat voor kanker?' vroeg Antony, die het niet goed verstond. 'Wat is dat?'

'Baarmoederhals, sufferd! Baarmoederhalskanker. Weet je wat de baarmoederhals is? Die zit hier.' Ze wees naar een plekje boven aan de gulp van haar spijkerbroek. 'Daar vanbinnen.'

Antony volgde haar vinger met zijn ogen, en terwijl hij dat deed, voelde hij het bloed naar zijn hoofd stromen. Zijn hand schoot vol verwarring omhoog om zijn wijnvlek te bedekken.

'Je moet hem niet verstoppen,' zei Zara.

'Wat?' Zijn stem klonk verstikt.

'Je wijnvlek. Ik vind hem leuk. Je moet hem niet verstoppen.'

'Je vindt hem leuk?'

'Ja. Jij niet dan?'

Antony wendde zijn gezicht af omdat hij niet wist wat hij moest zeggen. Niemand had het ooit over zijn wijnvlek – hij was gewend om net te doen alsof-ie er niet zat.

'Het staat sexy.' Haar stem klonk zacht en hees in zijn oren. Antony voelde zijn ademhaling sneller gaan. Niemand had hem ooit sexy genoemd.

'Mijn moeder vond hem vreselijk,' zei hij zonder dat het zijn bedoeling was.

'Nee, dat geloof ik niet,' zei Zara aanmoedigend.

'Jawel! Ze...' Hij zweeg abrupt. 'Het doet er niet toe.'

'Het doet er wél toe.'

Antony hield enkele ogenblikken lang zwijgend zijn ogen neergeslagen. Jaren van loyaliteit tegenover zijn moeder worstelden met een plotseling, wanhopig verlangen om zijn hart uit te storten.

'Ze wilde dat ik een ooglapje voor zou doen om hem te verbergen,' zei hij ineens.

'Een ooglapje?'

Antony keerde zich met een ruk naar Zara, die hem ongelovig aankeek.

'Toen ik een jaar of zeven was. Ze vroeg me of het me niet leuk zou lijken om een ooglapje voor te doen. Als een zeerover, zei ze. En ze haalde zo'n... zo'n afschuwelijk zwart plastic ding met een elastiek tevoorschijn.'

'Wat deed je toen?'

Antony deed zijn ogen dicht en dacht aan zijn moeder die hem aankeek met die blik van weerzin, half gemaskeerd door een vrolijk namaaklachje. Er ging een steek door zijn borst en hij haalde diep en sidderend adem.

'Ik stond er alleen maar een beetje naar te kijken en zei: "Maar ik zie helemaal niks als ik een ooglapje voordoe." En toen lachte ze en deed net of het maar een grapje was. Maar...' Hij slikte. 'Ik wist dat het geen grapje was. Zelfs toen wist ik het al. Ze wilde dat ik mijn oog zou bedekken zodat niemand mijn wijnvlek zou zien.'

'Jezus. Wat een rotwijf.'

'Ze was geen rotwijf!' Antony's stem sloeg over. 'Ze was alleen...' Hij beet op zijn lip.

'Nou, weet je? Ik vind het sexy.' Zara schoof nog dichterbij. 'Heel sexy.' Het bleef heel even stil. Zara keek hem aan.

'Kun je... kun je baarmoederhalskanker krijgen van zoenen?'

vroeg Antony ten slotte. Hij hoorde zelf hoe schor hij klonk en zijn hart ging als een razende tekeer.

'Dat geloof ik niet,' zei Zara.

'Goed,' zei Antony.

Langzaam en verlegen sloeg hij zijn arm om haar magere schouders en trok haar naar zich toe. Haar lippen smaakten naar pepermunt en cola light en haar tong vond de zijne meteen. Ze is al eerder gezoend, dacht hij wazig. Ze is al heel vaak gezoend. Meer dan ik waarschijnlijk. En toen ze uit elkaar gingen, keek hij haar behoedzaam aan, half verwachtend dat ze om hem zou giechelen en half verwachtend dat ze hem met een of andere gemene, ervaren opmerking zou neersabelen.

Maar tot zijn afschuw en verbazing staarde ze in de verte en biggelde er een traan over haar wang. Visioenen van beschuldigingen en zinloze ontkenningen schoten door zijn hoofd.

'Zara, het spijt me!' zei hij ademloos. 'Ik wilde niet...'

'Wees maar niet bang,' zei ze zachtjes. 'Het gaat niet om jou. Het heeft helemaal niets met jou te maken.'

'Dus je vond het niet erg...' Hij keek haar enigszins hijgend aan.

'Natuurlijk vond ik het niet erg,' zei ze. 'Ik wilde dat je me zou zoenen. Dat wist je.' Ze veegde de traan weg, keek naar hem op en glimlachte. 'En weet je? Nu wil ik dat je me weer zoent.'

Tegen de tijd dat ze thuiskwam, had Philippa bonkende hoofdpijn. Nadat Fleur in een taxi naar Waterloo was gestapt, was ze in haar eentje verder gaan winkelen in de goedkopere winkels die Fleur links had laten liggen, maar waar Philippa diep in haar hart de voorkeur aan gaf. Nu zaten haar schoenen te strak en haar haar was uitgezakt en ze voelde zich murw en smerig van de Londense straten. Maar zodra ze het huis binnenstapte, hoorde ze een onbekende stem in de werkkamer, en haar hart ging sneller kloppen. Misschien had Lambert gasten uitgenodigd. Misschien konden ze een spontaan etentje houden. Wat fijn dat ze haar roze mantelpakje aanhad – ze zouden denken dat ze elke dag dit soort kleren droeg. Ze haastte zich de hal door, bekeek zichzelf in de spiegel, zette een werelds maar toch gastvrij gezicht op en deed de deur van de werkkamer met een zwaai open.

Maar Lambert was alleen. Hij hing in zijn stoel bij de open haard en luisterde naar een bericht op zijn antwoordapparaat. Een vrouwenstem die Philippa niet herkende zei: 'Het is absoluut van het hóógste belang dat we bij elkaar komen om uw situatie te bespreken.'

'Wat voor situatie?' vroeg Philippa.

'Niks,' snauwde Lambert.

Philippa keek naar het rode lichtje op het apparaat. 'Is ze nu aan de lijn? Waarom neem je niet gewoon op om haar te woord te staan?'

'Waarom hou jij niet gewoon je kop?' gromde Lambert.

Philippa keek naar hem. Naarmate de middag gevorderd was, was ze gaan denken dat haar huwelijk misschien toch niet dat liefdeloze, lege omhulsel was dat ze had beschreven – dat er misschien toch nog wel hoop was. Haar vastberadenheid om bij Lambert weg te gaan was verdwenen en had slechts een vertrouwde, vage teleurstelling achtergelaten dat het leven niet geworden was zoals ze het zich had voorgesteld.

Maar nu voelde ze haar besluitvaardigheid terugkeren. Ze haalde diep adem en balde haar vuisten.

'Je bent altijd zo ongelooflijk onbeschoft tegen me!' riep ze uit.

'Wat?' Lamberts hoofd draaide langzaam rond tot hij haar aankeek met wat oprechte verbazing leek.

'Ik ben het spuugzat!' Philippa kwam verder de kamer in, realiseerde zich dat ze nog steeds twee draagtassen in haar handen hield en zette ze neer. 'Ik ben het beu zoals je me behandelt. Als een sloofje! Als een imbeciel! Ik wil wel eens wat respect!' Ze stampte triomfantelijk met haar voet en wou dat ze iets meer publiek had. Zinnen sprongen in overvloed naar haar lippen, scènes uit talloze romans drongen haar hoofd binnen. Ze voelde zich een romantische, opvliegende heldin. 'Ik ben uit liefde met je getrouwd, Lambert,' vervolgde ze terwijl ze haar stem dempte tot een fluistering. 'Ik wilde mijn leven met je delen. Je hoop, je dromen. En toch sluit je me buiten, je negeert me...'

'Ik negeer je niet!' zei Lambert. 'Waar heb je het over?'

'Je behandelt me als een stuk vuil,' zei Philippa terwijl ze haar haar achterover zwaaide. 'Nou, ik heb er genoeg van. Ik wil ermee stoppen.'

'Wát?' Lamberts stem steeg tot een verbijsterde pieptoon. 'Philippa, wat is er in godsnaam met je aan de hand?'

'Stel jezelf dezelfde vraag maar,' zei Philippa. 'Ik ga bij je weg, Lambert.' Ze stak haar kin in de hoogte, pakte haar tassen en liep naar de deur. 'Ik ga bij je weg en er is niets waarmee je me kunt tegenhouden.'

14

Toen Fleur uit Londen terugkwam, trof ze Geoffrey Forrester, voorzitter van de Greyworth Golf Club, in de hal aan, waar hij Richard de hand schudde.

'Aha!' zei Geoffrey toen hij Fleur zag. 'Je bent net op tijd om het goede nieuws te horen. Zal ik het Fleur vertellen, Richard, of wil jij het doen?'

'Wat is het?' vroeg Fleur.

'Geoffrey heeft me zojuist verteld dat ik, als ik wil, genomineerd zal worden als voorzitter van de club,' zei Richard.

Fleur keek naar hem. Hij probeerde duidelijk zijn gezicht in de plooi te houden, maar er lag een glimlach om zijn lippen en zijn ogen straalden van blijdschap.

'Zoals ik Richard al gezegd heb, heeft het comité unaniem voor hem gestemd,' zei Geoffrey. 'Wat lang niet altijd gebeurt, dat kan ik je wel vertellen.'

'Goed gedaan, schat!' zei Fleur. 'Wat ben ik daar blij om.'

'Nou, ik moet ervandoor,' zei Geoffrey terwijl hij op zijn horloge keek. 'Richard, laat je me morgen horen wat je beslissing is?'

'Absoluut,' zei Richard. 'Goedenavond, Geoffrey.'

'En ik hoop dat we jullie tweeën bij de Club Cup zullen zien,' zei Geoffrey. 'Geen smoesjes, hoor, Richard!' Hij grijnsde joviaal naar Fleur. 'Luister, Fleur, begint het niet eens tijd te worden dat jij de clubs ter hand neemt?'

'Ik weet niet of ik wel een echte golfer ben,' zei Fleur terwijl ze naar hem glimlachte.

'Het is nooit te laat om te beginnen!' Geoffrey gniffelde. 'We krijgen je nog wel, Fleur! Nietwaar, Richard?'

'Dat hoop ik,' zei Richard. Hij pakte Fleurs hand en kneep er even in. 'Dat hoop ik zeker.'

Ze keken hem na terwijl zijn auto over de oprijlaan wegscheurde en liepen terug het huis in.

'Over welke beslissing had hij het?' vroeg Fleur.

'Ik heb tegen Geoffrey gezegd dat ik eerst met jou moest overleggen voor ik met de nominatie kon instemmen,' zei Richard.

'Wat?' Fleur keek hem ongelovig aan. 'Maar waarom? Je wilt toch voorzitter worden?'

Richard zuchtte. 'Natuurlijk wil ik dat – aan de ene kant. Maar het is niet zo eenvoudig. Voorzitter zijn is niet alleen een hele eer, het is ook een hele klus.' Hij pakte een haarlok van Fleur en streek die langs zijn lippen. 'Als ik het word, moet ik heel wat meer tijd op de club doorbrengen dan ik de laatste tijd heb gedaan. Ik zal meer moeten spelen, mijn oude spelvorm weer te pakken krijgen, vergaderingen voorzitten...' Hij spreidde zijn handen. 'Er zit een hoop aan vast. En dat alles zal betekenen dat ik minder tijd met jou kan doorbrengen.'

'Maar je bent dan wel voorzitter! Is dat het niet waard?' Fleur vernauwde haar ogen tot spleetjes. 'Is het voorzitterschap van Greyworth niet iets wat je altijd hebt gewild?'

'Het is gek,' zei Richard. 'Ik heb jarenlang gedacht dat het precies was wat ik wilde. Het voorzitterschap van Greyworth – nou, dat was mijn doel. En nu is mijn doel binnen bereik en weet ik niet goed meer waarom ik het eigenlijk wilde. De doelpalen zijn verplaatst.' Zijn mond begon te trekken. 'Of misschien kan ik beter zeggen: de achttiende hole is verplaatst.' Hij gnuifde even, maar Fleur fronste afwezig haar voorhoofd.

'Je kunt je doel niet zomaar laten varen,' zei ze ineens. 'Als het iets is waar je al je hele leven op gericht bent.'

'Ik zie niet in waarom niet. De vraag is waarom ik me erop gericht had,' zei Richard. 'En wat gebeurt er als datgene wat het te bieden heeft me niet langer echt kan boeien?' Hij haalde zijn schouders op. 'Als ik nu eens liever tijd met jou doorbreng dan dat ik op de golfbaan rondloop met een of andere saaie vent van een golfclub uit de buurt?'

'Richard, je kunt het niet zomaar opgeven!' riep Fleur uit. 'Je kunt niet zomaar genoegen nemen met... een lekker rustig leventje! Je hebt altijd voorzitter van Greyworth willen worden en nu heb je de kans. Mensen moeten elke kans aangrijpen die ze in hun leven krijgen. Ook als dat betekent...' Ze brak diep ademend haar zin af.

'Ook als dat betekent dat ze ongelukkig zijn?' Richard moest lachen.

'Misschien, ja! Het is beter om de kans te grijpen en ongelukkig te zijn dan om hem te laten schieten en er voor altijd spijt van te hebben.'

'Fleur.' Hij pakte haar beide handen en gaf er een kus op. 'Je bent buitengewoon, absoluut buitengewoon! Ik kan me geen echtgenote voorstellen die bemoedigender, ruimhartiger is...'

Er viel een doodse stilte.

'Alleen ben ik je echtgenote niet,' zei Fleur langzaam.

Richard sloeg zijn ogen neer. Hij haalde diep adem, hief zijn hoofd en keek haar recht in de ogen.

'Fleur,' begon hij.

'Richard, ik moet echt even onder de douche,' zei Fleur voor hij verderging. 'Ik ben zo vreselijk smerig van Londen.' Ze maakte zich los uit zijn greep en liep snel naar de trap.

'Natuurlijk,' zei Richard zachtjes. Toen keek hij glimlachend naar haar op. 'Je bent vast uitgeput. En ik heb je niet eens gevraagd hoe de herdenkingsdienst is gegaan.'

'Ik ben uiteindelijk toch niet meer gegaan,' zei Fleur. 'Ik had veel te veel plezier met Philippa.'

'O, goed zo! Ik ben heel blij dat jullie vriendinnen aan het worden zijn.'

'En bedankt voor je champagne!' voegde Fleur er van halverwege de trap aan toe. 'Het was zo'n verrassing.'

'Ja,' zei Richard, 'dat hoopte ik al.'

Fleur liep regelrecht naar de badkamer, draaide beide kranen open en deed de deur op slot. Ze voelde zich verward, ze moest nadenken. Ze ging zuchtend op de wc-bril – een afgrijselijk bekleed geval – zitten en staarde naar haar spiegelbeeld.

Wat was haar eigen levensdoel? Het antwoord kwam onmiddellijk, zonder dat ze maar hoefde na te denken. Haar doel was een hoop geld vergaren. Wat was een hoop geld? Tien miljoen pond was een hoop geld. Als ze met Richard zou trouwen, zou ze een hoop geld krijgen.

'Maar niet op mijn eigen voorwaarden,' zei Fleur hardop tegen haar spiegelbeeld. Ze zuchtte en duwde haar schoenen uit. Haar voeten waren een beetje gevoelig van de Londense straten, ondanks het zachte, dure leer van haar schoenen, ondanks de vele taxi's.

Zou ze ertegen kunnen om de vrouw van Richard te worden? Mevrouw Richard Favour uit Greyworth. Fleur huiverde een beetje – de gedachte alleen al vond ze verstikkend. Mannen veranderden na het huwelijk. Richard zou geruite broeken voor haar kopen en verwachten dat ze zou leren golfen. Hij zou haar een toelage geven. Hij zou er elke ochtend zijn als ze wakker werd en naar haar glimlachen met die gretige, argeloze glimlach. Als ze een reisje naar het buitenland wilde maken, zou hij meegaan.

Maar tegelijkertijd... Fleur beet op haar lip. Tegelijkertijd had hij een hoop geld. Hij was een kans die misschien niet nog een keer op haar pad zou komen. Ze trok haar jasje uit en hing het over het handdoekenrek. Bij het zien van de zwarte zijde werd ze ineens herinnerd aan de herdenkingsdienst die ze die middag gemist had. Een verkeken kans. Wie zou er bij de herdenkingsdienst kunnen zijn geweest? Welke fortuinlijke ontmoeting had plaatsgevonden kunnen hebben als ze gegaan was?

'Neem nu eens een beslissing,' zei Fleur tegen haar spiegelbeeld, terwijl ze uit haar rok stapte en haar beha losmaakte. 'Of je neemt wat je kunt krijgen óf je gaat weg.'

Ze trok haar kousen uit, liep naar het bad en zwaaide haar benen over de rand. Toen ze zich in het warme schuim liet zakken, voelde ze hoe haar hele lichaam begon te ontspannen en de muizenissen uit haar hoofd verdreven werden.

Ze schrok van een klop op de deur.

'Ik ben het!' klonk Richards stem. 'Ik kom je een glas wijn brengen.'

'Dank je, schat!' riep Fleur terug. 'Ik pak het zo.'

'En ik heb Philippa aan de telefoon. Ze wil je spreken.' Fleur sloeg haar ogen ten hemel. Eén dag Philippa was mooi genoeg geweest.

'Zeg maar dat ik haar terugbel.'

'Goed. Ik zet het glas hier neer,' klonk Richard weer. 'Bij de deur.'

Ze stelde zich voor hoe hij bukte en het glas voorzichtig op het kleed bij de badkamerdeur zette. Hoe hij ernaar keek en zich afvroeg of ze het toch niet per ongeluk zou omstoten, weer bukte en het een paar centimeter verder bij de deur vandaan zette voor hij op zijn tenen wegliep. Een zorgvuldige, voorzichtige man. Zou hij haar al zijn geld laten uitgeven? Waarschijnlijk niet. En dan zou ze voor niets met hem getrouwd zijn.

Philippa legde de telefoon neer en beet op haar lip. Een nieuwe tranenvloed stroomde over haar rode, behuilde gezicht en ze had het gevoel alsof haar binnenste uiteengescheurd werd. Er was niemand anders die ze kon bellen. Niemand anders die ze in vertrouwen kon nemen. Ze moest met Fleur praten en Fleur lag in bad.

'O god,' zei ze hardop. 'O god, help me.'

Ze liet zich van de bank op de grond glijden en begon hysterisch te huilen terwijl ze haar maag omklemde en heen en weer wiegde. Haar roze pakje was gekreukt en zat onder de vlekken van haar tranen, maar het kon haar niet schelen hoe ze eruitzag – er was toch niemand die haar kon zien. Niemand om haar te horen.

Lambert had de deur een halfuur ervoor hard dichtgeslagen en haar verdoofd en tot in het diepst van haar ziel gekwetst achtergelaten. Ze had een tijdlang ineengedoken op de bank gezeten, niet in staat om zich te verroeren zonder dat ze pijn in haar maag kreeg en de tranen weer in haar ogen sprongen. Maar toen ze weer min of meer op adem was, was ze er in geslaagd om de telefoon te pakken, het nummer van The Maples in te toetsen en naar Fleur te vragen met een stem die normaal klonk. Fleur, had ze radeloos gedacht, als ik maar met Fleur kan praten.

Maar Fleur lag in bad en kon niet met haar praten. En zodra ze gedag had gezegd tegen haar vader en had opgehangen, waren de tranen weer over haar gezicht gaan stromen. Ze had zich op de grond laten zakken en zich afgevraagd hoe het kon dat een dag die zo perfect begonnen was in zo'n vernederende puinhoop geëindigd was.

Hij had haar uitgelachen. In eerste instantie had Lambert haar uitgelachen. Een akelige, spottende lach die maakte dat ze haar schouders naar achteren trok, hem aankeek en op nog strijdlustiger toon had gezegd: 'Ik ga bij je weg!' Er was een heerlijke adrenalinestoot door haar lichaam gegaan, er was een glimlach om haar mond verschenen en de gedachte was bij haar opgekomen dat ze dit al veel eerder had moeten doen. 'Ik denk dat ik naar het huis van mijn vader ga,' had ze er op zakelijke toon aan toegevoegd. 'Tot ik mijn eigen woning gevonden heb.'

En Lambert had opgekeken en gezegd: 'Philippa, hou je nu je mond eens?'

'Lambert, snap je het niet? Ik ga bij je weg!'

'Nee, helemaal niet.'

'Jawel.'

'Nee, om de donder niet.'

'Wel! Je houdt niet van me, dus wat heeft het voor zin om samen verder te gaan?'

'De zin is dat we verdomme getrouwd zijn. Nou goed?'

'Nou, misschien wil ik verdomme niet meer met je getrouwd zijn!' riep ze uit.

En Lambert was opgestaan, naar haar toe gelopen en had haar bij haar pols gepakt. 'Je gaat niet bij me weg, Philippa,' had hij gezegd met een stem die ze amper herkende, een stem die haar angst aanjoeg. Hij zag knalrood en trilde; hij zag eruit alsof hij bezeten was. 'Je gaat verdomme niet bij me weg, hoor je me?'

En ze had zich gevleid gevoeld. Ze had naar zijn radeloze gezicht opgekeken en gedacht: dat is nu liefde. Hij houdt echt van me. Ze stond op het punt om zich gewonnen te geven, om zijn kin te strelen en hem schat te noemen. Toen hij dichter bij haar kwam, voelde ze een glimlach op haar gezicht verschijnen en maakte ze zich op voor een hartstochtelijke, verzoenende omhelzing. Maar ineens omsloten zijn handen ruw haar nek.

'Je gaat niet bij me weg!' siste hij. 'Je gaat nooit bij me weg!' En zijn handen hadden haar hals omklemd tot ze dacht dat ze bijna geen adem meer kon halen, tot ze het gevoel had dat ze moest kokhalzen vanwege de druk op haar keel.

'Zeg dat je niet bij me weg zult gaan! Zeg het!'

'Ik zal niet bij je weggaan,' had Philippa schor weten uit te brengen.

'Dat klinkt beter.'

Hij had haar onverhoeds losgelaten en haar op de bank laten vallen zoals een kind een stuk speelgoed laat vallen waar het op uitgekeken is. Ze had niet opgekeken toen hij wegging, had hem niet gevraagd waar hij heen ging. Haar hele lichaam was aan dezelfde plek vastgeklonken. Toen ze de deur met een klap dicht hoorde slaan, stroomden de tranen van opluchting over haar wangen. Uiteindelijk was ze naar de telefoon gewankeld, had het nummer van The Maples ingetoetst en gevraagd naar de enige persoon met wie ze het hierover kon hebben. Het was haar op de een of andere manier gelukt om op min of meer normale toon met haar vader te praten, zonder iets te laten merken. Het was haar op de een of andere manier gelukt om te zeggen dat het er natuurlijk niet toe deed, doei pap, tot gauw. Maar zodra ze de telefoon had neergelegd, was ze op het kleed ineengezakt, een zielig hoopje ellende. Omdat Fleur niet bereikbaar was en er niemand anders was tot wie ze zich kon wenden.

Richard legde de telefoon neer en keek er vol genegenheid naar. Hij vond het wel leuk dat Philippa had gebeld en Fleur had willen spreken in plaats van hem. Het toonde alleen maar aan, vond hij, dat Fleur steeds meer deel ging uitmaken van het gezin – niet alleen verbonden met hem, maar met hen allemaal. Gillian was in ieder geval erg op Fleur gesteld. Antony leek haar gezelschap ook wel op prijs te stellen en – Richard grinnikte bij zichzelf – hij was zeker gesteld op de kleine Zara.

In het tijdsbestek van een zomer was Fleur zo intensief deel gaan uitmaken van hun levens dat het hem moeite kostte zich te herinneren hoe ze hadden geleefd vóór haar. In het begin had ze een vreemd, exotisch wezen geleken vol gekke ideeën, volledig in tegenspraak met het leven dat hij leidde, met het leven dat zij allemaal leidden. Maar nu... Richard fronste zijn voorhoofd. Nu leek ze volkomen normaal. Ze was gewoon Fleur. Hij wist niet goed of zij nu veranderd was of dat zij het waren.

En de transformatie had niet alleen binnen het gezin plaatsgevonden, dacht Richard terwijl hij een glas wijn inschonk. Al die afkeurende blikken in het clubhuis waren ergens halverwege opgelost. Alle roddels waren verdampt. Nu werd Fleur net zo gerespecteerd in Greyworth als hijzelf. Zijn nominatie als voorzitter was net zo goed een eerbetoon aan haar als aan hem.

Richard beet op zijn lip. Het was tijd dat hij haar ook eerde. Het was tijd dat hij zijn zaken op orde maakte, tijd dat hij een verlovingsring kocht, tijd om Fleur – op fatsoenlijke wijze – te vragen zijn vrouw te worden.

De volgende dag rond lunchtijd had Fleur nog steeds geen moment gevonden om Philippa terug te bellen.

'Ze heeft weer gebeld,' zei Gillian, die in de keuken tomaten aan het snijden was voor de lunch. 'Terwijl jij bezig was met je fitnesstest. Ze klonk flink over haar toeren dat ze je nu voor de derde keer gemist heeft.'

'Mijn uithoudingsvermogen is heel erg goed,' zei Fleur, die naar het papier in haar hand keek. 'Maar mijn longcapaciteit is vreselijk.' Ze keek op. 'Ik vraag me af hoe dat komt.'

'Te veel gerookt,' zei Zara.

'Ik rook niet!'

'Nee, maar vroeger wel.'

'Maar heel erg kort,' wierp Fleur tegen. 'En ik heb een halfjaar in de Zwitserse Alpen gewoond. Daarmee zou elke longbeschadiging toch wel hersteld moeten zijn?'

'Er is ook nog een keer gebeld door je vriend Johnny,' zei Gillian na een blik op de blocnote naast de keukentelefoon. 'Weet je, hij heeft deze week nu al vier keer gebeld.'

'Jezus!' zei Zara. 'Hebben jullie het nu nog niet bijgelegd?'

'Hij drong er nogal op aan dat hij je te spreken zou krijgen,' voegde Gillian eraan toe. 'Ik heb echt beloofd dat ik zou proberen je over te halen om hem te bellen.'

'Ik ben niet in de stemming voor Johnny,' zei Fleur fronsend. 'Ik bel hem straks wel.'

'Bel hem nu!' riep Zara uit. 'Als hij wil dat je belt, moet hij wel een goede reden hebben. Stel je voor dat het dringend is!'

'Niets in Johnny's leven is dringend,' zei Fleur geringschattend. 'Hij heeft niets in de wereld om zich zorgen over te maken.'

'En jij zeker wel?' was Zara's weerwoord.

'Zara,' interrumpeerde Gillian haar diplomatiek, 'wil jij wat aardbeien voor me uit de tuin gaan halen?'

Er volgde een korte stilte. Zara wierp Fleur een boze blik toe.

'Oké,' zei ze ten slotte en stond op.

'En misschien vind ik wel tijd om Johnny straks te bellen,' zei Fleur terwijl ze haar nagels bestudeerde. 'Maar héél misschien.'

Lambert verkeerde in een crisissituatie. Hij zat in zijn kantoor en versnipperde papier tussen zijn vingers terwijl hij uit het raam staarde, niet in staat zich te concentreren. De afgelopen paar dagen had hij niet minder dan drie berichten van Erica Fortescue van de First Bank ontvangen, waarin hij dringend gevraagd werd onmiddellijk contact op te nemen. Tot dusver was het hem gelukt om een gesprek met haar te vermijden. Maar hij kon niet weg blijven lopen. Stel dat ze naar zijn kantoor kwam, stel dat ze Richard belde?

Hij stond nu driehonderddertigduizend pond rood. Lambert voelde het koude zweet op zijn voorhoofd parelen. Hoe had het zover kunnen komen? Hoe kon het dat hij zo veel had uitgegeven? En wat had hij er helemaal aan overgehouden? Hij had een auto, wat kleren, wat horloges. Hij had wat vrienden – mannen met hun echtgenotes die hij met flessen cognac in zijn club onthaald had en voor wie hij kaarten voor de opera en ereplaatsen bij het cricket had gekocht. Hij had altijd net gedaan alsof hij weggevertjes uitdeelde en zijn vrienden hadden hem altijd geloofd. Als de gedachte ooit bij hen opgekomen was dat hij alles uit eigen zak betaalde, zouden ze zich opgelaten hebben gevoeld, zouden ze hem waarschijnlijk uitgelachen hebben. Nu verscheen er een blos van woede en vernedering op Lamberts wangen. Wie waren die vrienden helemaal? Hersenloze idioten van wie hij zich amper de naam kon herinneren. En omdat hij het hun naar de zin had willen maken, verkeerde hij nu in de problemen.

Wat was Emily's bedoeling geweest toen ze hem vertelde dat hij een rijk man zou worden? Wat was verdomme haar bedoeling geweest? Een kille woede steeg in Lambert op en hij vervloekte haar omdat ze dood was, vervloekte haar omdat ze zomaar uit de wereld weg gefladderd was en allerlei losse eindjes had achtergelaten. Wat was de waarheid? Zou Philippa rijk worden? Zou dat geld naar haar gaan? Of was Richard van gedachten veranderd? Was dat hele verhaal van het beheerde vermogen maar een verzinsel van Emily geweest? Het zou echt iets voor haar zijn geweest, dat manipulatieve kreng. Ze had hem aangemoedigd om te denken dat hij rijk was, om meer geld uit te gaan geven dan hij ooit eerder gedaan had. En nu zat hij tot over zijn oren in de schulden en was er van al haar hints en beloften niets terechtgekomen.

Alleen – Lambert beet op zijn lip – wist hij niet zeker of er niets van terecht zou komen. De begeerlijke mogelijkheid bestond nog steeds dat Richard over de brug zou komen. Misschien zou hij alsnog een deel van dat geld in een fonds onderbrengen voor Philippa. Wellicht zou ze miljonaire worden zodra ze dertig was, zoals Emily beloofd had. Of mogelijkerwijs had Richard nu besloten om nog even te wachten – tot ze vijfendertig was misschien, of veertig.

Het was tergend, die onwetendheid. En hij kon er op geen enkele manier achterkomen. Richard was een stiekeme klootzak – hij zou Lambert nooit iets vertellen – en Philippa wist natuurlijk van niets. Philippa wist nergens iets vanaf. Er kwam een plotselinge herinnering aan Philippa's rode, verwrongen gezicht van de avond tevoren in Lambert op. Ze had op de bank liggen snikken toen hij het huis uitstormde en hij had haar sindsdien niet meer gezien.

Hij had overtrokken gereageerd op haar zwakke dreigement dat ze bij hem weg zou gaan – dat besefte hij nu. Natuurlijk meende ze het niet. Philippa zou nooit bij hem weggaan. Maar op het moment zelf was hij ervan over zijn toeren geraakt. Hij was bevangen door een withete paniek en de overtuiging dat hij haar koste wat het kost moest tegenhouden. Hij moest met Philippa getrouwd blijven, hij moest ervoor zorgen dat alles zijn gewone gangetje bleef gaan, in ieder geval tot hij wist hoe de vlag erbij hing. En daarom had hij haar bij haar keel gepakt. Misschien had hij een beetje overdreven, misschien had hij haar iets te erg overstuur gemaakt. Maar ze zou zich nu in ieder geval wel even koest houden en dan had hij de tijd om zijn problemen op te lossen.

De telefoon ging over en er ging een angstscheut door hem heen. Het zou Erica Fortescue wel eens kunnen zijn, dacht hij onsamenhangend. Ze stond bij de receptie en was op weg naar boven naar...

De telefoon ging opnieuw over en hij nam abrupt op.

'Ja?' blafte hij, in een poging zijn zenuwen te verbloemen.

'Lambert?' Het was zijn secretaresse, Lucy. 'Ik wilde even zeggen dat ik die vergadering voor je verplaatst heb.'

'Goed,' zei Lambert en hij hing op. Hij kon momenteel geen enkele vergadering aan, kon niemand onder ogen komen. Hij had wat tijd nodig om te bedenken wat hij moest doen.

Moest hij gewoon naar Richard toe gaan, de situatie aan hem voorleggen en vragen hem uit de brand te helpen? Zou Richard bereid zijn zo'n bedrag op tafel te leggen? De totale som drong weer tot hem door en hij huiverde. Het bedrag dat afgezet tegen Philippa's toekomstige kapitaal zo redelijk had geleken, leek nu exorbitant. Hij deed zijn ogen dicht en stelde zich voor hoe het zou gaan als hij het Richard zou vertellen: nederig om hulp vragen, stil blijven zitten terwijl Richard hem vermanend toesprak. Zijn leven zou een hel worden. Wat een onbeschrijflijke nachtmerrie.

Het was helemaal de schuld van Larry Collins, dacht Lambert ineens. Larry, zijn maat op de bank. Larry, die Lambert úitgenodigd had om rood te gaan staan. Hij was onder de indruk geweest van Lamberts verzekering dat Philippa binnen afzienbare tijd miljoenen zou erven. Hij had tegen Lambert gezegd dat hij een zeer gewaardeerde cliënt was. Hij had gezegd dat de bureaucratie er niet toe deed – hij had de limiet zonder meer verhoogd. Als hij niet zo'n onverantwoordelijke idioot was geweest, als zijn bazen niet zo achterlijk blínd waren geweest – dan zou Lambert überhaupt niet zo bespottelijk rood zijn gaan staan en zou het hele probleem zich nooit voorgedaan hebben. Maar niemand had eraan gedacht om te controleren, Lambert was steeds erger in de min geraakt – en toen pas was Larry ontslagen. Larry was lekker buitenspel gezet en Lambert was degene die met de brokken zat.

Wat moest hij doen? Als hij zich aan zijn oorspronkelijke plan hield – vijftigduizend van de rekening van tien miljoen nam en dat de bank toeschoof om ze zolang te sussen – dan moest hij een plan bedenken om Richard voor het einde van het jaar terug te betalen. Hij kon het er niet gewoon bij laten; een tekort van vijftigduizend zou Richard opvallen. Dus zou hij opnieuw rood moeten gaan staan. Maar wie zou hem opnieuw toestaan om rood te gaan staan nu Larry weg was? Wie zou toestaan dat hij rood ging staan zonder enig bewijs dat Philippa binnen afzienbare tijd een hoop geld zou krijgen? Lambert balde gefrustreerd zijn vuisten. Had hij maar bewijs. Een of ander bevestigend bewijs, hoe klein ook. Iets waarmee hij de een of andere sufferd waar dan ook kon overhalen om hem zijn krediet te laten behouden. Een document of een brief. Iets wat ondertekend was door Richard. Alles was goed.

15

Twee weken later zat Richard in het kantoor van Oliver Sterndale, waar hij zijn naam herhaaldelijk onder verschillende papieren zette. Na de laatste handtekening draaide hij de dop op Olivers vulpen, keek naar zijn oude vriend en glimlachte.

'Zo,' zei hij. 'Klaar.'

'En blut,' zei Oliver geërgerd. 'Je beseft toch wel dat je nu vrijwel aan de grond zit?'

Richard lachte.

'Oliver, voor iemand die zojuist tien miljoen heeft weggegeven, heb ik nog een onfatsoenlijk groot bedrag op de bank staan. En dat weet je heel goed.'

'Ik weet van niets,' zei Oliver. Hij keek Richard aan en zijn ogen begonnen ineens te twinkelen. 'Maar aangezien je je zo vastgebeten had in dit plannetje, mag ik je dan nu feliciteren met de succesvolle afronding ervan?'

'Dat mag.'

'Nou, gefeliciteerd dan maar.'

Ze keken allebei naar de contracten die in dikke stapels op het bureau lagen.

'Ze worden heel erg rijke jonge mensen,' zei Oliver. 'Heb je al besloten wanneer je het hun vertelt?'

'Nog niet,' zei Richard. 'We hebben nog tijd genoeg.'

'We hebben redelijk wat tijd,' zei Oliver. 'Maar je moet hen wel op de een of andere manier waarschuwen. Vooral Philippa. Je wilt toch niet op de vooravond van haar dertigste verjaardag ineens naar woorden moeten zoeken om haar te vertellen dat ze op het punt staat multimiljonair te worden? Dat soort mededelingen kunnen een vervelende, averechtse uitwerking hebben.'

'O, daar ben ik me van bewust,' zei Richard. 'Ik zit er ook over te denken om binnen, laten we zeggen, een paar weken met Philippa en Antony hierheen te komen om het hun uit te leggen. Aangezien jij de beheerder van de vermogens bent.'

'Goed idee,' zei Oliver. 'Uitstekend idee.'

'Weet je, ik voel me bevrijd,' zei Richard plotseling. 'Dit heeft zwaarder op me gedrukt dan ik me gerealiseerd had. Nu heb ik het gevoel dat ik...' Hij maakte zijn zin niet af en bloosde een beetje.

'Opnieuw kan beginnen?'

'Exact.'

Oliver schraapte discreet zijn keel.

'Richard, is er iets wat ik – als je advocaat – zou moeten weten?'

'Dat geloof ik niet.'

'Maar je zou het me laten weten als er... iets was.'

'Ja natuurlijk.' Er speelde een glimlachje om Richards lippen en Oliver keek hem streng aan.

'En daarmee doel ik niet op een fax uit Las Vegas met "Raad eens? – Ik ben getrouwd".'

Richard barstte in lachen uit. 'Oliver, wie denk je wel dat ik ben?'

'Ik denk dat je een fatsoenlijke vent en een goede vriend bent.' Olivers ogen boorden zich in die van Richard. 'En ik denk dat je best wat bescherming kunt gebruiken.'

'Tegen wie, als ik vragen mag?'

'Tegen jezelf. Tegen je eigen ruimhartigheid.'

'Oliver, wat zeg je nu precies?'

'Ik zeg niets. Beloof me alleen dat je niet trouwt zonder het mij eerst verteld te hebben. Alsjeblieft.'

'Kom op, Oliver, ik zou er niet over peinzen. En trouwens, wie zegt dat ik ga trouwen?'

Oliver wierp hem een ironisch lachje toe.

'Wil je nu heus dat ik daar antwoord op geef? Ik kan je een lijstje met namen geven, als je wilt. Te beginnen met mijn eigen vrouw.'

'Dat moest je maar niet doen.' Richard gniffelde. 'Weet je, het kan me echt niet meer schelen wat er over me gezegd wordt. Laat ze maar roddelen wat ze willen.'

'Trok je je er vroeger wel iets van aan?'

Richard dacht even na. 'Dat weet ik eigenlijk niet. Maar Emily kon er vreselijk over tobben. En dus tobde ik natuurlijk altijd met haar mee.'

'Ja,' zei Oliver. 'Dat kan ik me voorstellen.' Hij grinnikte naar Richard. 'Je bent echt veranderd, hè?'

'Ja?' zei Richard onschuldig.

'Dat weet je best.' Oliver zweeg even. 'En serieus – ik ben blij dat het zo goed met je gaat. Dat verdien je.'

'Daar ben ik niet van overtuigd,' zei Richard. 'Maar in elk geval bedankt, Oliver.' De twee mannen keken elkaar een ogenblik aan, en toen keek Richard weg. 'En bedankt dat je op zaterdagochtend naar kantoor hebt willen komen,' zei hij luchtig. 'En dat ook nog op de ochtend van de Club Cup!'

'Graag gedaan.' Oliver leunde gemakkelijk achterover. 'Ik begin pas om twaalf uur. En jij?'

'Om halfeen. Net genoeg tijd om nog even te oefenen. Dat zal geen overbodige luxe zijn. Weet je, ik heb deze zomer amper gespeeld.'

'Dat weet ik,' zei Oliver. 'Dat zei ik ook. Je bent veranderd.'

Rond elf uur was Philippa eindelijk klaar om uit de flat weg te gaan. Ze tuurde naar zichzelf in de spiegel en gaf een laatste rukje aan haar haar.

'Kom nou,' zei Lambert. 'Ik begin om één uur, weet je nog?'

'We hebben tijd zat,' zei Philippa toonloos. Zonder hem aan te kijken volgde ze hem de trap af.

Hoe had het kunnen gebeuren? vroeg ze zich voor de honderdste keer af toen ze allebei in de auto stapten. Hoe kwam het dat ze Lambert zonder protest terug had laten komen in haar leven, zonder ook maar een vraagteken te zetten? Hij was drie dagen na de ruzie naar de flat gekomen met een bos bloemen en een fles wijn.

'Die zijn voor jou,' had hij botweg bij de deur van de huiskamer gezegd. Ze was geschrokken en had met een ruk opgekeken van de televisie. Ze had gedacht dat ze Lambert nooit meer zou zien. Op een bepaald moment had ze erover gedacht om nieuwe sloten op de deuren te laten zetten, maar toen was ze erachter gekomen hoeveel dat kostte en had besloten om het geld in plaats daarvan aan een doos Bailey's uit te geven. Tegen de tijd dat Lambert terugkwam, zat ze al aan haar vierde fles.

De alcohol had haar verstandelijke vermogens vast aangetast, dacht ze. Want toen ze naar hem keek zoals hij daar in de deuropening stond, niet snerend of stoer maar ook niet bepaald berouwvol, voelde ze geen enkele emotie. Ze had haar uiterste best gedaan om de woede en haat waarvan ze wist dat die in haar moesten smeulen aan te wakkeren en een toepasselijke belediging te bedenken die ze hem toe kon sissen. Maar er was niets anders in haar opgekomen dan 'Klootzak'. En toen ze het zei, was dat op zo'n doffe toon dat ze het net zo goed had kunnen laten.

Hij had haar de bloemen gegeven en ze betrapte zichzelf erop dat ze ernaar keek en dacht dat ze best mooi waren. Toen had hij de wijn opengemaakt en een glas voor haar ingeschonken en ook al was ze een beetje misselijk, ze had er toch van gedronken. En toen ze eenmaal zijn bloemen had aangenomen en zijn wijn had gedronken, waren ze blijkbaar stilzwijgend overeengekomen dat hij terug was, dat hij vergeven was, dat de kloof tussen hen gedicht was.

Het was alsof het hele gedoe nooit had plaatsgevonden. Alsof ze nooit gedreigd had bij hem weg te gaan, alsof hij haar nooit aangeraakt had. Alsof al dat schreeuwen en snikken nooit gebeurd was. Hij had het er nooit over en zij ook niet. Telkens wanneer ze haar mond opendeed om erover te praten, werd ze misselijk en begon haar hart tekeer te gaan en leek het zo veel gemakkelijker om maar niets te zeggen. En hoe meer dagen er voorbijgingen, hoe verder verwijderd en diffuus de hele zaak leek en hoe minder overtuigd ze zich voelde van haar vermogen om het onderwerp aan te snijden.

Toch wilde ze het. Een deel van haar wilde weer tegen hem tekeergaan, zichzelf tot grote woede opzwepen en tegen hem schreeuwen tot hij met een schuldig gezicht ineenschrompelde. Een deel van haar wilde de hele confrontatie opnieuw aangaan, ditmaal als de heldin, de overwinnaar. En een deel van haar wilde de energie vinden om de wereld te laten weten wat er gebeurd was.

Want niemand wist het. Fleur wist het niet, haar vader wist het niet, niemand van haar vriendinnen wist het. Ze had de ergste crisis van haar leven meegemaakt, had hem op de een of andere manier doorstaan en niemand wist ervan. Fleur had haar nog steeds niet teruggebeld. Het was al meer dan twee weken geleden en ze had nog steeds niet teruggebeld.

Philippa voelde tranen van boosheid in haar ogen springen en ze keek uit het raampje. In eerste instantie was ze naar The Maples blijven bellen omdat ze Fleur per se wilde spreken, radeloos omdat ze hulp en goede raad nodig had. Toen was Lambert teruggekomen en leek het erop dat ze het bijgelegd hadden. En Philippa realiseerde zich dat ze Fleur het verhaal niet zozeer wilde vertellen omdat ze hulp nodig had, maar meer vanwege de reactie van schrik en bewondering die het verhaal zeker zou ontlokken. Elke keer dat de telefoon ging, was ze, in de veronderstelling dat het Fleur was, opgesprongen om op te nemen, klaar om haar op gedempte toon te vertellen wat er gebeurd was, klaar om te genieten van de reactie aan de andere kant. Maar Fleur had maar niet teruggebeld, en ten slotte had Philippa het opgegeven. Misschien was Fleur gewoon hopeloos met telefoons, had ze bij zichzelf geredeneerd. Misschien had ze Philippa's boodschappen helemaal niet doorgekregen. Misschien had ze steeds geprobeerd te bellen wanneer Philippa met iemand anders aan het bellen was.

Maar vandaag was het anders, vandaag hadden ze geen telefoons nodig. Ze zou Fleur helemaal voor zichzelf hebben en ze zou haar het hele verhaal vertellen. Bij de gedachte borrelde er een heerlijk verwachtingsvol gevoel in Philippa op. Ze zou Fleur elk detail vertellen van wat er gebeurd was. En Fleur zou verbluft zijn dat Philippa een dergelijk trauma helemaal in haar eentje doorstaan had – verbluft en verteerd door schuld.

'Ik had niemand,' hoorde Philippa zichzelf op nuchtere toon tegen Fleur zeggen. 'Toen jij niet terugbelde...' Ze zou even haar schouders ophalen. 'Ik was ten einde raad. Natuurlijk heb ik toen naar de fles gegrepen.'

'O schat, nee toch! Ik voel me zo schuldig!' Fleur zou met een smekend gezicht haar handen vastpakken en Philippa zou haar schouders weer even ophalen.

'Ik ben erdoorheen gekomen,' zou ze nonchalant zeggen. 'Ik ben er op de een of andere manier doorheen gekomen. Maar jezus, het viel niet mee, hoor.'

'Wat?' vroeg Lambert plotsklaps. 'Heb je het tegen mij?'

'O!' zei Philippa, en ze voelde dat ze bloosde. 'Nee, hoor.'

'In jezelf mompelen,' zei Lambert. 'Geen wonder dat iedereen denkt dat je gek bent.'

'Ze denken niet dat ik gek ben,' zei Philippa.

'Dan niet,' zei Lambert. Philippa keek boos naar hem en probeerde een slim weerwoord te bedenken. Maar haar geestelijke vermogens leken krachteloos in de echte wereld; haar woorden waren onsamenhangend en vielen in haar mond uiteen. Ze vloog alweer blij terug naar Fleur, die naar haar verhaal zou luisteren en naar adem zou snakken en Philippa's hand zou pakken en bezweren dat ze haar nooit meer in de steek zou laten.

'Cool,' zei Zara toen Antony en zij op het clubhuis af liepen. 'Kijk al die vlaggetjes eens.'

'Wimpels.'

'Wat?'
'Wimpels. Zo worden ze genoemd.'
Zara keek hem een ogenblik sceptisch aan.
'Nou, in ieder geval versieren ze het clubhuis altijd op de dag van de Club Cup,' vervolgde Antony. 'En er speelt een bandje in de tuin. Het is best leuk. En later krijgen we taart.'
'Maar eerst moeten we de hele golfbaan over?'
'Daar gaat het, zeg maar, om.'
Zara slaakte een melodramatische zucht en liet zich met een plof op de treden voor het clubhuis zakken.
'Zeg,' zei Antony een beetje zenuwachtig terwijl hij naast haar ging zitten. 'Ik begrijp het best als je bij nader inzien toch niet mijn caddie wilt zijn, hoor. Ik bedoel, het is een warme dag en zo.'
'Probeer je me te ontslaan?'
'Nee! Natuurlijk niet!'
'Nou, oké dan.' Zara keek Antony met samengeknepen ogen aan. 'Ben je zenuwachtig?'
'Niet echt.'
'Wie gaat het beter doen? Je vader of jij?'
'Pa, denk ik. Dat is altijd zo.'
'Maar hij heeft de hele week niet geoefend en jij wel.'
Antony haalde verlegen zijn schouders op. 'Maar toch. Hij is gewoon een hartstikke goede golfer.'
Ze zeiden een tijdje niets.
'En jij bent een hartstikke goede zoener,' zei Zara ineens.
Antony keek verbaasd met een ruk op. 'Wat?'
'Je hebt me wel gehoord.' Ze grinnikte. 'Moet ik het nog een keer zeggen?'
'Nee! Straks hoort iemand het!'
'Nou en? Het is de waarheid.'
Antony werd dieprood. Een groepje kletsende vrouwen kwam de treden van het clubhuis op en hij wendde zijn gezicht voor hen af.
'En jij bent...' begon hij. 'Ik bedoel...'

'Je hoeft me niet ook een compliment te maken, hoor,' zei Zara. 'Ik weet dat ik goed ben. Ik heb het van een expert geleerd.'

'Wie?' vroeg Antony jaloers.

'Cara.'

'Wie is Cara nou weer?'

'Een Italiaans meisje. Heb ik je niet over haar verteld? Vorige zomer woonden we bij haar in huis. Ze had ook een rijke vader. Hij zat bij de maffia, geloof ik.'

'Een meisje?' Antony's ogen puilden bijna uit zijn hoofd.

'Ja hoor. Maar veel ouder. Ze was zeventien. Ze had, zeg maar, al hele volksstammen gezoend.'

'Hoe heeft ze het je geleerd?'

'Hoe dacht je?' Zara grijnsde naar hem.

'Jezus.' Antony werd nog roder.

'Ze had een jongere broer,' zei Zara. 'Maar die was alleen maar geïnteresseerd in zijn stomme computer. Wil je ook kauwgom?' Ze keek naar Antony's gezicht en lachte.

'Je bent geschokt, hè?'

'Nou, ik bedoel... Je was nog maar twaalf!'

Zara haalde haar schouders op.

'Ik denk dat ze daar vroeg beginnen.' Ze haalde haar kauwgom uit de wikkel en begon te kauwen. Antony keek een tijdje zwijgend naar haar.

'Wat is er toen gebeurd?' vroeg hij na een poosje.

'Wat bedoel je?'

'Waarom zijn jullie niet bij hen gebleven?'

Zara wendde haar gezicht af.

'Gewoon.'

'Hadden je moeder en die Italiaan ruzie?'

'Nee hoor,' zei Zara. Ze keek om zich heen en dempte haar stem. 'Fleur had geen zin meer om in Italië te wonen. Dus zijn we er op een avond gewoon vandoor gegaan.'

'Wat, zomaar weggegaan?'

'Ja. We hebben onze koffers gepakt en zijn weggegaan.'

Antony keek haar een ogenblik peinzend aan.

'Jullie...' Hij slikte en wreef met zijn schoen over de trede. 'Jullie gaan er deze keer toch niet vandoor, hè?'

Er volgde een lange stilte.

'Ik hoop van niet,' zei Zara na een tijdje. 'Ik hoop echt van niet.' Ze trok haar schouders op en wendde haar gezicht af. 'Maar met Fleur weet je het maar nooit.'

Fleur zat in de bar van het clubhuis de deelnemers en hun vrouwen te observeren die er rondliepen en die elkaar begroetten en grapjes maakten over elkaars conditie en het gesprek midden in een zin afbraken om naar nieuwkomers te gillen. Ze voelde zich hier thuis, dacht ze genoeglijk terwijl ze achterover leunde en van haar drankje nipte. De ambiance hier deed haar denken aan haar jeugd, aan de club voor buitenlanders in Dubai. Die gillende vrouwen uit Surrey hadden net zo goed de buitenlandse vrouwen kunnen zijn geweest die in groepjes aan de bar gin zaten te drinken en elkaars schoenen bewonderden en zachtjes klaagden over de baas van hun echtgenoot. Die joviale kerels met hun grote glazen bier hadden net zo goed de zakenvrienden van haar vader kunnen zijn geweest: succesvol, gebruind, dwangmatig prestatiegericht. In Dubai waren de golfbanen zandkleurig in plaats van groen, maar dat was het enige verschil. Dat was de sfeer waarin ze opgegroeid was, dat was de sfeer die voor haar bijna als thuis aanvoelde.

'Fleur!' Een stem onderbrak haar gedachten, en toen ze opkeek, zag ze Philippa. Ze had een wit broekpak aan en keek naar Fleur met een intense, bijna angstaanjagende blik.

'Philippa,' zei Fleur luchtig. 'Leuk je weer eens te zien. Speelt Lambert ook in de Club Cup?'

'Ja.' Philippa begon met haar tas te spelen en trok onbeholpen aan de rits tot ze hem niet meer loskreeg. 'En ik wilde je spreken.'

'Goed zo,' zei Fleur. 'Dat is leuk. Maar laat me eerst iets te drinken voor je gaan halen.'

'Drinken!' zei Philippa op duistere toon. 'Mijn god, je moest eens weten.' Ze ging met een enorme zucht zitten. 'Je moest eens weten.'

'Ja,' zei Fleur sceptisch. 'Nou, ga jij maar zitten, dan ben ik zo terug.'

Bij de bar zag ze Lambert, die aan het voordringen was.

'O, hallo,' zei hij weinig enthousiast.

'Ik kom iets te drinken halen voor je vrouw,' zei Fleur. 'Of was je misschien zelf van plan om iets voor haar te halen?'

Lambert zuchtte. 'Wat wil ze?'

'Geen idee. Een glas witte wijn, denk ik. Of een Manhattan.'

'Dan neemt ze maar wijn.'

'Goed.' Fleur keek achterom naar Philippa, die fanatiek in haar tas naar iets zat te zoeken – waarschijnlijk een papieren zakdoekje, gezien de roodheid van haar neus. Kon dat kind niet eens wat geld steken in een fatsoenlijke poeder? Fleur huiverde licht en keerde zich weer naar de bar. Ineens realiseerde ze zich dat als ze naar Philippa's tafeltje terugging, ze waarschijnlijk de hele middag met haar opgescheept zat.

'Oké,' zei ze langzaam. 'Nou, ik denk dat ik Richard maar eens ga opzoeken om hem succes te wensen. Philippa zit daar bij het raam.'

Ze wachtte tot Lambert een grom als antwoord had laten horen, liep snel weg en baande zich, met haar hoofd resoluut afgewend van dat van Philippa, een weg door de menigte tot ze veilig uit de bar was.

Op de treden van het clubhuis trof ze Richard, Antony en Zara aan.

'Zijn jullie er klaar voor?' vroeg ze monter. 'Wie gaat als eerste?'

'Pap,' zei Antony. 'En ik zit vlak achter hem.'

'Wíj zitten vlak achter hem,' verbeterde Zara hem. 'Ik ben Antony's caddie,' vertelde ze Richard. 'Ik vertel hem welke clubs hij moet gebruiken. De grote of de kleine.'

'Ja vast,' zei Antony. 'Je weet niet eens hoe ze heten.'

'Wel waar!'

Richard keek naar Fleur en glimlachte.

'En vanavond gaan we het vieren met een lekker etentje,' zei hij.

'Misschien valt er helemaal niets te vieren,' zei Antony.

'O, dat hoop ik toch wel,' zei Richard.

'Ik ook,' zei Zara terwijl ze naar Antony keek. 'Ik wil niet met een loser omgaan.'

Fleur lachte. 'Goed zo, meid.'

'Goed,' zei Richard. 'Nou, ik ga me maar eens klaarmaken.'

'Wie is dat?' viel Antony hem in de rede. 'Die man. Hij zwaait naar ons!'

'Waar?' vroeg Fleur.

'Hij komt net de poort door. Ik heb geen idee wie hij is.'

'Is hij lid?' vroeg Richard en ze draaiden zich allemaal om terwijl ze hun ogen toeknepen tegen de zon.

De man was goedverzorgd en gebruind en had lichtbruin haar. Hij was gekleed in onberispelijk licht linnen en keek enigszins gedeprimeerd naar de roze kniebroek van de vrouw die voor hem uit stapte. Terwijl ze naar hem staarden, keek hij op en zwaaide opnieuw. Fleur en Zara hapten eensgezind naar adem. Toen juichte Zara luidkeels en begon op hem af te rennen.

'Wie is dat in vredesnaam?' riep Richard uit terwijl hij zag hoe de onbekende man Zara in een geweldige omhelzing smoorde. 'Is hij een vriend van je?'

'Ik kan het niet geloven,' zei Fleur zwakjes. 'Het is Johnny.'

16

'Ik had moeten bellen,' zei Fleur. Ze strekte haar benen op het talud van gras waar Johnny en zij zaten. In de verte was de veertiende hole; een man in een rood hemd ging klaarstaan om de bal te slaan. 'Het spijt me. Ik dacht dat je nog steeds boos op me was.'

'Dat was ik ook. En nu ben ik nog bozer op je!' riep Johnny uit. 'Weet je wat een moeite het me kost om hierheen te komen? Je weet dat ik, als het enigszins mogelijk is, nooit uit Londen wegga.'

'Dat weet ik,' zei Fleur. 'Maar je bent hier nu. Ik ben zo blij dat we nog steeds vrienden zijn...'

'Ik heb strijd moeten leveren om erachter te komen hoe laat de trein ging. Toen realiseerde ik me dat ik niet wist van welk station ik moest vertrekken en moest ik weer bellen en toen had degene met wie ik eerder gesproken had theepauze!' Johnny schudde zijn hoofd. 'Het hele systeem is zo inefficiënt! En dan de trein zelf...'

'Nou, het is heerlijk je te zien,' zei Fleur sussend. 'Hoe lang blijf je?'

'Ik blijf niet! Godallemachtig, er zijn grenzen!'

'Dat is dan een pond in het vloekenpotje,' zei Fleur terloops. Ze ging achterover liggen en voelde de zon op haar gezicht branden. Het zou fijn zijn om terug te zijn in Londen bij Johnny en Felix, dacht ze. Winkelen, roddelen, zo nu en dan een begrafenis...

'Je lijkt hier erg thuis,' zei Johnny terwijl hij om zich heen keek. 'Helemaal het provinciedametje uit Surrey. Golf je nu ook?'

'Natuurlijk niet.'

'Ik ben blij het te horen. Zo'n intens provinciaalse sport.'

'Dat valt best mee,' zei Fleur verdedigend. 'Zara is het aan het leren, weet je.'

'Ach ja,' zei Johnny vol genegenheid. 'Zara heeft ook nooit smaak gehad.'

'Het is jammer dat ze voor caddie moest gaan spelen.'

'Nou ja, jij bent degene die ik wilde spreken,' zei Johnny. 'Daarom ben ik hierheen gekomen. Aangezien je maar niet terugbelde, had ik geen andere keus.'

'Waar wil je me over spreken?' vroeg Fleur. Johnny zweeg. Fleur kwam abrupt overeind. 'Johnny, dit gaat toch niet over Hal Winters, hè?'

'Jawel.'

'Maar je zou ervoor zorgen dat ik van hem af raakte!'

'Nee, dat zou ik niet! Fleur, hij is niet een of andere huishoudplaag. Hij is de vader van je dochter. Je hebt me verteld dat je haar op een ontmoeting met hem zou voorbereiden. Wat je klaarblijkelijk niet gedaan hebt.'

'Zara heeft geen vader nodig,' zei Fleur mokkend.

'Natuurlijk wel.'

'Ze heeft jou.'

'Schat, dat is bij lange na niet hetzelfde,' zei Johnny, 'toch?'

Fleur haalde even haar schouders op en voelde dat ze onwillekeurig begon te glimlachen.

'Misschien niet,' zei ze.

'Zara verdient het echte werk,' zei Johnny. 'En ik kan je vertellen dat ze het krijgt ook.'

'Wat bedoel je?'

'Hal Winters komt volgende week zaterdag hierheen. Voor een kennismaking met Zara, klaar of niet.'

'Wat?' Fleur voelde dat ze wit wegtrok. 'Wat zeg je nou?'

'Het is allemaal geregeld.'

'Hoe durf je! Het zijn jullie zaken niet!'

'En of het onze zaken zijn! Als jij de verantwoordelijkheid van je afschuift, dan moet iemand het overnemen. Ik kan je vertellen dat Felix er helemaal voor was om hem rechtstreeks in een taxi hierheen te sturen! Maar ik heb gezegd: "Nee, we moeten Fleur wel eerst even waarschuwen."' Johnny haalde een zakdoek uit zijn zak en depte zijn voorhoofd. 'Geloof het of niet, Fleur, maar ik sta aan jouw kant.'

'Nou, hartelijk bedankt!' snauwde Fleur. Ze was een beetje in paniek en had zichzelf niet helemaal in de hand. 'Ik wil hem niet zien!' hoorde ze zichzelf zeggen. 'Ik wil hem niet zien.'

'Dat hoeft ook niet. Dit is iets tussen Zara en hem.'

'Wat, en ik heb er niets mee te maken?'

'Ja, natuurlijk wel. Maar jij hebt hem niet nodig. Zara wel.'

'Het gaat prima met haar zo.'

'Het gaat niet prima met haar zo. Als we bellen, heeft ze het voortdurend met me over Amerika, over haar vader. Fleur, het is een obsessie voor haar!'

Fleur keek hem een ogenblik aan met een strak gezicht en opeengeklemde lippen. Toen ontspande ze opeens.

'Oké,' zei ze. 'Goed. Je hebt volkomen gelijk. Laat meneer Winters volgende week zaterdag maar komen. Maar zeg het nog maar niet tegen Zara. Ik zal haar zelf voorbereiden.'

'Fleur...'

'Ik beloof het! Deze keer doe ik het echt.'

Johnny keek haar achterdochtig aan.

'En je zorgt ervoor dat ze hier is om kennis met hem te maken?'

'Ja natuurlijk, schat,' zei Fleur luchtig en ze leunde weer achterover in de zon terwijl ze haar ogen dichtdeed.

Philippa zat aan een tafeltje in de tuin. Voor haar stonden een pot thee, een schaal met een paar enorme scones en een fles wijn die ze in de tombola had gewonnen. In de hoek van de tuin speelde de band *Strangers in the Night* en verscheidene kinderen probeerden voor de muziektent met elkaar te dansen. Er drupte een traan uit Philippa's oog in haar thee. Ze was helemaal alleen. Fleur had haar volledig in de steek gelaten, Gillian zat aan de andere kant van de tuin vrolijk met een of andere vrouw te praten die Philippa nooit eerder had gezien. Niemand had ook maar gevraagd hoe het met haar ging of waarom ze zo bleek zag. Niemand was in haar geïnteresseerd. Ze nam een slokje thee en keek lusteloos om zich heen. Maar iedereen lachte of praatte of genoot van de muziek.

Ineens zag ze Zara en Antony in de richting van haar tafeltje komen. Ze staarde voor zich uit en schoof de schaal met scones een beetje van zich af om haar gebrek aan eetlust aan te geven.

'Hoi, Philippa!' Antony klonk opgetogen. 'Is er genoeg thee voor ons?'

'Meer dan genoeg,' fluisterde Philippa.

'Cool,' zei Zara. Ze keek stralend naar Philippa. 'Je raadt nooit hoe goed Antony gespeeld heeft. Vertel het eens, Antony.'

'Ik ben in achtenzestig rondgegaan,' zei Antony blozend. Een enorme grijns verspreidde zich over zijn gezicht.

'Achtenzestig!' echode Zara.

'Is dat goed?' vroeg Philippa op doffe toon.

'Natuurlijk is dat goed! Beter kan niet!'

'Het komt door mijn handicap,' kwam Antony snel tussenbeide. 'Mijn handicap is nog steeds tamelijk hoog, dus ik moest het ook wel goed doen.'

'Je moest winnen, bedoel je,' zei Zara. 'Antony is de kampioen!'

'Sst!' zei Antony gegeneerd. 'Dat ben ik niet! Nog niet!'

'Wacht maar tot we je pa zien! Je hebt het beter gedaan dan hij, weet je!'

'Ja, dat weet ik,' zei Antony. 'Ik voel me er een beetje schuldig over.'

Zara sloeg haar ogen ten hemel. 'Dat is zo typerend. Als ik Fleur ooit met iets zou verslaan, zou ik het haar nooit meer laten vergeten.'

'Waar is Fleur?' vroeg Philippa op schrille toon.

'Bij Johnny, denk ik.'

'Johnny?'

'Die vriend van ons,' zei Zara tussen neus en lippen door. 'Hij is hier op een verrassingsbezoekje. Hij is haar beste vriend, zeg maar.'

'Juist,' zei Philippa.

'O, en raad eens,' zei Antony. 'Xanthe Forrester heeft ons meegevraagd naar het huisje van haar ouders in Cornwall. Voor een paar dagen maar. Denk je dat we mee zullen mogen van pap?'

'Ik heb geen idee,' zei Philippa dof. Ze voelde een misselijkmakende jaloezie in zich opkomen. Fleurs beste vriend was iemand die Johnny heette, een man van wie Philippa nog nooit had gehoord. Ze was zomaar weggerend om bij hem te zijn en had geen moment meer aan Philippa gedacht.

'Nou, dat hoop ik verdorie toch wel,' zei Antony. Hij keek naar Zara. 'Zullen we even snel op het scorebord gaan kijken?'

'Nou en of,' zei Zara terwijl ze naar hem grijnsde. 'Laten we naar de scores kijken van al die andere sukkels en ons verlustigen.'

'Nee!' protesteerde Antony. 'Alleen maar kijken.'

'Jij mag alleen kijken als je wilt,' zei Zara. 'Maar ik ga me verlustigen.'

Om zes uur waren de uitslagen binnen en werd Antony officieel uitgeroepen tot winnaar van de Club Cup. Toen de uitslag bekendgemaakt werd, ging er gejuich op, en Antony werd knalrood.

'Goed gedaan!' riep Richard uit. 'Antony, ik ben apetrots op je!' Hij klopte Antony op de schouder, en Antony's blos werd nog dieper.

'Ik wist wel dat hij ging winnen,' zei Zara tegen Richard. 'Ik wist het gewoon!'

'Ik ook,' zei Gillian stralend. 'Ik heb speciaal schuimtaart gemaakt.'

'Cool,' zei Antony.

'Wat is dit allemaal geweldig, zeg,' zei Fleur. 'Heb ik al gezegd dat je het goed gedaan hebt? Zeg eens goed gedaan, Johnny.'

'Gefeliciteerd, jongeman,' zei Johnny. 'Ik veracht de golfsport en alles wat erbij hoort, maar toch gefeliciteerd.'

'Blijft u eten?' vroeg Gillian.

'Nee, helaas,' zei Johnny. 'Londen roept. Maar ik hoop over een week opnieuw een bezoekje te kunnen brengen. Je bent dan toch wel terug uit Cornwall, hè?' vroeg hij aan Zara.

'Ja hoor.'

'Goed,' zei Johnny. 'Want ik neem een cadeau voor je mee.'

Philippa en Lambert voegden zich bij het groepje en de sfeer werd iets minder uitbundig.

'Jij begint al vroeg, Lambert,' zei Fleur monter terwijl ze naar het cognacglas in Lamberts hand keek.

'Goed gespeeld, Antony,' zei Lambert, die Fleur negeerde en Antony een iets te stevige hand gaf. 'Ik heb waardeloos gespeeld.' Hij nam een flinke slok uit zijn glas. 'Volkomen waardeloos.'

'Ik had geen idee dat je zo goed in golf was, Antony,' zei Philippa zwakjes. Ze probeerde dichter bij Fleur te komen. 'Jij wel, Fleur?'

'Ja, natuurlijk wist ik dat,' zei Fleur op warme toon.

'Nou ja, ik ben er de laatste tijd niet helemaal bij met mijn hoofd,' begon Philippa zachtjes. Maar ze werd onderbroken door Johnny.

'Mijn trein! Die gaat over een kwartier! Ik moet een taxi bellen.'

'Iemand brengt je wel,' zei Fleur. 'Wie heeft er een auto? Lambert. Zou jij Johnny even naar het station willen brengen?'

'Eigenlijk niet,' zei Lambert met een duidelijk vertoon van tegenzin.

'Ja, breng jij hem maar, Lambert,' zei Philippa onmiddellijk. 'We zien je straks thuis wel.'

'Uitstekend,' zei Fleur. 'En dan is er ook nog plaats voor mij in je mooie, grote auto.' Voor Philippa iets kon zeggen, waren ze er alledrie ineens vandoor. Ze keek hen terneergeslagen na en voelde een gekwetste boosheid in zich opkomen. Fleur deed net alsof ze er niet was. Alsof ze gewoon niet bestond, alsof ze er niet toe deed.

'Gaat het, Philippa?' vroeg Gillian.

'Prima,' snauwde Philippa en ze draaide zich om. Ze wilde Gillians aandacht niet; aan Gillian had ze helemaal niets. Ze moest Fleur hebben.

Terwijl de anderen terug liepen naar The Maples, ging Zara naast Richard lopen.

'Antony heeft vandaag zo goed gespeeld,' zei ze. 'Je mag wel heel trots op hem zijn.'

'Dat ben ik ook,' zei Richard en hij glimlachte naar haar.

'Hij was echt...' Er verschenen rimpels in Zara's voorhoofd terwijl ze op het juiste woord probeerde te komen. 'Hij was heel zelfverzekerd,' zei ze ten slotte. 'Echt magistraal. Je had hem moeten zien.'

'Hij is deze zomer echt sterk geworden,' zei Richard.

'En hij is dat gedoe met die wijnvlek, zeg maar, ook helemaal kwijt. Hij heeft alleen maar gespeeld.'

'Wat zei je?' vroeg Richard fronsend.

'Je weet wel. Al dat akelige gedoe met die wijnvlek.'

'Wat bedoel je precies?' vroeg Richard voorzichtig.

Zara dempte haar stem. 'Hij heeft me verteld hoe erg zijn moeder het vond.' Ze haalde haar schouders op. 'Je weet wel, dat gedoe met dat ooglapje en zo. Maar ik denk dat hij er overheen is. En ik denk dat dat echt een verschil maakt.'

'Zara, wat...' Richard kon nauwelijks een woord uitbrengen. Hij slikte en haalde diep adem. 'Wat voor gedoe met een ooglapje?'

'O.' Zara keek naar hem op en beet op haar lip. 'Wist je het niet? Dan heeft geen van tweeën het je zeker ooit verteld.'

In de auto, op weg van het station naar huis, haalde Fleur een spiegeltje tevoorschijn. Ze negeerde Lambert en begon met een lang, goudkleurig kwastje haar lippen te schilderen. Lambert keek vanuit zijn ooghoek gebiologeerd toe hoe ze de diepe, glanzende kleur aanbracht. Omdat hij zijn aandacht niet bij de weg had, slingerde hij een paar keer naar de verkeerde weghelft, en de auto achter hen toeterde nijdig.

'Lambert!' riep Fleur uit. 'Ben je nog wel in staat om te rijden?' Ze boog zich naar hem toe en snoof. 'Hoeveel bellen cognac heb je gedronken op de club?'

'Niks aan de hand,' zei Lambert kortaf. Hij stopte bij verkeerslichten en de motor begon zachtjes te ronken. Hij rook Fleurs parfum en zag haar uitgestrekte benen. Lange, blanke, dure benen.

'En, Fleur,' zei hij. 'Bevalt het je wel om met Richard samen te wonen?'

'Ja natuurlijk,' zei Fleur. 'Richard is een fantastische man.'

'Ook een rijke man,' zei Lambert.

'O ja?' zei Fleur onschuldig.

'Hij is een stinkend rijke man,' zei Lambert. Hij keek naar Fleur en ze haalde even haar schouders op. 'Ga me nou niet vertellen dat je niet wist dat hij rijk was,' zei hij snerend.

'Ik heb er niet echt bij stilgestaan.'

'O, schei uit!'

'Lambert, zullen we gewoon naar huis gaan?'

'Naar huis,' zei Lambert spottend. 'Ja, ik neem aan dat het nu ook jouw huis is, hè? De dame van meneer Smerig Stinkend Rijk.'

'Lambert,' zei Fleur op ijskoude toon, 'je bent dronken. Je hoort niet achter het stuur te zitten.'

'Gelul.'

De lichten sprongen op groen en Lambert drukte het gaspedaal stevig in.

'Dus je bent niet geïnteresseerd in het geld, hè?' zei hij boven het lawaai van de motor uit. 'Je moet verdomme wel de enige op de hele wereld zijn.'

'Wat ben jij een sneue man, zeg.' zei Fleur rustig.

'Wat zei je?'

'Je bent sneu! Een akelige, sneue man!'

'Ik leef in de echte wereld, nou goed?' Lambert zat zwaar te ademen en zijn gezicht begon zachtjes rood aan te lopen.

'We leven allemaal in de echte wereld.'

'Wat, jíj? Laat me niet lachen! Wat voor echte wereld is dat waar jij in leeft? Geen baan, geen zorgen, gewoon achterover leunen en het geld in ontvangst nemen.'

Fleur klemde haar kaken op elkaar en zei niets.

'Je dacht vast dat Richard wel een goede gok zou zijn, hè?' vervolgde Lambert met dubbele tong. 'Je rook hem van kilometers afstand. Je bent waarschijnlijk speciaal naar de herdenkingsdienst van zijn vrouw gekomen om hem aan de haak te slaan.'

'We zijn er bijna,' zei Fleur. 'Godzijdank.' Ze keek naar Lambert. 'We hadden allebei wel kunnen verongelukken. En Johnny erbij.'

'Was het maar waar. Eén flikker minder op de aardbol.'

Er volgde een korte stilte.

'Ik zal je niet slaan,' zei Fleur met trillende stem, 'omdat je achter het stuur zit en ik geen ongeluk wil veroorzaken. Maar als je ooit nog eens iets dergelijks zegt...'

'Dan sla je me in elkaar? Oei, nu ben ik bang, zeg.'

'Ik zal je niet in elkaar slaan,' zei Fleur. 'Maar sommige vrienden van Johnny misschien wel.'

Ze stopten op de oprijlaan van The Maples en Fleur deed onmiddellijk het portier open. Ze wierp Lambert een vernietigende blik toe.

'Ik word misselijk van jou,' zei ze en ze sloeg het portier met een klap dicht.

Lambert keek haar na. Hij voelde het bloed kloppen in zijn hoofd en een milde verwarring in zijn hersenen. Verachtte hij haar of geilde hij op haar? Ze was in ieder geval pisnijdig op hem.

Hij haalde zijn heupflacon tevoorschijn en nam een paar slokken cognac. Dus hij was sneu, hè? Zij moest verdomme eens proberen om driehonderdduizend pond rood te staan. Een bekend gevoel van paniek bekroop hem en hij nam nog een slok cognac. Hij moest iets aan die schuld doen. Hij moest nu aan de slag gaan, voordat iedereen bij elkaar kwam voor het eten en zich afvroeg waar hij was. Hij keek naar de voordeur die op een kier stond. Fleur was waarschijnlijk meteen naar Richard gerend om zich over hem te beklagen. Typisch een vrouw. Lambert grinnikte bij zichzelf. Ze mocht klagen wat ze wilde, zeggen wat ze wilde. Richard zou er tenminste een tijdje zoet mee zijn.

Toen ze weer bij het huis aankwamen, bleef Richard staan.

'Ik denk,' zei hij tegen Zara, 'dat ik even een ogenblik met Antony alleen zou willen hebben. Als je het niet erg vindt.'

'Natuurlijk niet,' zei Zara. 'Hij zal wel in de tuin zijn. We zouden gaan badmintonnen.' Ze keek met een onzeker gezicht naar Richard. 'Je vindt het toch niet erg dat ik over dat ooglapje verteld heb, hè?'

'Nee!' Richard slikte. 'Natuurlijk vind ik het niet erg. Ik vind het juist goed van je.'

Hij trof Antony aan bij de badmintonpaal, waar hij geduldig het net aan het uitrollen was. Hij bleef even naar zijn zoon staan kijken: zijn lange, goedmoedige, getalenteerde zoon. Zijn perfecte zoon.

'Kom eens hier,' zei hij toen Antony opkeek. 'Laat me je eens behoorlijk feliciteren.'

Hij trok Antony naar zich toe en omhelsde hem innig. 'Mijn jongen,' mompelde hij tegen Antony's haar, en hij moest opeens zijn best doen om zijn tranen terug te dringen. 'Mijn jongen.' Hij knipperde een paar keer met zijn ogen en liet Antony toen los.

'Ik ben zo verschrikkelijk trots op je,' zei hij.

'Ja, het is best cool,' zei Antony met een stroeve glimlach. Hij keek naar het badmintonnet. 'Dus je vindt... je vindt het niet erg dat ik je verslagen heb?'

'Erg?' Richard keek hem verbaasd aan. 'Natuurlijk vind ik het niet erg! Het is tijd dat je me gaat verslaan. Je bent nu een man!'

Een lichtrode blos van schaamte kroop langzaam vanuit Antony's hals omhoog, en Richard glimlachte inwendig.

'Maar Antony, het is niet alleen je talent voor golf waar ik trots op ben,' vervolgde hij. 'Ik ben trots op alles aan jou. Het allerkleinste dingetje aan jou.' Hij zweeg even. 'En ik weet dat mama ook trots op je was.'

Antony zei niets. Zijn handen omklemden de verwarde draden van het badmintonnet.

'Ze liet het misschien niet altijd zien,' zei Richard langzaam. 'Dat was soms... moeilijk voor haar. Maar ze was erg trots op je. En ze hield meer van je dan van wat ook ter wereld.'

'Echt?' zei Antony met trillende stem, zonder op te kijken.

'Ze hield meer van je dan van wat ook ter wereld,' herhaalde Richard. Het bleef even stil. Richard zag hoe Antony's gezicht langzaam ontspande, hoe zijn handen verslapten om het net. Er verscheen een glimlachje op het gezicht van de jongen, en ineens haalde hij diep adem, bijna alsof hij opnieuw aan zijn leven begon.

Je gelooft me, dacht Richard, je gelooft me zonder meer. Godzijdank voor je argeloze ziel.

Zara had ervoor gekozen om Gillians gezelschap in de keuken op te zoeken. Ze haalde de vaatwasser leeg terwijl Gillian slablaadjes uit plastic zakjes in een enorme houten kom kieperde. Ze luisterde geduldig naar Gillians gebabbel over een of andere reis die ze aan het organiseren was terwijl ze zich al die tijd afvroeg wat Antony's pa tegen hem zou zeggen.

'Het is zo'n toeval!' zei Gillian blij. 'Eleanor heeft ook altijd naar Egypte gewild. Het schijnt dat Geoffrey weigert met vakantie ergens naartoe te gaan waar geen golfbaan is.'

'En gaan jullie de piramides bekijken?'

'Natuurlijk! En we gaan een cruise over de Nijl maken.'

'Dan worden jullie vermoord,' zei Zara. 'Net als in die Agatha Christie.'

Gillian lachte. 'Weet je, dat zei Eleanor ook al.'

'Ik denk dat iedereen dat zegt.' Zara pakte een pan en keek ernaar. 'Wat is dit in godsnaam?'

'Een aspergestomer,' zei Gillian snibbig. 'En geen gevloek alsjeblieft.'

Zara sloeg haar ogen ten hemel. 'Je bent al net zo erg als Felix. Van hem moet je dan een pond in de vloekenpot stoppen.'

'Dat is een heel goed idee. We hadden hetzelfde op school.'

'Nou,' zei Zara, 'voor het geval het je niet opgevallen is, dit is wel de eenentwintigste eeuw, hoor.'

'Het was me inderdaad opgevallen,' zei Gillian, 'maar bedankt dat je me er nog eens op wijst.' Ze pakte twee flessen dressing. 'Zullen we basilicum of knoflook nemen?'

'Allebei,' stelde Zara voor. 'Dan roer je ze gewoon door elkaar.'

'Goed,' zei Gillian. 'Maar als het misgaat, geef ik jou de schuld.'

Ze keken allebei op toen Fleur de keuken binnenkwam.

'O hoi,' zei Zara. 'Heeft Johnny zijn trein gehaald?'

'Op het nippertje,' zei Fleur. 'Godzijdank zijn we niet allebei verongelukt. Lambert was dronken! Hij slingerde over de hele weg.'

'Jezus!' zei Zara. Ze keek even naar Gillian. 'Ik bedoel, lieve hemel.'

'Ga zitten,' zei Gillian, die op Fleur af kwam gesneld. 'Arm kind!' Ze fronste haar voorhoofd. 'Weet je, dit is niet de eerste keer. Die Lambert zou vervolgd moeten worden!'

'Laten we de politie bellen,' zei Zara gretig.

'Zet eens water op, Zara,' zei Gillian, 'en maak eens een lekker kopje thee voor je moeder.'

'Nee, dank je,' zei Fleur. 'Ik denk dat ik naar boven ga en een bad neem.'

'Pas een paar hoeden,' zei Zara. 'Daar kikker je meestal wel van op.'

'Zo is het genoeg, Zara,' zei Gillian. Ze keek naar Fleur. 'Weet Richard hiervan?'

'Nog niet.'

'Nou, hij moet het wel weten.'

'Ja,' zei Fleur, 'ik zal het hem ook vertellen.'

Ze liep de hal in en ging de trap op. Toen ze halverwege was, hoorde ze een stem van beneden.

'Fleur! Daar ben je! Ik probeer je al de hele dag te vinden!'

Fleur keek achterom. Philippa haastte zich met een rood gezicht en een beetje hijgend naar haar toe.

'Fleur, we moeten praten,' zei ze. 'Ik heb je zoveel te vertellen. Over...' Ze slikte en veegde een traan uit haar oog. 'Over Lambert en mij. Je zult gewoon niet geloven...'

'Philippa,' viel Fleur haar op scherpe toon in de rede, 'niet nu, schat. Ik ben echt niet in de stemming. En als je wilt weten waarom, moet je dat maar eens aan je man vragen.' En voor Philippa antwoord kon geven, haastte ze zich naar boven.

Philippa keek Fleur gekwetst na, en tranen van ongeloof sprongen in haar ogen. Fleur wilde niet met haar praten. Fleur had haar in de steek gelaten. Ze voelde zich misselijk van ellende en woede. Nu had ze geen vrienden meer, geen publiek, niemand om haar verhaal aan te vertellen. En het kwam allemaal door Lambert. Lambert had Fleur op de een of andere manier kwaad gemaakt. Hij had alles bedorven. Philippa balde haar vuisten en voelde dat haar hart sneller begon te kloppen. Lambert had haar leven verwoest, dacht ze woedend. Hij had haar hele leven verwoest en niemand wist ervan. Hij verdiende het gestraft te worden. Hij verdiende het dat iedereen zou weten hoe hij in werkelijkheid was. Hij verdiende het dat er wraak op hem werd genomen.

17

Een halfuur later was het avondeten klaar.

'Waar is iedereen in 's hemelsnaam?' vroeg Gillian terwijl ze van het fornuis opkeek. 'Waar is Philippa?'

'Ik heb haar niet gezien,' zei Antony, die een fles wijn openmaakte.

'En Lambert?'

'Wat boeit dat nou?' zei Zara. 'Laten we maar gewoon gaan eten.'

'Nu ik erbij stilsta, geloof ik dat ik Philippa in de tuin heb gezien,' zei Antony. 'Toen we aan het badmintonnen waren.'

'Ik ga haar wel halen,' zei Gillian. 'En wil jij tegen de anderen zeggen dat het eten klaar is?'

'Oké,' zei Antony.

Toen Gillian weg was, liep hij naar de keukendeur en riep: 'Het eten is klaar!' Toen keek hij achterom naar Zara en haalde zijn schouders op. 'Ik kan er ook niks aan doen als ze het niet horen, hoor.' Hij schonk een glas wijn voor zichzelf in en nam een slokje.

'Hé,' zei Zara. 'En ik dan? Mag ik niet?'

Antony keek verrast op.

'Je drinkt nooit wijn!'

'Voor alles is een eerste keer,' zei Zara terwijl ze zijn glas pakte. Ze nam voorzichtig een slokje en trok haar neus op. 'Het is misschien wennen, maar ik denk dat ik het toch maar bij de cola light houd.'

'Er staat nog in de voorraadkast,' zei Antony. Hij keek naar Zara en stond op.

'Er staat ook nog in de koelkast,' zei Zara giechelend. Maar ze stond op en volgde hem de voorraadkast in. Antony deed de deur achter hen dicht en sloeg zijn armen om Zara heen. Hun monden vonden elkaar moeiteloos; de deur kraakte zachtjes toen ze ertegen leunden.

'Je bent toch zo verdomde sexy,' zei Antony gesmoord toen ze elkaar loslieten.

'Jij ook,' mompelde Zara.

Aangemoedigd begon zijn hand voorzichtig langs haar ruggengraat te glijden.

'Er bestaat zeker geen kans dat...'

'Nee,' zei Zara monter. 'Absoluut niet.'

Lambert hoorde Antony van beneden af roepen en hij raakte in paniek. Hij moest opschieten, hij moest Richards werkkamer uit zijn voor iedereen zich begon af te vragen waar hij uithing. Hij begon fronsend weer te tikken en keek om de paar seconden naar de deur terwijl hij koortsachtig probeerde de juiste woorden in zijn hoofd te formuleren.

Hij had een vel van Richards persoonlijke briefpapier en een oude typemachine gevonden. Hij had de bijzonderheden van Richards bankrekening, de naam van diens advocaat en een kopie van zijn handtekening voor zich liggen. Het zou niet moeilijk moeten zijn om een brief voor algemene doeleinden in elkaar te draaien, waarmee hij kon bewijzen dat Richard bezig was zijn dochter – en daarmee Lambert – serieus rijk te maken.

Het zou niet moeilijk moeten zijn. Maar er kwam steeds een waas voor Lamberts ogen, zijn denkproces verliep traag en moeizaam en zijn gedachten werden regelmatig afgeleid door een spontane herinnering aan Fleurs benen. Hij rammelde woest op de typemachine in een poging om op te schieten en vloekte elke keer dat hij een tikfout maakte hartgrondig. Hij had al vijf vellen papieren verknoeid. Hij had ze verscheurd en op de grond gesmeten. Het was een nachtmerrie.

Hij nam een slok cognac en probeerde zich te concentreren. Hij hoefde zich alleen maar op zijn taak te richten, op te schieten en die klotebrief af te maken om vervolgens naar beneden te gaan en zich normaal te gedragen. En dan zou hij wachten tot de First Bank zou bellen. 'O, willen jullie een garantstelling?' zou hij op verraste toon zeggen. 'Dat had u eerder moeten zeggen. Wat dacht u van een brief met instructies van de heer Favour aan zijn advocaat?' Daar hield hij ze wel even koest mee. Ze zouden toch verdomme niet aan Richard Favour twijfelen?'

'Ten bedrage,' zei hij hardop, terwijl hij zorgvuldig de toetsen indrukte, 'van vijf miljoen. Punt.'

Vijf miljoen. God, als het toch eens waar was, dacht Lambert wazig, als het toch eens waar was...

'Lambert?' Een stem onderbrak zijn gedachten en Lamberts hart stond stil. Hij keek langzaam op. Richard stond in de deuropening vol ongeloof naar hem te kijken. 'Waar ben jij in vredesnaam mee bezig?'

Gillian liet haar gedachten door zelfverzonnen beelden van Egypte zwerven terwijl ze de tuin in slenterde. Ze voelde een lichtheid binnen in zich, een lichtheid die haar voeten energie gaf en die maakte dat ze bij zichzelf glimlachte en slecht herinnerde flarden van populaire liedjes neuriede. Op vakantie met Eleanor Forrester. Met Eleanor Forrester nog wel! Er was een tijd geweest waarin ze automatisch nee gezegd zou hebben, gedacht zou hebben dat er van een dergelijk plan geen sprake kon zijn. Maar nu dacht ze: waarom niet? Waarom zou ze niet eindelijk naar een ver, exotisch land reizen? Waarom zou ze Eleanor geen kans geven als reisgezelschap? Ze zag zichzelf over stoffige zandpaden dwalen terwijl ze vol ontzag opkeek naar de overblijfselen van een oude, fascinerende beschaving. De zon op een ander continent op haar schouders voelen branden, luisteren naar het geroezemoes van een onbekende taal. Afdingen op cadeautjes op een kleurrijke markt.

Ze werd met een schok teruggebracht naar de echte wereld doordat er iets kraakte onder haar voet. Ze keek naar het gras. Iemand had een glazen potje op het gras achtergelaten.

'Gevaarlijk!' zei Gillian hardop terwijl ze het opraapte. Ze tuurde ernaar. Het was een aspirinepotje en het was leeg. Waarschijnlijk had iemand het buiten laten liggen zonder dat het zijn of haar bedoeling was. Toch was ze gealarmeerd, en ze begon ongewild sneller te lopen.

'Philippa!' riep ze. 'Het eten is klaar. Ben je in de tuin?'

Het bleef stil. Toen hoorde Gillian een zacht gekreun.

'Philippa!' riep ze op scherpe toon. 'Ben jij dat?' Ze liep in de richting van het geluid en begon toen te hollen.

Achter de rozenstruiken achter in de tuin lag Philippa op het gras met haar armen gespreid en haar kin onder het braaksel. Ze had een keurig geschreven briefje op haar borst gespeld dat begon met: 'Aan iedereen die ik ken'. En naast haar op de grond lag een tweede, leeg aspirinepotje.

'Ik zou me maar eens nader verklaren,' zei Richard op kalme toon. Hij keek naar het papier in zijn hand. 'Als dit is wat ik denk dat het is, dan heb je een hoop uit te leggen.'

'Het... het was een grap,' zei Lambert. Hij keek Richard radeloos aan terwijl hij probeerde rustig te ademen en het verschrikkelijke gebonk in zijn hoofd tot bedaren te krijgen. Hij slikte en zijn keel voelde aan als schuurpapier. 'Een lolletje.'

'Nee, Lambert,' zei Richard. 'Dit is geen lolletje. Dit is fraude.'

Lambert ging met zijn tong over zijn lippen.

'Luister, Richard,' zei hij. 'Het is alleen maar een brief. Ik bedoel... ik zou hem niet gebruiken.'

'O?' zei Richard onmiddellijk. 'En voor welk doel zou je hem niet gaan gebruiken?'

'Je begrijpt het niet!' Lambert probeerde een beetje te lachen.

'Nee ik begrijp het niet!' knalde Richards stem als een zweepslag door de kamer. 'Ik begrijp niet hoe je het in je hoofd haalt om te denken dat het geoorloofd is om zonder mijn toestemming mijn werkkamer binnen te gaan, in mijn privézaken te snuffelen en een brief te schrijven die zogenaamd van mijzelf is en aan mijn advocaat is gericht. Wat de inhoud betreft...' Hij zwaaide er even met zijn hand naar, 'dat vind ik nog het meest onthutsende van alles.'

'Je bedoelt...' Lambert keek naar Richard en voelde zich misselijk. Dus Emily had tegen hem gelogen. Ze had een spelletje met hem gespeeld. Dat geld zou toch niet naar Philippa gaan. Een withete woede raasde door zijn lichaam en deed hem alle voorzichtigheid en angst vergeten.

'Jij hebt makkelijk praten!' hoorde hij zichzelf ineens schreeuwen. 'Jij hebt miljoenen!'

'Lambert, nu ga je te ver.'

'Emily had tegen me gezegd dat ik een rijk man zou worden! Emily zei dat er geld voor Philippa in een beheerd fonds weggezet was. Ze zei dat ik alles zou kunnen kopen wat ik wilde! Maar ze loog, hè?'

Richard keek hem sprakeloos aan.

'Heeft Emily dat gezegd?' zei hij ten slotte met een enigszins trillende stem.

'Ze zei dat ik met een miljonaire was getrouwd. En ik geloofde haar!'

Richard begreep het ineens. 'Je hebt schulden gemaakt, is dat het?'

'Natuurlijk is dat het. Ik heb schulden. Net als iedereen. Iedereen, behalve jij natuurlijk.' Lambert trok een gezicht. 'Ik sta driehonderdduizend pond rood.' Hij keek op en zag Richards ongelovige blik. 'Een grijpstuiver vergeleken met tien miljoen pond, hè? Jij zou het morgen kunnen aanvullen.'

Richard keek naar Lambert en moest zijn best doen om zijn afkeer te onderdrukken. Hij hield zichzelf voor dat Lambert nog steeds zijn schoonzoon was.

'Weet Philippa hiervan?' vroeg hij na verloop van tijd.

'Nee, natuurlijk niet.'

'Godzijdank,' mompelde Richard. Hij keek weer naar het papier in zijn hand. 'En wat was je hiermee precies van plan?'

'Aan de bank laten zien,' zei Lambert. 'Ik dacht dat ik ze daarmee wel een tijdje koest zou krijgen.'

'Dus je bent niet alleen oneerlijk, maar ook nog eens een leeghoofd.'

Lambert haalde zijn schouders op. Ze bleven elkaar een paar minuten lang vol wederzijdse afkeer aankijken.

'Ik... ik moet hierover nadenken,' zei Richard ten slotte. 'In de tussentijd wil ik je vragen hier niets over tegen Philippa te zeggen. Of... iemand anders.'

'Dat komt me goed uit,' zei Lambert en hij grijnsde brutaal naar Richard.

Er knapte iets in Richard. 'Waag het niet om naar me te lachen!' schreeuwde hij. 'Je hebt niets om over te lachen! Je bent een oneerlijke, immorele... oplichter! Mijn god, hoe heeft Philippa ooit verliefd op je kunnen worden?'

'Mijn natuurlijke charme, neem ik aan,' zei Lambert terwijl hij zijn hand door zijn haar haalde.

'Eruit,' zei Richard trillend van woede. 'Mijn werkkamer uit voor ik... voor ik...' Hij zweeg, zoekend naar woorden, en Lamberts lippen vertrokken zich in een snerende grijns.

Maar voor een van hen nog iets kon zeggen, werden ze onderbroken door Gillian, die van beneden af gilde.

'Richard! Kom gauw! Er is iets met Philippa!'

Gillian had Philippa mee naar het huis gesleept en een ambulance gebeld. Tegen de tijd dat de twee mannen beneden kwamen, zat Philippa rechtop. Ze kreunde zachtjes.

'Ik geloof dat ze de meeste tabletten weer uitgespuugd heeft,' zei Gillian. Ze fronste haar wenkbrauwen en veegde ruw een traan van haar wang. 'Die domme, domme meid!'

Richard keek sprakeloos van schrik naar zijn dochter, naar haar onaantrekkelijke, ongelukkige persoon.

'Maar ze wilde toch zeker niet echt...' begon hij. Hij zweeg abrupt omdat hij de woorden niet over zijn lippen kreeg.

'Nee, natuurlijk niet,' zei Gillian. 'Het was een...' hakkelde ze, 'kreet om hulp.'

'Maar ze leek altijd zo...' zei Richard en zweeg. Hij had op het punt gestaan te zeggen dat Philippa altijd zo gelukkig had geleken. Maar hij besefte ineens dat dat niet waar was. Het drong tot hem door dat hij Philippa, sinds ze volwassen was, maar zelden echt gelukkig had zien kijken. Ze leek altijd geagiteerd of mokkend, en als ze in een goede bui was, had ze altijd iets licht hysterisch.

Maar hij had aangenomen dat het min of meer goed met haar ging. Nu bekroop hem een ontzaglijk schuldgevoel. Ik had geluk in haar leven moeten brengen, dacht hij. Ik had ervoor moeten zorgen dat ze gelukkig en stabiel en tevreden was. Maar ik heb het aan haar moeder overgelaten en daarna heb ik het aan haar man overgelaten. En ze hebben haar in de steek gelaten. We hebben haar allemaal in de steek gelaten.

'Philippa,' zei Lambert terwijl hij zich naar haar toe boog. 'Kun je me horen?'

Philippa deed haar ogen open en ging nog harder kreunen.

'Lambert,' zei Gillian. 'Ik denk dat je bij haar uit de buurt moet blijven.'

'Waarom?' zei Lambert agressief. 'Ik ben haar man.'

'Er was een briefje,' zei Gillian. Ze gaf het aan Richard. Terwijl hij het las, betrok zijn gezicht. Er begon een adertje in zijn voorhoofd te kloppen.

'Geef hier,' zei Lambert. 'Ik heb het volste recht...'

'Jij hebt geen enkel recht!' beet Richard hem toe. 'Totaal niet!'

'De ambulance is er,' zei Gillian ineens terwijl ze uit het raam keek. 'Wie gaat er met haar mee?'

'Ik,' zei Lambert.

'Nee,' zei Richard ogenblikkelijk, 'jij niet. Ik ga mee.'

Op weg naar het ziekenhuis staarde Richard naar het gezicht

van zijn dochter. Hij hield haar hoofd vast terwijl ze in een kartonnen bakje spuugde en streek haar haar achterover.

'Ik wilde niet met hem trouwen,' mompelde ze en de tranen stroomden over haar gezwollen gezicht. 'Ik word ziek van hem!'

'Het is goed, lieverd,' zei Richard op vriendelijke toon. 'We zijn er zo. Het komt allemaal goed.'

'Het kwam door mama,' huilde Philippa. 'Ik moest van haar met Lambert trouwen! Ze zei dat ik lelijk was en dat ik geen...' Ze brak haar zin af en keek hem met roodomrande ogen aan. 'Had je echt een hekel aan Jim?'

'Wie is Jim?' vroeg Richard hulpeloos. Maar Philippa gaf weer over. Richard staarde zwijgend naar haar. Een zware, drukkende depressie daalde op hem neer – hij had het gevoel alsof de stralende juwelen waaruit zijn gelukkige gezinnetje bestond een voor een omgedraaid werden, waardoor er een krioelende massa maden zichtbaar werd. Wat wist hij nog meer niet? Wat was hem nog meer niet verteld?

'Waar is Fleur?' vroeg Philippa zodra ze rechtop kon zitten. 'Weet zij het?'

'Dat weet ik niet,' zei Richard sussend. 'We hoeven het haar niet te vertellen als je dat niet wilt.'

'Maar ik wil juist wel dat ze het weet!' huilde Philippa hysterisch. 'Ik wil haar bij me hebben!'

'Ja schat,' zei Richard, die plotseling bijna in tranen was. 'Ja, ik ook.'

Veel later kwam Richard moe en gedeprimeerd thuis, en iedereen stond in de hal op hem te wachten.

'Wat is er gebeurd?' vroeg Fleur. Ze liep snel naar hem toe en pakte zijn hand. 'Schat, ik schrok zo toen ik het hoorde.'

'Ze laten haar een nachtje blijven,' zei Richard. 'Ze denken niet dat er iets beschadigd is. Ze gaan...' Hij slikte. 'Ze gaan therapie voor haar regelen.'

'Mogen we, zeg maar, bij haar op bezoek?' vroeg Antony onzeker. Richard keek op naar Antony, die met Zara op de trap zat, en glimlachte. 'Ze komt morgen thuis. Echt waar, er is niets om je zorgen over te maken. We zijn alleen erg geschrokken.'

'Maar waarom heeft ze het gedaan?' vroeg Antony. 'Ik bedoel, stond ze er niet bij stil? Had ze er niet aan gedacht hoe erg we allemaal zouden schrikken?'

'Ik denk dat ze er helemaal niet zo goed over nagedacht had,' zei Richard op milde toon. 'Ze is op het moment een beetje in de war.' Ineens keek hij met een ruk om zich heen. 'Waar is Lambert?'

'Weg,' zei Gillian. 'Ik heb hem voor vannacht naar een hotel gebracht.' Haar mond verstrakte. 'Hij was te dronken om te rijden.'

'Goed zo, Gillian.' Richard keek haar aan. 'En dank je. Als jij niet op zoek was gegaan naar Philippa ...'

'Tja, nou ja.' Gillian wendde haar blik af. 'Laten we daar maar niet aan denken.' Ze keek op haar horloge. 'Bedtijd. Antony en Zara, hup naar boven.'

'Oké,' zei Antony stilletjes. 'Nou, welterusten, hoor, allemaal.'

'Welterusten,' zei Zara.

'Antony, het spijt me dat we je overwinning niet behoorlijk gevierd hebben,' zei Richard, die het zich opeens herinnerde. 'Maar dat gaan we nog wel doen. Een andere keer.'

'Oké, pap. Trusten.'

'Ik denk dat ik ook maar naar bed ga,' zei Gillian. Ze keek naar Richard. 'Heb je trek?'

'Nee,' zei Richard. 'Geen trek.' Hij keek naar Fleur. 'Maar ik zou wel een glas whisky lusten.'

Ze glimlachte. 'Ik schenk wel een glas voor je in,' zei ze en ze verdween in de salon.

Richard keek naar Gillian. 'Had jij enig idee dat dit eraan zat te komen? Wist jij dat Philippa zo ongelukkig was?'

'Nee,' zei Gillian, 'daar had ik geen idee van.' Ze beet op haar lip. 'Maar toch, als ik terugdenk, vraag ik me af of het niet al veel langer te merken was. Of ik het niet had moeten merken.'

'Precies,' zei Richard. 'Dat is precies het gevoel dat ik ook heb.'

'Ik heb het gevoel dat ik haar in de steek gelaten heb,' zei Gillian.

'Dat is niet zo,' zei Richard op onverhoeds felle toon. 'Je hebt haar niet in de steek gelaten! Als iemand haar in de steek gelaten heeft, dan was het haar moeder wel.'

'Wát?' Gillian keek hem verbaasd aan.

'Emily heeft haar in de steek gelaten! Emily was een...' Hij zweeg, zwaar ademend, en Gillian keek hem verdrietig aan. Enkele ogenblikken lang zei geen van beiden iets.

'Ik ben er altijd van overtuigd geweest dat Emily een verborgen kant had,' zei Richard. 'Ik wilde zo dolgraag meer over haar karakter te weten komen.' Hij keek somber op. 'En nu ziet het ernaar uit dat die lieve, onschuldige Emily die ik kende maar een... een façade was! Ik kende de ware Emily helemaal niet! Ik zou de ware Emily helemaal niet gekend wíllen hebben!'

'O, Richard.' De tranen fonkelden in Gillians ogen. 'Emily was niet helemaal slecht, hoor.'

'Dat weet ik.' Richard wreef over zijn gezicht. 'Maar ik heb altijd gedacht dat ze perfect was.'

'Niemand is perfect,' zei Gillian stilletjes. 'Niemand ter wereld is perfect.'

'Dat weet ik,' zei Richard. 'Ik ben een sufferd geweest. Een goedgelovige sufferd.'

'Je bent geen sufferd,' zei Gillian. Ze stond op. 'Ga je whisky maar drinken. En vergeet Emily.' Ze keek hem aan. 'Het is tijd om verder te gaan.'

'Ja,' zei Richard langzaam. 'Dat is zo, hè?'

Fleur zat op de bank in de salon met twee glazen whisky naast zich.

'Arme ziel,' zei ze zachtjes toen Richard de kamer binnenkwam. 'Wat een vreselijke avond.'

'Je weet nog niet de helft,' zei Richard. Hij pakte zijn whiskyglas en dronk het in één slok leeg. 'Fleur, soms vraag ik me af of er nog wel fatsoenlijke mensen op de wereld zijn.'

'Wat bedoel je?' zei Fleur terwijl ze opstond en hem nog een keer inschonk. 'Is er nog iets anders gebeurd?'

'Het is bijna te schunnig voor woorden,' zei Richard. 'Je zult ervan walgen als je het hoort.'

'Wat is het?' Ze ging weer op de bank zitten en keek Richard verwachtingsvol aan. Hij zuchtte en schopte zijn schoenen uit.

'Eerder vanavond heb ik Lambert betrapt in mijn werkkamer, waar hij een brief van mij aan mijn advocaat probeerde te vervalsen. Hij heeft financiële problemen en hij hoopte met behulp van mijn naam zijn schuldeisers te kunnen sussen.' Richard nam nog een slok whisky en schudde zijn hoofd. 'De hele zaak is verachtelijk.'

'Heeft hij ernstige financiële problemen?'

'Ja, ik ben bang van wel.' Richard fronste zijn voorhoofd.

'Je hoeft me niet meer te vertellen als je niet wilt, hoor,' zei Fleur snel. Richard pakte haar hand en wierp haar een vreugdeloze glimlach toe.

'Dank je, schat, voor je gevoeligheid. Maar ik heb geen geheimen voor jou. En het is eigenlijk best een opluchting om er met iemand over te praten.' Hij zuchtte. 'Lambert heeft door... door iemand... de indruk gekregen dat Philippa binnenkort een hoop geld zal erven. En op basis daarvan begon hij veel meer uit te geven dan hij verdiende.'

' O jee,' zei Fleur. Er verscheen een rimpel in haar voorhoofd. 'Heeft Philippa daarom...'

'Nee, Philippa weet niets van het geld. Maar ze hadden ruzie gehad. Philippa dreigde bij Lambert weg te gaan en het werd allemaal nogal akelig.' Richard keek naar Fleur. 'Het schijnt dat jullie er in Londen lang over hebben gepraat.'

'Nou, niet echt lang,' zei Fleur een beetje fronsend.

'Niettemin vond ze je advies heel waardevol. Ze wil je dolgraag zien.' Richard streelde Fleurs haar. 'Ik denk dat ze je als een moederfiguur begint te zien.'

'Nou, dat weet ik nog zo net niet,' zei Fleur met een lachje.

'En wat Lambert betreft...' Richard haalde zijn schouders op.

'Ik heb geen idee of het nog goed kan komen tussen Philippa en hem of dat we hem de laan uit moeten sturen.'

'De laan uitsturen,' zei Fleur met een huivering. 'Hij is weerzinwekkend.'

'En onbetrouwbaar,' zei Richard. 'Ik kan nu bijna niet meer geloven dat hij niet in eerste instantie met Philippa is getrouwd vanwege haar geld.'

'Is ze dan rijk?' vroeg Fleur voor de vuist weg.

'Dat wordt ze wel,' zei Richard. 'Zodra ze dertig wordt.' Hij nam nog een slok whisky. 'De ironie is dat ik pas vanochtend de papieren ondertekend heb.'

Fleur bleef even doodstil zitten, toen keek ze op en vroeg op luchtige toon: 'Wat voor papieren?'

'Ik heb vanochtend een heel groot bedrag overgemaakt dat beheerd wordt voor Antony en Philippa.' Hij glimlachte naar haar. 'Vijf miljoen voor elk, om precies te zijn.'

Fleur keek Richard enkele seconden aan.

'Vijf miljoen per persoon,' zei ze langzaam. 'Dat is bij elkaar tien miljoen.' Ze zweeg even terwijl ze naar de woorden leek te luisteren.

'Ik weet dat het een hoop geld lijkt,' zei Richard. 'Maar ik wilde dat ze financieel onafhankelijk zouden zijn. En ik hou nog steeds meer dan genoeg over om comfortabel van te leven.'

'Je hebt gewoon al dat geld weggegeven,' zei Fleur zwakjes. 'Aan je kinderen.'

'Ze weten het nog niet,' zei Richard. 'Maar ik weet dat ik erop kan vertrouwen dat je dit voor je houdt.'

'Natuurlijk,' mompelde Fleur. Ze dronk haar glas leeg en keek op. 'Zou je... denk je dat je nog een glas whisky voor me zou kunnen inschenken?'

Richard stond op, schonk nog een glas van het goudgele goedje in Fleurs glas en kwam naar haar teruggelopen. Hij bleef plotsklaps staan.

'Fleur, waar wacht ik toch op?' riep hij uit. 'Er is iets wat ik je al heel lang wil vragen. Ik weet dat het een schokkende avond is geweest, maar misschien... misschien geeft dat me nog meer reden om te doen wat ik op het punt sta te doen.'

Richard knielde met het whiskyglas nog in zijn hand op het kleed en keek naar Fleur op.

'Fleur,' zei hij met trillende stem. 'Fleur, mijn liefste, wil je met me trouwen?'

18

De volgende ochtend vroeg reed er een witte Jeep bij The Maples voor die luid toeterde, zodat Richard wakker schrok. Hij wreef in zijn ogen, liep naar het slaapkamerraam en keek naar buiten.

'Het zijn de vrienden van Antony,' zei hij tegen Fleur. 'Ze gaan vast al vroeg naar Cornwall.'

Plotseling werd er op de deur geklopt, en ze hoorden Antony's stem die zei: 'Pap? We gaan, hoor!'

Richard deed de deur open en keek naar Antony en Zara, die op de overloop stonden. Ze droegen dezelfde kleding: een spijkerbroek en een honkbalpet, en ze hadden allebei een enorme, slappe tas bij zich.

'Nou,' zei hij. 'Op naar Cornwall. Jullie gedragen je toch wel, hè?'

'Ja, natuurlijk,' zei Antony ongeduldig. 'Trouwens, Xanthes moeder is er ook, hoor.'

'Ja, dat weet ik,' zei Richard. 'Ik heb haar gisteren gesproken. En een paar basisregels doorgegeven.'

'Pap! Wat heb je gezegd?'

'Niks bijzonders,' grijnsde Richard. 'Alleen dat jullie elke ochtend een koud bad moeten nemen, gevolgd door een uurtje Shakespeare...'

'Pap!'

'Jullie zullen het vast erg naar je zin hebben,' zei Richard toegeeflijk. 'En we zien jullie vrijdag weer.'

Buiten toeterde de Jeep nog een keer.

'Oké,' zei Antony. Hij keek naar Zara. 'Nou, dan gaan we maar.'

'Ik hoop dat het een beetje gaat met Philippa,' zei Zara.

'Ja.' Antony keek naar Richard op en beet op zijn lip. 'Ik hoop dat ze...'

'Het komt wel goed met haar,' zei Richard geruststellend. 'Maak je geen zorgen. Nou, ga nu maar, voor Xanthe dat helse geluid weer maakt.'

Hij keek hen na terwijl ze de trap af schuifelden. Zara liep bijna dubbelgevouwen onder het gewicht van haar tas, en hij vroeg zich even af wat ze in vredesnaam meezeulde. Toen hij de voordeur hoorde dichtslaan, liep hij terug naar Fleur.

'Dat waren Antony en Zara,' zei hij overbodig. 'Op weg naar Cornwall.'

'Mmm.' Fleur draaide zich om, en het dekbed plooide zich om haar lichaam. Richard bleef even naar haar staan kijken en haalde toen diep adem.

'Ik weet niet hoe laat je weg wilt,' zei hij. 'Ik zal je wel naar het station brengen. Zeg maar wanneer.'

'Goed,' zei Fleur. Ze deed haar ogen open. 'Je vindt het toch niet erg, hè, Richard? Ik heb gewoon even wat tijd nodig om na te denken.'

'Ja natuurlijk,' zei Richard, die een opgewekte toon in zijn stem forceerde. 'Ik begrijp het volkomen. Ik verwacht ook niet van je dat je een overhaaste beslissing neemt.'

Hij ging op het bed zitten en keek naar haar. Haar armen lagen op het kussen boven haar hoofd, sierlijke armen als van een ballerina. Haar ogen waren weer dichtgevallen terwijl ze heerlijk wegdoezelde. De mogelijkheid dat ze hem zou afwijzen flitste weer door zijn hoofd. Er ging een pijnscheut mee gepaard, zo hard en scherp dat hij er bijna bang van werd.

Gillian was beneden een pot thee aan het zetten. Ze keek op toen Richard de keuken binnenkwam.

'Ik heb ze zien weggaan,' zei ze. 'Die jongeman, Mex, zat achter het stuur. Ik hoop dat hij een beetje verantwoordelijkheidsgevoel heeft.'

'Vast wel,' zei Richard. Hij ging aan de keukentafel zitten en keek om zich heen. 'Het huis lijkt wel erg stil,' zei hij. 'Ik mis die dreunende muziek nu al.'

Gillian glimlachte en zette een mok thee voor hem neer.

'Wat gaat er met Philippa gebeuren?' vroeg ze. 'Komt ze vandaag uit het ziekenhuis?'

'Ja,' zei Richard. 'Tenzij er vannacht iets is gebeurd. Ik ga haar vanochtend halen.'

'Ik ga met je mee,' zei Gillian. 'Als je het goedvindt.'

'Natuurlijk vind ik het goed,' zei Richard. 'Ik weet zeker dat ze blij zal zijn je te zien.' Hij nam een slok thee terwijl hij zijn gedachten ordende en keek toen op. 'Er is nog iets anders wat ik je moet vertellen,' zei hij. 'Fleur gaat een paar dagen naar Londen.'

'Juist,' zei Gillian. Ze keek naar Richards strakke, bleke gezicht. 'Je gaat niet mee?' vroeg ze aarzelend.

'Nee,' zei Richard. 'Deze keer niet. Fleur...' Hij wreef over zijn gezicht. 'Fleur heeft wat tijd voor zichzelf nodig. Om... over dingen na te denken.'

'Juist,' zei Gillian opnieuw.

'Ze komt zaterdag terug,' zei Richard.

'O, nou ja,' zei Gillian opgewekt. 'Dat is het zó.'

Richard glimlachte flauwtjes en dronk zijn beker leeg. Gillian keek hem bezorgd aan. 'Zou Fleur thee willen, denk je?' vroeg ze. 'Ik sta op het punt om naar boven te gaan.'

'Ze wil geen thee,' zei Richard, die het zich ineens herinnerde. 'Maar ze vroeg wel of ik *The Times* even naar boven kon brengen.'

'*The Times*,' zei Gillian terwijl ze haar blik door de keuken liet gaan. 'Hier ligt hij. Ik breng hem wel even als je wilt.' Ze pakte de keurig opgevouwen krant en keek er nieuwsgierig naar. 'Fleur leest de krant meestal niet,' zei ze. 'Ik vraag me af waar ze hem voor wil hebben.'

'Ik weet het niet,' zei Richard, terwijl hij nog een kop thee inschonk. 'Dat heb ik niet gevraagd.'

Om tien uur was Fleur klaar voor vertrek.

'We zullen je bij het station afzetten,' zei Richard terwijl hij haar koffer de trap af droeg, 'en dan gaan we door naar het ziekenhuis.' Hij zweeg even. 'Philippa zal wel ontdaan zijn dat je er niet bent,' voegde hij er op luchtige toon aan toe.

'Dat is jammer,' zei Fleur. Ze keek Richard aan. 'Maar ik heb echt niet het gevoel dat ik kan...'

'Nee,' zei Richard vlug. 'Natuurlijk niet. Ik had niets moeten zeggen.'

'Je bent een lieverd,' zei Fleur en ze gaf Richard een arm. 'En ik hoop echt dat Philippa erbovenop komt.'

'Het komt wel goed,' zei Gillian, die de hal binnenstapte. 'We houden haar een poosje thuis en gaan eens goed voor haar zorgen. Tegen de tijd dat je terugkomt, zal ze vast weer helemaal in orde zijn.' Ze keek naar Fleur. 'Wat zie je er chic uit,' zei ze, 'helemaal in het zwart.'

'Zo'n handige kleur om in Londen te dragen,' mompelde Fleur, 'je ziet het vuil er niet op.'

'Logeer je bij je vriend Johnny?' vroeg Gillian. 'Kunnen we je daar bereiken als er iets met Zara mocht zijn?'

'Ik zal er waarschijnlijk niet logeren,' zei Fleur. 'Ik denk dat ik naar een hotel ga.' Er verscheen een lichte frons op haar gezicht. 'Ik bel jullie wel zodra ik aangekomen ben om een nummer door te geven.'

'Goed,' zei Richard. Hij keek onzeker naar Gillian. 'Nou, ik denk dat we maar eens moeten gaan.'

Toen ze naar buiten stapten en over de oprijlaan liepen, draaide Fleur zich naar het huis om en wierp er een taxerende blik op.

'Het is een warm huis, hè?' zei ze ineens. 'Een vriendelijk huis.'

'Ja,' zei Richard gretig. 'Heel vriendelijk. Het is... nou ja, ik vind het een heerlijk huis om als thuis te hebben.'

Fleur keek hem aan. 'Ja,' zei ze vriendelijk en deed het portier open. 'Ja, Richard, dat zal vast wel.'

Philippa zat rechtop in bed toen Richard en Gillian kwamen. Ze zag hen door de zaal lopen en probeerde hen automatisch vrolijk toe te lachen. Maar haar mond voelde onbeholpen aan en haar wangen stijf. Ze had het gevoel dat ze misschien nooit meer zou glimlachen, alsof de ijzige schaamte die zich in haar lichaam genesteld had ervoor gezorgd had dat al haar natuurlijke reacties bevroren waren.

Ze had nooit gedacht dat het zo zou zijn. Ze had gedacht dat ze het ultieme romantische gebaar maakte, dat iedereen rond haar bed zou staan zodra ze bijkwam terwijl ze hun tranen weg knipperden en haar hand streelden en haar beloofden om haar leven beter te maken. In plaats daarvan had ze een reeks vernederende aanslagen op haar lichaam ondergaan toen ze wakker werd, uitgevoerd door verpleegsters met beleefde uitspraken op hun lippen en minachting in hun ogen. Toen ze een glimp had opgevangen van het intens verdrietige gezicht van haar vader, was er iets in haar geknakt en had ze willen huilen. Alleen kon ze ineens niet meer huilen. De stortvloed aan tranen die ze altijd klaar had, was opgedroogd, de achtergrond van romantische verzinsels was neergehaald, en wat er over was, was koud en droog, als een steen.

Ze bevochtigde haar lippen met haar tong toen haar vader en Gillian dichterbij kwamen, haalde diep adem en zei voorzichtig: 'Hallo.' Haar stem klonk vreemd en blikkerig in haar oren.

'Hallo schat!'

'Hallo Philippa.' Gillian glimlachte haar monter toe. 'Hoe gaat het?'

'Stukken beter,' zei Philippa voorzichtig. Ze had het gevoel dat ze een vreemde taal sprak.

'Je mag vandaag naar huis,' zei haar vader. 'De ontslagpapieren liggen klaar.'

'Fijn,' zei Philippa. Van heel ver weg kwam er een gedachte bij haar op. 'Is Fleur thuis?'

'Nee,' zei haar vader. 'Fleur is een paar dagen naar Londen.'

'Juist,' zei Philippa. Er ging een afgezwakte flikkering van teleurstelling door haar heen die vrijwel onmiddellijk weer wegstierf. 'Komt ze terug?' vroeg ze beleefd.

'Ja,' zei Gillian meteen, voor Richard iets kon zeggen. 'Ja, natuurlijk komt ze terug.'

In de auto werd weinig gesproken. Toen ze thuis waren, bracht Gillian kommen kippensoep naar de oranjerie, en Richard ging tegenover Philippa zitten.

'We moeten over Lambert praten,' zei hij voorzichtig.

'Ja.' Philippa's stem klonk toonloos.

'Heb je...'

'Ik wil hem nooit meer zien.'

Richard keek lange tijd naar Philippa en wierp Gillian vervolgens een blik toe.

'Goed,' zei hij. 'Nou ja, zolang je het maar zeker weet.'

'Ik wil scheiden,' zei Philippa. 'Alles tussen Lambert en mij is voorbij.' Ze nam een lepel kippensoep. 'Dit is lekker, zeg.'

'Echte kippenbouillon,' zei Gillian. 'Je maakt mij niet wijs dat ze dat gebruiken in die handige kartonnen pakken.'

'En je weet zeker dat je niet van mening zult veranderen?' drong Richard aan.

'Ja,' zei Philippa kalm. 'Ik weet het heel zeker.' Ze voelde zich bevrijd, alsof ze een hele stapel ongewenste rommel van zich afgeschud had. Haar hoofd voelde schoon en fris aan, haar leven was weer van haar, ze kon opnieuw beginnen.

Later die dag kwam Lambert per taxi op The Maples aan, met een boeket roze anjers in zijn hand. Richard kwam hem bij de voordeur tegemoet en nam hem mee de salon in.

'Philippa ligt boven te rusten,' zei hij. 'Ze wil je niet zien.'

'Dat is jammer,' zei Lambert. 'Ik heb deze voor haar meegenomen.' Hij legde het boeket op een zijtafeltje, ging op de bank zitten en begon het glas van zijn horloge met zijn mouw op te poetsen. 'Ik neem aan dat ze nog steeds een beetje overstuur is,' voegde hij eraan toe.

'Ze is meer dan een beetje overstuur,' zei Richard, die zijn best moest doen om met vaste stem te blijven praten. 'Ik zal je maar meteen vertellen dat ze echtscheiding gaat aanvragen.'

'Echtscheiding?' Lambert ging zonder op te kijken met een onvaste hand door zijn haar. 'Dat is toch zeker een grapje?'

'Dat is geen grapje,' zei Richard. 'Dit is geen onderwerp voor grapjes.'

Lambert keek op en schrok van Richards strakke mond, van de vijandigheid in zijn ogen. Nou Lambert, dacht hij, dit heb je mooi verkloot, hè? Wat ga je nu doen? Hij dacht een ogenblik na en stond toen abrupt op.

'Richard, ik wil mijn verontschuldigingen aanbieden,' zei hij terwijl hij Richard zo oprecht mogelijk probeerde aan te kijken. 'Ik weet niet wat me gisteren mankeerde. Te veel gedronken, denk ik.' Hij waagde een glimlachje. 'Ik heb nooit je vertrouwen willen schenden.'

'Lambert,' begon Richard vermoeid.

'Philippa is een heel gevoelig meisje,' vervolgde Lambert. 'We hebben eerder ruzie gehad, maar het kwam altijd weer goed. En ik weet zeker dat dit ook weer goed komt, als je ons de kans geeft...'

'Je hebt je kans gehad!' beet Richard hem toe. 'Je hebt je kans gehad toen je daar in die kerk stond en beloofde mijn dochter lief te hebben en te koesteren!' Zijn stem ging steeds luider klinken. 'Heb je haar liefgehad? Heb je haar gekoesterd? Of heb je haar altijd domweg als een bron van inkomsten gezien?'

Hij brak hijgend zijn zin af en Lambert keek hem enigszins paniekerig aan terwijl hij mogelijke reacties met elkaar vergeleek. Zou Richard hem geloven als hij zijn mateloze liefde voor Philippa verklaarde?

'Ik zal eerlijk tegen je zijn, Richard,' zei hij ten slotte. 'Ik ben maar een mens. En een mens kan niet bij brood alleen leven.'

'Hoe durf je de bijbel tegen mij te citeren!' schreeuwde Richard. 'Hoe durf je mijn dochter te gebruiken!'

'Ik heb haar niet gebruikt!' riep Lambert uit. 'We hebben een heel gelukkig huwelijk gehad!'

'Je hebt haar vernederd, je hebt haar uitgebuit, je hebt haar van een gelukkig meisje in een emotioneel wrak veranderd.'

'O godallemachtig, ze is altijd een emotioneel wrak geweest!' snauwde Lambert, die zich ineens onheus bejegend voelde. 'Er was al van alles mis met Philippa toen ik haar leerde kennen! Dus dat moet je mij niet ook nog in de schoenen schuiven.'

Richard keek hem een ogenblik sprakeloos aan, en toen keerde hij zich van hem af.

'Ik wil je nooit meer zien,' zei hij rustig. 'Je dienstverband is hierbij beëindigd op basis van de voorwaarden in je contract.'

'Wat voor voorwaarden?'

'Vergaand wangedrag,' zei Richard koel. 'Misbruik van vertrouwen en vervalsing.'

'Ik vecht het aan!'

'Als je het aanvecht, zul je zeker verliezen – maar het is jouw keus. Wat de echtscheiding betreft,' vervolgde Richard, 'zul je te zijner tijd van Philippa's advocaat horen.' Hij zweeg even. 'En wat het geld betreft...'

Het bleef een ogenblik doodstil en Lambert merkte dat hij iets naar voren leunde, vervuld van een plotselinge hoop.

'Ik zal je schuld met een totaal van tweehonderdvijftigduizend pond inlossen. Niet meer dan dat. In ruil daarvoor geef je me een ondertekende garantie dat je geen poging zult ondernemen om contact op te nemen met Philippa behalve via je advocaat en dat je het bedrag beschouwt als een volledige en definitieve schikking.'

'Tweehonderdvijftigduizend?' zei Lambert. 'En de rest van mijn schuld dan?'

'De rest van je schuld, Lambert,' zei Richard met enigszins trillende stem, 'is jouw probleem.'

'Tweehonderdvijfenzeventig,' zei Lambert.

'Tweehonderdvijftig. Geen cent meer.'

Er volgde een lange stilte.

'Goed dan,' zei Lambert na een tijdje. 'Goed dan, ik neem het aan. Afgesproken.' Hij stak zijn hand uit en liet hem weer zakken toen Richard geen poging deed om hem te schudden. Hij keek met onwillige bewondering naar Richard. 'Je bent een keiharde, hè?'

'Ik heb je taxi gevraagd op de oprijlaan te blijven wachten,' antwoordde Richard. Hij keek op zijn horloge. 'Er gaat een trein om drie uur.' Hij stak zijn hand in zijn zak. 'Hier is geld voor je kaartje.' Hij stak Lambert een envelop toe. Lambert aarzelde, haalde zijn schouders op en nam hem aan.

Ze liepen zwijgend naar de voordeur.

'Ik stel ook voor,' zei Richard terwijl hij de deur opendeed, 'dat je je lidmaatschap van Greyworth opzegt. Voor je gevraagd wordt te vertrekken.'

'Je bent erop uit om mijn leven te ruïneren!' zei Lambert nijdig. 'Ik ben straks een gebroken man!'

'Dat betwijfel ik,' zei Richard. 'Mensen als jij worden nooit gebroken. Het zijn anderen die gebroken worden. Degenen die de pech hebben met jou in contact te komen, degenen die jou in hun leven toelaten, die dom genoeg zijn om je te vertrouwen.'

Lambert keek hem een moment zwijgend aan, stapte toen in de taxi en leunde achterover. De taxichauffeur startte de motor.

'Zeg eens,' zei Richard ineens. 'Heb je ooit echt om Philippa gegeven? Of was het allemaal maar gespeeld?'

Lambert trok een peinzend gezicht. 'Soms had ik wel zin in haar,' zei hij. 'Als ze zich een beetje opgetut had.'

'Juist,' zei Richard. Hij haalde diep adem. 'Ga alsjeblieft weg. Onmiddellijk.'

Hij keek de taxi na terwijl die naar de poort van de oprijlaan reed en verdween.

'Is hij weg?'

Richard draaide zich om en zag Gillian bij de voordeur staan. 'Ik hoorde je tegen hem praten,' vervolgde ze. 'Voor wat het waard is: ik vond je geweldig.'

'Nou, niet bepaald,' zei Richard. Hij wreef met een vermoeid gebaar over zijn gezicht. 'Weet je, hij had niet eens spijt van zijn gedrag.'

'Het heeft geen enkele zin om spijt te verwachten van dat soort mensen,' zei Gillian verrassend. 'Je moet ze zo snel mogelijk uit je leven zien te krijgen en ze vergeten. Je moet niet piekeren.'

'Ik weet dat je gelijk hebt,' zei Richard. 'Maar op het moment kan ik niets anders dan piekeren. Ik voel me erg verbitterd.' Hij schudde somber zijn hoofd en liep langzaam terug naar het huis. 'Hoe is het met Philippa?'

'O, goed,' zei Gillian terwijl ze een paar stappen naar voren deed om bij hem te komen. 'Het komt heus wel goed met haar.' Ze legde haar hand op zijn arm en ze bleven enkele ogenblikken zwijgend staan.

'Ik mis Fleur,' zei Richard. 'Ik mis Fleur.' Hij zuchtte. 'Ze is vanochtend pas weggegaan en nu mis ik haar al.'

'Ik ook,' zei Gillian. Ze kneep troostend in zijn arm. 'Maar ze komt gauw weer terug. Misschien belt ze vanavond wel.'

'Ze zal niet bellen,' zei Richard. Hij slikte. 'Ik heb Fleur gisteravond ten huwelijk gevraagd. Daarom is ze naar Londen gegaan. Ze wilde erover nadenken.'

'Juist,' zei Gillian.

'Nu wou ik dat ik niets gezegd had,' zei Richard. Hij keek op. 'Gillian, als ze nu eens nee zegt?'

'Ze zegt geen nee,' zei Gillian. 'Ik weet zeker dat ze geen nee zal zeggen.'

'Maar misschien zegt ze het wél!'

'En misschien zegt ze ook wel ja,' zei Gillian. 'Denk daar maar liever aan. Misschien zegt ze ja.'

Later die avond, toen Philippa naar bed was en ze met zijn tweeën met hun koffie in de salon zaten, zei Gillian plotseling tegen Richard: 'Plaats Fleur niet op een voetstuk.'

Richard keek verbaasd naar Gillian op en ze bloosde.

'Sorry,' zei ze. 'Ik zou dat soort dingen niet tegen je moeten zeggen.'

'Onzin,' zei Richard. 'Je mag tegen me zeggen wat je wilt.' Hij trok een peinzend gezicht. 'Maar ik begrijp niet goed wat je bedoelt.'

'Het doet er niet toe,' zei Gillian.

'Het doet er wél toe! Gillian, we kennen elkaar nu lang genoeg om eerlijk te kunnen zijn.' Hij boog zich voorover en keek haar ernstig aan. 'Zeg eens wat je denkt. Wat bedoel je met voetstuk?'

'Je dacht dat Emily perfect was,' zei Gillian onomwonden. 'Nu denk je dat Fleur perfect is.'

Richard lachte.

'Ik denk niet dat ze perfect is! Ik denk...' Hij aarzelde even en bloosde een beetje.

'Wel waar!' zei Gillian. 'Je denkt dat ze perfect is!' Ze dacht even na. 'Op een dag ontdek je iets aan Fleur wat je niet wist. Of wat je niet opgevallen was. Net als met Emily.' Ze beet op haar lip. 'En misschien is dat iets wat niet goed is. Maar dat wil niet zeggen dat Fleur geen goed mens is.'

Richard keek haar aan. 'Gillian, is er iets wat je me probeert te vertellen? Iets over Fleur?'

'Nee!' zei Gillian. 'Doe niet zo gek.' Ze keek Richard ernstig aan. 'Ik wil alleen niet dat je opnieuw teleurgesteld wordt. En als je begint met realistische verwachtingen, dan heb je...' Ze schraapte onbeholpen haar keel.' Dan heb je misschien een betere kans op geluk.'

'Je zegt dat ik een idealist ben,' zei Richard langzaam.

'Eh, ja. Dat denk ik wel.' Gillian fronste haar voorhoofd van gêne. 'Maar ja, wat weet ik ervan?' Ze zette haar koffiekopje nogal hard neer en stond op. 'Het is een lange dag geweest.'

'Je hebt gelijk,' riep Richard ineens uit. 'Gillian, je begrijpt me volledig.'

'Ik ken je al heel lang,' zei Gillian.

'Maar we hebben nooit eerder zo met elkaar gepraat! Je hebt me nooit eerder advies gegeven!'

'Ik vond het ongepast,' zei Gillian blozend.

Richard keek haar na terwijl ze naar de deur liep. 'Ik wou dat je het wel gedaan had.'

'Het was toen anders. Alles was anders.'

'Vóór Fleur.'

Gillian knikte en lachte een beetje. 'Precies.'

Op vrijdag had Fleur nog steeds niet gebeld. Gillian en Richard liepen rusteloos door het huis als twee nerveuze honden terwijl buiten de hemel als een grijze, klamme deken boven hen hing. Halverwege de ochtend begon het te regenen, en een paar minuten later kwam de witte Jeep de oprijlaan op gereden, waar Antony en Zara in een wervelwind van gilletjes en gegiechel uitgerold kwamen.

'Jullie moeten ons alles vertellen!' riep Richard uit, blij met de afleiding. 'Hebben jullie het leuk gehad?'

'Fantastisch,' zei Zara. 'Ook al heeft Xanthe Forrester bij benadering één hersencel.'

'We hebben een wandeling gemaakt,' zei Antony, 'en zijn compleet verdwaald...' Hij ving Zara's blik en ze barstten allebei in gegiechel uit.

'En we hebben cider gedronken,' zei Zara toen ze uitgelachen was.

'Jíj hebt cider gedronken,' protesteerde Antony. 'Verder heeft iedereen bier gedronken.' Hij begon weer te lachen. 'Zara, doe je Cornwall-accent eens!'

'Dat kan ik niet.'

'Dat kun je wel!'

'Ik kan het alleen in een bepaald verband,' zei Zara. 'Ik moet wel een verband hebben.'

Richard ving Gillians blik.

'Nou, dat klinkt allemaal heel leuk,' zei hij. 'Ik denk dat ik straks maar eens een praatje met mevrouw Forrester ga maken.'

'Waar is Fleur?' vroeg Zara terwijl ze haar tas met een bonk op de vloer liet vallen.

'Een paar dagen naar Londen,' zei Richard op luchtige toon. 'Maar ze komt morgen thuis.'

'Londen?' vroeg Zara op scherpe toon. 'Wat doet ze in Londen?'

'O, niks bijzonders. Eerlijk gezegd weet ik het niet goed.'

'Heeft ze het je niet verteld?'

'Niet met zo veel woorden.' Richard glimlachte naar haar. 'Nou, hebben jullie zin in warme chocolademelk?'

'Ja, graag,' zei Zara afwezig. 'Ik moet alleen eerst even ergens naar kijken.'

Zonder achterom te kijken haastte ze zich de trap op, de gang door en Fleurs kamer binnen. Daar bleef ze even staan, ze haalde diep adem en trok met bonkend hart de deuren van haar kleerkast open.

Al Fleurs zwarte pakjes waren weg.

'O nee,' zei Zara hardop. 'O nee, alsjeblieft.' Ze voelde een pijn in haar borst alsof ze een klap met een hamer kreeg. 'O nee.' Haar knieën begonnen te knikken en ze zakte ineen op de vloer.

'Nee, alsjeblieft,' mompelde ze terwijl ze haar hoofd in haar handen begroef. 'Niet doen. Doe het alsjeblieft niet. Niet deze keer. Fleur, niet doen. Toe.'

Tegen het avondeten was de spanning tot grote hoogte gestegen. Zara zat naar haar bord te staren zonder iets te eten, Richard probeerde zijn zenuwen te verbergen door grapjes te maken waar niemand om moest lachen, Gillian kletterde bruusk met borden en snauwde naar Antony toen hij een lepel liet vallen. Philippa nam drie happen en zei toen dat ze de rest in haar kamer zou opeten.

Na het eten ging iedereen in de salon naar een film op televisie zitten kijken die ze allemaal al gezien hadden. Toen hij afgelopen was, zei niemand iets, en niemand maakte aanstalten om naar bed te gaan. Het volgende programma begon en ieders ogen bleven op het scherm gericht. We willen niet bij elkaar vandaan, dacht Zara. We willen niet naar bed, we willen niet alleen zijn. Toen Antony geeuwde en zijn benen in zijn stoel begon te bewegen, raakte ze in paniek.

'Ik ga naar bed,' zei hij ten slotte. 'Welterusten allemaal.'

'Ik ga ook,' zei Zara en volgde hem de kamer uit.

Op de trap trok ze hem naar zich toe.

'Mag ik vanavond in jouw bed slapen?' fluisterde ze.

'Wat, wil je ruilen?' vroeg Antony verwonderd.

'Nee,' zei Zara fel. 'Bij jou. Ik wil gewoon...' Ze slikte. 'Ik wil gewoon niet alleen zijn, nou goed?'

'Nou, oké,' zei Antony langzaam. 'Oké!' Zijn ogen begonnen te glimmen. 'Maar als iemand erachter komt?'

'Wees maar niet bang,' zei Zara. 'Niemand zal bij ons in de buurt komen.'

19

'Zara! Zara!' Een stem bleef onafgebroken in Zara's oor sissen, bleef alsmaar sissen en sissen. Na een tijdje vond ze dat ze maar eens moest zeggen dat hij weg moest gaan en iemand anders moest gaan lastig vallen. Ze wreef slaperig in haar ogen, deed ze open en schrok.

'Terecht dat je schrikt!' Fleur stond naast het bed, chic gekleed in een rood mantelpakje dat Zara niet herkende, en keek op haar neer met een mengeling van triomf en boosheid op haar gezicht. 'Waar ben jij helemaal mee bezig?'

Zara gaapte haar aan in het schemerige licht van de kamer. Ze werd zich er opeens van bewust dat ze naast Antony in bed lag, dat zijn blote arm over haar borst lag.

'Het is niet wat het lijkt, hoor,' zei ze snel.

'Schat, je ligt in bed met een jongen van vijftien. Ga nou niet net doen alsof je er per ongeluk in gevallen bent.'

'Het was niet per ongeluk! Maar het was niet, ik bedoel, hij heeft niet...'

'Ik heb hier geen tijd voor,' viel Fleur haar in de rede. 'Sta op en kleed je aan. We gaan.'

Zara keek haar uitdrukkingloos aan en haar hart begon onheilspellend te bonken.

'Wat bedoel je met "we gaan"?' stamelde ze.

'We vertrekken hier, schat. Er staat beneden een auto op ons te wachten. Ik heb van de week een heel aardige man ontmoet. Hij heet Ernst. We gaan bij hem wonen in zijn villa.'

‘We kunnen niet weg,’ onderbrak Zara haar. ‘Ik ga niet!’

‘Doe niet zo mal, Zara.’ Er sloop een spoor van ongeduld in Fleurs stem. ‘We gaan weg en daarmee basta.’

‘Dan ga ik gillen!’ zei Zara. ‘Ik maak iedereen wakker!’

‘En dan komen ze allemaal hierheen gerend,’ zei Fleur. ‘En dan ontdekken ze precies wat de jongeheer Favour en jij uitgespookt hebben. Wat zal zijn vader daarvan vinden?’

‘We hebben niets uitgespookt!’ siste Zara. ‘We zijn niet met elkaar naar béd geweest! We hebben alleen maar... samen in één bed geslapen.’

‘Ik kan dat maar moeilijk geloven,’ zei Fleur. ‘Vooruit, sta op.’

Het dekbed ging omhoog en Antony’s hoofd kwam eronder vandaan. Hij tuurde met slaperige ogen naar Fleur, en toen hij zag wie het was, trok hij wit weg.

‘Fleur!’ stamelde hij. ‘O mijn god! Het spijt me! We waren niet van plan om...’ Hij gluurde angstig naar Zara en toen weer naar Fleur. ‘Eerlijk waar...’

‘Sst,’ zei Fleur. ‘Je wilt toch niet dat je vader hierheen komt?’

‘Niet tegen pap zeggen, hoor,’ smeekte Antony. ‘Hij begrijpt het vast niet.’

‘Nou, als je niet wilt dat je vader erachter komt, dan stel ik voor dat je je mond houdt,’ zei Fleur. Ze keek naar Zara. ‘En ik stel voor dat jij met me meegaat.’

‘Ik ga niet weg,’ zei Zara wanhopig.

‘Ik zou maar gaan, hoor,’ zei Antony bezorgd. ‘Pap kan elk moment iets horen en hier naar binnen komen.’

‘Verstandige knul,’ zei Fleur. ‘Kom, Zara.’

‘Tot kijk,’ zei Antony terwijl hij zich weer onder zijn dekbed nestelde.

‘Tot kijk,’ fluisterde Zara. Ze raakte teder zijn hoofd aan. ‘Tot...’ Maar de tranen stroomden al over haar wangen en ze kon haar zin niet afmaken.

De auto stond discreet om de hoek van The Maples te wachten. Het was een grote donkerblauwe Rolls-Royce met leren bekleding en een chauffeur in uniform, die uit de auto sprong zodra hij Fleur en Zara zag aankomen en het portier openhield.

'Ik kan niet mee,' zei Zara en bleef staan. 'Ik kan niet weg. Ik wil hier wonen.'

'Ach, welnee,' zei Fleur.

'Wel waar! Het is hier heerlijk! En ik hou van Richard en van Gillian en van Antony...'

'Nou, binnen de kortste keren zitten we in een villa in de Algarve,' snauwde Fleur. 'Waar we spannende dingen gaan doen, interessante mensen zullen ontmoeten. En het leven dat we hier geleid hebben, zal heel saai lijken.'

'Niet waar!' Zara gaf een schop tegen de zijkant van de Rolls-Royce, en de chauffeur kromp nauwelijks merkbaar ineen.

'Hou daarmee op!' Fleur duwde Zara nijdig in de auto. 'Ga zitten en gedraag je.'

'Waarom moeten we weg? Geef me één goede reden!'

'Je weet precies wat de redenen zijn, schat.'

'Noem er één!' schreeuwde Zara, en ze keek Fleur strak aan, klaar voor een confrontatie, voor een draai om haar oren zelfs. Maar Fleur keek uit het autoraampje. Haar gezicht trilde een beetje en ze scheen geen antwoord te hebben.

Om acht uur hadden ze overal gezocht.

'Ik heb in de tuin gekeken,' zei Gillian terwijl ze de keuken binnenstapte. 'Geen spoor van haar te bekennen.' Ze keek weer naar Antony. 'Weet je zeker dat ze niets tegen je gezegd heeft?'

'Helemaal niks,' mompelde Antony zonder haar aan te kijken. 'Ik weet niet wat er gebeurd is. Ik heb haar sinds gisteravond niet meer gezien.'

'Het is helemaal niets voor Zara,' zei Richard. Hij fronste zijn voorhoofd. 'Nou ja, ze zal wel een keer komen opdagen.'

'Vind je niet dat we de politie moeten bellen?' vroeg Gillian.

'Dat lijkt me een beetje overdreven,' zei Richard. 'Het is ten slotte nog maar acht uur 's morgens. Misschien is ze vroeg een wandeling gaan maken. Ze kan elk moment komen binnenstappen. Waar of niet, Antony?'

'Ja,' zei Antony en hij wendde zijn gezicht af.
Een halfuur later kwam Gillian de keuken binnengerend.
'Er komt een auto de oprijlaan op gereden!' zei ze. 'Misschien is het iemand met Zara!'
'Zie je wel,' zei Richard glimlachend tegen haar. 'Ik wist wel dat we ons zorgen maakten om niets.' Hij stond op. 'Antony, wil jij even verse koffie zetten? En iets eten? Je ziet eruit alsof je vannacht amper geslapen hebt.'
'Ik heb wel geslapen,' zei Antony onmiddellijk. 'Ik heb juist heel goed geslapen.'
'Goed zo,' zei Richard, die hem een nieuwsgierige blik toewierp. 'Nou, zet jij even koffie, dan ga ik kijken of het Zara is.'
'Het is Zara niet,' zei Gillian, die de keuken weer binnenkwam. 'Het is Fleurs vriend, Johnny. En een onbekende man.'

'Richard houdt van je,' zei Zara beschuldigend. 'Dat weet je.' Fleur zei niets. Ze waren in het eerste het beste plaatsje dat ze tegenkwamen gestopt en zaten nu in de auto voor een bank te wachten tot hij openging. Fleur hield Richards Gold Card in haar hand, klaar voor gebruik.
'Hij wil met je trouwen,' hield Zara aan. 'Je zou echt gelukkig met hem kunnen worden.'
'Schat, dat zeg je elke keer.'
'Deze keer is het waar! Deze keer is het anders!' Zara fronste haar voorhoofd. 'Jij bent anders. Fleur, je bent veranderd.'
'Onzin,' zei Fleur kribbig.
'Johnny vindt het ook. Hij heeft gezegd dat hij denkt dat het tijd is dat je je gaat settelen.'
'Settelen!' zei Fleur spottend. 'Settelen en echtgenote worden! "Comfortabel" leven.'
'Wat is er mis met comfortabel?' riep Zara uit. 'Het is toch beter dan oncomfortabel? Je had het hier naar je zin! Dat merkte ik!' Ze gluurde naar haar moeder. 'Fleur, waarom gaan we weg?'
'O schat.' Fleur draaide zich naar Zara toe, en die zag tot haar

schrik dat haar moeders ogen een beetje fonkelden. 'Ik kan toch geen saai plattelandsvrouwtje worden?'

'Je zou geen saai plattelandsvrouwtje worden! Je zou jezelf zijn!'

'Mezelf! Wat is dat!'

'Dat weet ik niet,' zei Zara hulpeloos. 'Dat is wat Richard denkt dat je bent.'

Fleur snoof.

'Richard denkt dat ik een toegewijd, liefdevol persoontje ben dat geen fluit om geld geeft.' Haar handen omklemden zijn Gold Card. 'Als ik met hem zou trouwen, schat, dan zou ik maar van hem scheiden.'

'Maar misschien ook niet!'

'Jawel, lieverd. Ik zou er niets aan kunnen doen.' Fleur bestudeerde haar nagels. 'Ik ken mezelf redelijk goed,' zei ze. 'En Richard verdient beter.'

'Hij wil niets beters!' zei Zara. 'Hij wil jou!'

'Je weet er niets van,' zei Fleur op scherpe toon en ze keerde zich naar het raampje. 'Kom op,' mompelde ze bij zichzelf. 'Laten we het geld pakken en verdergaan.'

Hal Winters was een lange man met smalle schouders, een gebruind gezicht en een bril met een metalen montuur. Hij zat naast Johnny aan de koffietafel met grote slokken koffie te drinken terwijl Richard, Gillian en Antony zwijgend naar hem staarden.

'Neemt u ons niet kwalijk,' zei Richard ten slotte. 'Dit is nogal een schok. Eerst kunnen we Zara nergens vinden en nu...'

'Ik kan me voorstellen dat jullie een beetje verrast zijn,' zei Hal Winters. Hij praatte langzaam, met het zware accent van het Midwesten van Amerika, waar Antony verrukt om moest grijnzen. 'Aangezien Fleur jullie verteld had dat ik dood was en zo.'

'Eerlijk gezegd weet ik achteraf niet meer of ze dat nu met zo veel woorden gezegd heeft,' zei Richard fronsend. 'Of wel?'

'Het is duidelijk een of ander misverstand,' zei Gillian kordaat. 'Wat jammer dat ze hier niet is.'

'Daar ben ik het helemaal mee eens,' zei Johnny, die Richard dreigend aankeek. 'En Zara ook weg. Wat een vreemd toeval.'

'Zara was hier gisteravond nog,' zei Richard met rimpels in zijn voorhoofd. 'Ik heb geen idee wat er gebeurd kan zijn.'

'Ik vlieg vanmiddag terug naar de States,' zei Hal Winters. Hij keek met een ongelukkig gezicht van de een naar de ander. 'Als ik mijn dochtertje niet heb kunnen zien...'

'Ik weet zeker dat ze zo zal komen,' zei Gillian.

'Mijn vrouw, Beth-Ann, vroeg me er gisteravond nog naar,' zei Hal Winters terneergeslagen. Hij wreef over zijn gezicht. 'Toen ik haar voor het eerst vertelde dat ik een...' Hij aarzelde. 'Nou, toen ik haar vertelde dat er sprake kon zijn van nog een kind... was ze knap nijdig op me. Ze hield niet meer op met huilen. Maar ja, ze ging aan het idee wennen, en nu wil ze zelfs dat ik Zara mee naar huis neem zodat ze kennis kan maken met de familie. Maar ik kan haar moeilijk meenemen als ze er niet is, hè?'

Het bleef even stil.

'Nog een kopje koffie?' vroeg Richard wanhopig.

'Dat lijkt me wel lekker, ja,' zei Hal Winters.

'Ik ga de politie bellen,' zei Gillian. 'Ik vind dat we lang genoeg gewacht hebben.'

'Eindelijk!' zei Fleur. Ze ging rechtop zitten, en de stof van haar jasje ritselde tegen het zachte leer van de bank. 'Kijk! De bank opent zijn deuren.'

'En hoeveel ga je opnemen?' vroeg Zara terwijl ze een stuk kauwgom uit de wikkel haalde.

'Daar heb ik nog geen besluit over genomen,' zei Fleur.

'Tienduizend? Twintigduizend?'

'Ik weet het niet!' zei Fleur ongeduldig.

'Je zou gelukkig kunnen worden met Richard,' riep Zara uit. 'Maar dat lever je allemaal in voor, zeg maar, twintigduizend zielige dollars.'

'Ponden.'

'Jezus,' zei Zara. 'Alsof dat er iets toe doet! Alsof je daar iets aan hebt! Het gaat gewoon naar de bank en daar ligt het dan. Ik bedoel, je doet dit alleen maar zodat je elke maand naar een stel cijfers kunt kijken en je veilig kunt voelen.'

'Geld is zekerheid, schat.'

'Mensen zijn zekerheid!' zei Zara. 'Geld raakt op! Maar mensen blijven.'

'Nee, dat is niet waar,' zei Fleur minachtend. 'Mensen blijven niet.'

'Wél!' zei Zara. 'Jij bent de enige die niet blijft! Je geeft nooit iemand een kans!'

'Schat, je bent een kind. Je weet niet waar je het over hebt,' zei Fleur. Haar stem trilde een beetje en ze tikte met de Gold Card tegen haar roodgelakte nagels.

'Oké, dan ben ik een kind,' zei Zara. 'Dus dan heb ik ook geen mening.' Ze keek uit het raampje. 'De bank is open. Dus ga maar. Haal het geld. Zet Richard maar bij het grof vuil. Gooi de liefste man van de wereld maar weg.' Ze drukte op een knopje en het raam zoemde langzaam naar beneden. 'Ga dan!' gilde ze. 'Schiet op, waar wacht je op? Ga zijn leven maar verwoesten! Verwoest al onze levens maar!'

'Hou je mond!' schreeuwde Fleur. 'Hou je grote mond! Ik moet nadenken.' Ze hief een trillende hand naar haar voorhoofd. 'Ik moet even nadenken!'

'En Hal,' zei Gillian beleefd, 'jij werkt in de farmaceutische industrie?'

'Pijnbestrijders, dat is mijn specialisme,' zei Hal Winters, die een beetje opleefde. 'Ik vertegenwoordig een firma die een pijnstillend middel van hoge kwaliteit in tabletvorm produceert, het is momenteel het op een na best verkopende middel van de Verenigde Staten.'

'Jeetje,' zei Gillian.

'Lijdt u wel eens aan hoofdpijn, mevrouw?'

'Nou,' zei Gillian. 'Het komt wel eens een keertje voor.'

Hal Winters stak zijn hand in zijn zak en haalde een kleine, merkloze blisterverpakking met tabletten tevoorschijn.

'U zult nergens een effectiever middel vinden dan dit,' zei hij. 'Het gaat namelijk meteen naar de wórtel van de pijn. De kern van de pijn, zou je kunnen zeggen.' Hij deed zijn ogen dicht en wees naar zijn nek. 'Spanningshoofdpijn begint meestal hier,' zei hij. 'En dan verspreidt hij zich.' Hij deed zijn ogen open. 'Nou, wat je natuurlijk wilt, is bij die pijn zien te komen voor hij zich verspreidt. En dat doet dit prachtige middel.'

'Juist,' zei Gillian zwakjes.

'Hal, elke keer dat je me over hoofdpijn vertelt, voel ik een aanval opkomen,' klaagde Johnny. 'Lukt het je daarom om er zo veel van te verkopen?'

'Ik heb met de politie gesproken,' zei Richard terwijl hij de keuken weer in kwam. 'Ik kan niet zeggen dat ze erg behulpzaam waren.'

'Pap,' zei Antony zachtjes. 'Pap, ik moet je spreken.'

'Wat is er?'

'Niet hier,' zei Antony. Hij slikte. 'Laten we even naar buiten gaan.'

Ze liepen de hal door, de voordeur uit – die openstond voor het geval Zara haar sleutel kwijt was – en de oprijlaan op. Het had 's nachts geregend en het rook fris en vochtig buiten. Antony liep naar een houten bankje dat buiten gehoorsafstand van het huis stond. Hij veegde het schoon en ging zitten.

'En,' zei Richard terwijl hij naast Antony ging zitten en hem nieuwsgierig aankeek. 'Waar gaat het om?'

'Het gaat om Zara,' zei Antony.

'Antony! Weet jij waar ze is?'

'Nee!' zei Antony. 'Ik heb geen idee! Maar...' Hij kreeg een kleur. 'Er is vanochtend iets gebeurd.'

'Vanochtend?'

'Nou, vannacht eigenlijk.'

'Antony, dit bevalt me niets.'

'Het is niets ergs!' zei Antony. 'Nou ja, niet echt. Het klinkt alleen een beetje erg.' Hij haalde diep adem. 'Zara voelde zich gisteravond eenzaam. Ze wilde bij me slapen. Ik bedoel, gewoon... je weet wel. Bij mij in bed. Om gezelschap te hebben.'

Hij keek smekend naar Richard, die een diepe zucht slaakte.

'Juist,' zei hij stilletjes. 'Nou, nu begint het tenminste hout te snijden.'

'We hebben niets gedaan! Echt niet! Je moet me geloven! Maar Fleur...'

Richard keek met een ruk op. 'Fleur?'

'Ze heeft ons aangetroffen. In bed bij elkaar. Ze was...' Antony ging met zijn tong over zijn lippen. 'Ze was behoorlijk kwaad.'

'Was Fleur hier?'

'Het was echt heel vroeg in de ochtend. Ze kwam binnen, zag ons en sleurde Zara gewoon mee.'

'Dat geloof ik graag!' riep Richard boos uit. 'Antony, hoe kon je?'

'Ik heb niets gedaan!'

'Waar was je verstand?'

'Ik dacht niet... ik besefte niet...' Antony keek naar zijn vader. 'Pap, ik heb er zo'n spijt van.' Zijn stem sloeg over. 'Eerlijk waar, we hebben niet... het was niet...'

Richard gaf zich gewonnen. 'Ik geloof je,' zei hij. 'Maar je moet wel begrijpen hoe het er voor Fleur uitgezien moet hebben. Ze heeft haar dochter aan onze zorg toevertrouwd. Ze vertrouwde ons.' Hij legde zijn hoofd in zijn handen. 'Het verbaast me dat ze niet naar mij gekomen is,' zei hij langzaam.

'Ze ging er nogal snel vandoor,' zei Antony. Hij beet op zijn lip. 'Denk je dat ze terugkomt?'

'Ik weet het niet,' zei Richard. Hij slikte. 'Ik wil heel graag denken dat ze dat zal doen. Maar misschien besluit ze... misschien heeft ze besloten...' Hij kon zijn zin niet afmaken.

'Maar het is mijn schuld als ze niet terugkomt!' riep Antony uit. 'Fleur komt niet terug en Zara zal haar vader niet ontmoeten! God, ik heb alles verknald!'

'Welnee,' zei Richard. 'Doe niet zo gek. Er zit een hoop meer achter dan je denkt.'

Ze bleven een tijdje zwijgend zitten, allebei in hun eigen gedachten verzonken.

'Je hield echt van Fleur, hè?' zei Antony ineens.

'Ja,' zei Richard. Hij keek Antony strak aan. 'Nog steeds.'

'Waar denk je dat ze heen is?'

'Ik heb geen idee.' Richard strekte zijn benen en stond toen abrupt op. 'We moeten het meneer Winters gaan vertellen.'

'Pap! Dat kan ik niet!'

'Je zult wel moeten. Het is niet eerlijk tegenover hem.' Richard keek Antony streng aan. 'Hij lijkt me een heel fatsoenlijke en eerzame man en we zijn hem de waarheid verschuldigd.'

'Maar hij vermoordt me!'

'Dat betwijfel ik.' Onwillekeurig verscheen er een glimlach om Richards lippen. 'We leven niet meer in de tijd van de "moetjes", weet je.'

'"Moetjes"?' Antony keek hem vol afschuw aan. 'Maar we hebben niet eens...'

'Dat weet ik wel. Ik maak maar een grapje!' Richard schudde zijn hoofd. 'Jullie jongelui worden veel te snel volwassen,' zei hij. 'Het mag dan leuk zijn om te drinken en te roken en bij elkaar in bed te slapen, maar die dingen brengen hun eigen problemen met zich mee.' Antony haalde verlegen zijn schouders op. 'Ik bedoel, moet je jou zien,' vervolgde Richard. 'Je bent nog maar vijftien. En Zara is nog maar net veertien geworden!'

Antony keek op. 'Eerlijk gezegd, pap,' zei hij, 'is er nog iets wat ik je moet vertellen. Over Zara's leeftijd. En over... andere dingen.'

'Wat is er met Zara's leeftijd?'

'Nou, haar verjaardag. Weet je nog? De verjaardag die ze een paar weken geleden gevierd heeft.'

'Natuurlijk weet ik dat nog!' zei Richard ongeduldig. 'Wat is daarmee?'

'Nou,' zei Antony terwijl hij ongemakkelijk met zijn voeten

schuifelde. 'Het is een beetje lastig om uit te leggen. Het gaat erom...'

'Wacht even,' zei Richard ineens. 'Wat...' Hij klonk alsof hij zijn ogen niet kon geloven. 'Wat is dat?'

Als iets uit een droom kwam er een enorme, glanzende donkerblauwe Rolls-Royce de oprijlaan op gekropen. Hij kwam zoemend voor de deur tot stilstand.

Nadat ze elkaar onzeker aangekeken hadden, liepen Richard en Antony er langzaam heen.

'Hebben ze het juiste huis wel?' zei Antony. 'Denk je dat het een filmster is?'

Richard zei niets. Zijn mond was een smalle streep, zijn nek was gespannen van de hoop en de zenuwen.

Er kwam een geüniformeerde chauffeur van achter het stuur. Hij negeerde Richard en Antony, liep om de auto heen naar het portier aan de passagierszijde aan de kant van het huis en deed het open.

'Kijk!' zei Antony, die piepte van opwinding. 'Ze stappen uit.'

Er verscheen een been. Een lang, blank been, gevolgd door een in een rode mouw gehulde arm.

'Het is...' Antony keek even naar zijn vader. 'Ik kan het niet geloven!'

'Fleur,' zei Richard zo kalm als hij maar kon opbrengen.

Ze draaide zich om toen ze zijn stem hoorde, aarzelde even, deed toen een paar stappen in zijn richting en keek hem met licht trillende mond aan. Een ogenblik lang zei geen van beiden iets.

'Ik ben teruggekomen, zoals je ziet,' zei Fleur even later met trillende stem.

'Ja, dat zie ik,' zei Richard. 'Je bent teruggekomen. Heb je...' Hij keek even naar de Rolls-Royce. 'Heb je een antwoord voor me?'

'Ja.' Fleur hief haar kin. 'Richard, ik ga niet met je trouwen.'

Er ging een pijnscheut door Richards borst en hij hoorde vaag Antony's kreet van teleurstelling.

'Juist,' hoorde hij zichzelf zeggen. 'Nou, fijn dat je het me laat weten.'

'Ik zal niet met je trouwen,' zei Fleur fel. 'Maar ik eh... blijf nog wel een tijdje rondhangen.' Ineens schitterden haar ogen. 'Ik blijf wel rondhangen, als je het goedvindt.'

Richard keek haar sprakeloos aan. De pijn in zijn borst ebde langzaam weg en de spanning van de afgelopen week begon te verdwijnen. Er steeg een voorzichtig, hoopvol geluksgevoel in hem op.

'Dat zou ik fijn vinden,' wist hij uit te brengen. 'Ik zou het fijn vinden als je blijft rondhangen.'

Hij deed een paar stappen naar voren tot hij dichtbij genoeg was om Fleurs handen te pakken, om ze naar zijn gezicht te brengen en met zijn wangen over haar blanke, zachte huid te wrijven. 'Ik dacht dat je weg was!' zei hij. Opeens was hij bijna in tranen, bijna kwaad. 'Ik dacht echt dat je voorgoed weg was!'

Fleur keek hem eerlijk aan. 'Dat was ik ook bijna,' zei ze.

'Wat is er dan gebeurd? Waarom heb je besloten...'

'Richard, dat moet je me niet vragen,' viel Fleur hem in de rede. Ze legde haar vinger op zijn lippen. 'Stel geen vragen tenzij je zeker weet dat je het antwoord wilt weten. Want het antwoord...' Haar wimpers trilden en ze wendde haar gezicht af. 'Het antwoord zou wel eens iets kunnen zijn wat je niet wilt horen.'

Richard keek haar enkele ogenblikken aan.

'Gillian zei iets soortgelijks tegen me,' zei hij ten slotte.

'Gillian,' zei Fleur, 'is een wijze vrouw.'

'Waar is Zara?' vroeg Antony, die de onduidelijke volwassenpraat beu was. Hij keek om zich heen. 'Zara?'

'Zara, kindje,' zei Fleur ongeduldig. 'Kom eens uit de auto.'

Langzaam, voorzichtig, kwam Zara uit de Rolls-Royce gestapt. Ze bleef een ogenblik staan als een vijandige kat en keek om zich heen alsof ze plotseling niet zeker was van haar omgeving. Antony moest denken aan de eerste keer dat hij haar zag.

'Oké,' zei ze terwijl ze hem aankeek. 'Nou, we zijn terug.' Ze schraapte met haar schoen over de grond. 'Eh... als jullie ons terug willen.'

'Natuurlijk willen we jullie!' zei Antony. 'Hè, pap?'
'Ja natuurlijk,' zei Richard.
Hij liet zachtjes Fleurs handen los en liep naar Zara toe. 'Kom, Zara,' zei hij op vriendelijke toon. 'Er zit iemand binnen die heel graag kennis met je wil maken.'
'Wie?' vroeg Fleur onmiddellijk.
'Ik denk dat je wel weet wie, Fleur,' zei Richard terwijl hij haar strak aankeek.
Ze keken elkaar een ogenblik lang uitdagend aan. Toen, alsof ze erin berustte, haalde Fleur heel even haar schouders op. Richard knikte met een tevreden uitdrukking op zijn gezicht en keerde zich weer naar Zara.
'Kom,' zei hij. 'Kom, kleine Zara. Wij zijn net aan de beurt geweest. Nu is het jouw beurt.' En met zijn arm teder om Zara's smalle, magere schouders nam hij haar langzaam mee het huis in.